中富公一 編著
Koichi Nakatomi

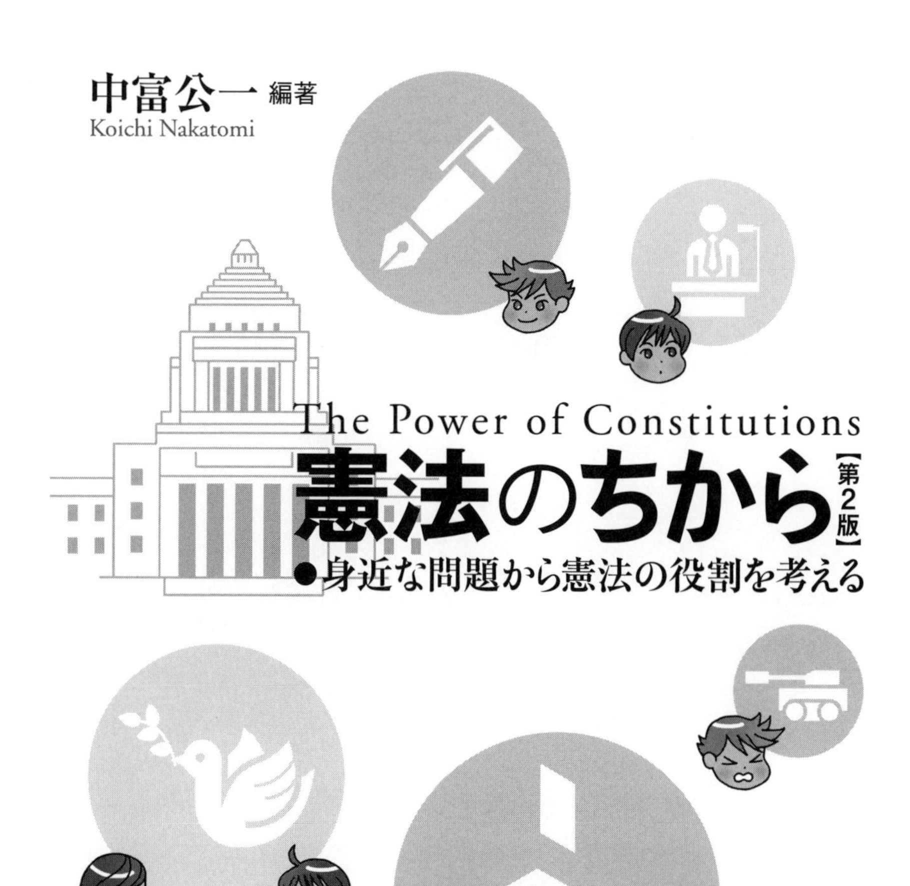

The Power of Constitutions

憲法のちから【第2版】

●身近な問題から憲法の役割を考える

法律文化社

第２版はじめに

2021年に本書が出版されて以来幸いにして多くの大学で採用され多数の読者に利用していただくことができました。理論水準を落とさずに初学者にも分かり易いように書くとの本書の目的が評価されたのであれば嬉しく思います。初版から４年目にして改訂版を出すのは次のような理由からです。

まず，ロシアのウクライナへの侵略など国際的地政学リスクの高まりに対応して国内世論が分かれるなか有事法制が新たな展開を見せています。また行政改革による官邸主導体制も定着し，他方，統治機構の分野で様々な問題が見られるようになりました。これを受け，第１部第４章平和主義の論述を，台湾有事と有事法制との関係から説き起こしました。統治機構では官邸主導体制の構造とその問題点，天皇制では女性天皇について，総論では，憲法制定権力論，民主制と共和制と自由主義の関係，臣民概念の意味などを書き加えました。

人権の分野においても新たに注目すべき最高裁判決がみられています。さらに様々な事件やそれらを受けて国内の立法化も行われています。同性婚に関する判決など家族・夫婦関係に関する最新の判決や立法，生活保護費減額訴訟，さらには木村花さん事件などを補足しました。

改訂を行ったもう一つの理由は，執筆者たちが授業で本書を使うなかで，学生諸君にとって分かりにくかったり誤解を招いたりすると思われる部分を修正したいという思いがあったからです。今回，読み易くするための数々の補足・修正を行いました。

本改訂により，読者諸氏が今日の改革の流れを憲法構造のなかで理解し，日本理解の視点をアップデートしていただければ幸いです。

本改訂に当たっては初版出版のときと同様に舟木和久さんに大変お世話になりました。記して謝意を表します。

2024年初春

執筆者を代表して

中 富 公 一

初版はじめに

本書は，日本国憲法の教科書として，大学の一般教育で用いられることを想定して作成されています。憲法について皆さんは，高校で学んだことだし，簡単な暗記科目だと思っているかもしれません。しかし，高校の社会科のイメージと，大学で学ぶこととは質的に大きな違いがあります。高校での憲法は，暗記科目だったかもしれません。しかし大学では考える科目です。覚える知識の量だけでいうと，高校でも多くのことを学んでいるはずです。しかし，社会生活の中で活用できているでしょうか。大学の授業では，それら知識が，なぜ作られたのか，どう用いられてきたのか，いま社会の現実の中でどんな意味をもちうるのかを考えていきます。

たとえば，ジョン・ロックといえば「社会契約論」を覚えていると思います。では，社会契約とは何ですか？　誰と誰との契約ですか。それは歴史的にどのような意味をもっていましたか？　それはいま，どのような意義があるのですか。あなたが直面している問題にそれを活用できますか？

授業では教員から様々な問いが発せられるでしょう。本書では，モモ，キビ，スセリの３人（「登場人物紹介」参照）が日頃の疑問をぶつけあっています。あなたはそれに答えることができるでしょうか？

本書には，その答えが記述されているはずです。しかし何も考えずに読んでも，中身は素通りするだけです。常に問いを意識しながら本書を読んでいって下さい。そうすれば憲法のもつ面白さ，その豊かなちからを実感できるようになるでしょう。

本書は単に憲法の知識を増やすことを目的としているのではありません。憲法の確実な知識を身につけつつも，それを踏まえて，自らが主体的に憲法を生活の各場面で活用し，広げていくようなちからを養ってもらうことを目的としています。

他方，憲法は国家機関が従うべきルールですから，皆さんの生活には関係がないと感じる部分も沢山あるでしょう。そうした問題を取り上げる場合でも，それがどのようにして皆さんの生活に結びついているのか，いま，国会や内閣などでやっていることの意味は何なのかを，大学生のモモ，キビ，スセリの目線から理解できるよう解説し，政治をコントロールするちからを身につけてもらいます。憲法を身につけるとは，憲法を知識として覚えるのではなく，憲法のもつそうしたちからを身につけることにほかなりません。それは，主権者教育の目指すべき目標でもあると思います。

2016年から「18歳選挙権」が導入されました。学校では，主権者教育が要請されています。高校では，その他にも憲法教育，法教育，消費者教育などにも取り組まなくてはならず，先生たちも苦労されていることと思います。編者は，高校の先生たちと組んで，多くの高校で法教育を実践してきました。また岡山大学法学部の一員として，地元の弁護士さんたちと協力してジュニア・ロー・スクールを開催しています。執筆者の一人である矢吹は，中教審委員として，また岡山県消費者センター職員として，日々消費者教育に取り組んでいます。矢吹と同様，岡山大学で研究生活を始めた他の執筆者たちも，学生諸君にどうやって憲法を理解してもらうか日々苦労を重ねています。本書には，教育に携わる学校の先生方のお役に立ちたいとの執筆者たちの思いが込められています。

『大衆の反逆』を書いたホセ・オルテガ・イ・ガセットは，『大学の使命』（玉川大学出版部，1996年）という本のなかで，教養とは，「生の難破を防ぐもの，無意味な悲劇に陥ることなく，過度に品格を落とすことなく，生きていくようにさせるところのものである」（78頁）と述べています。そのためにも，憲法のちからを感得し，身につけておくことは必須であろうと思われます。本書を自分のものとし，本物の教養を身につけられることを切に願っています。

なお，本書は部分的に現代憲法教育研究会編『憲法とそれぞれの人権〔第3版〕』（法律文化社，2017年）（本文では，『憲法とそれぞれの人権』と略記）の資料・図版を転載させていただいています。記して謝意を表します。

最後に，本書を企画して3年経ちました。この間，編集部の舟木さんは常に励まし続けて下さりました。またコロナ禍のもとオンライン授業の準備に苦労しながら原稿に取り組んでくれた執筆者たちにも感謝申し上げます。ありがとうございました。

2021年初春　　執筆者を代表して

中富公一

目　次／憲法のちから〔第2版〕

第3部　身近な問題から考える人権

――憲法はどのような権利をどのように守るのか

［資料目次］

▶第2部

▶第3部

▶巻末資料

登場人物紹介

モモ

中学・高校の時の成績は常にトップクラスの優等生。母親は県議会議員で，社会問題について小耳にはさむことがよくあります。大学生になって，社会問題の本質について学びたいと思っている法学部の1年生です。将来は，公務員か教員になりたいと思っています。

スセリ

モモと中学・高校の同級生。父親は薬剤師で総合病院に勤務，母親は専業主婦。家事はすべて母親がするのが当たり前と思っている父親の態度に疑問をもっています。自分も将来薬剤師になって，自立したいと思い薬学部に入学しました。

キビ

モモと高校の同級生。両親は高校の教員をしています。何事も効率を優先して考え，いかに楽をして大学を卒業するかを考えているようです。できれば大学在学中に起業して自立したいと考え，経済学部に入学しました。

＊イラストレーター　中山和美さん：大阪を中心として活動しています。自然の中でイラストを考えるアウトドア派です。イラストの依頼があると山に登ってイメージをふくらませています。

第1部

この国の基礎にある考え方

立憲主義・法の支配・平和主義

第１章　憲法とは何か

これから憲法の勉強するんだけど，憲法って何？　憲法って法律とどう違うの？

新聞でみたけど，憲法とは国家権力を縛るものだと聞いたことがあるわ。

それって，オレたちは憲法を守らなくてもいいってこと？

どうなのかな？　学校では，憲法は国民の権利を守るものだとも聞いたけど。

でも権利っていいものなの？　権利ってワガママ勝手のことだという人もいるじゃない。

安倍元首相は国会で「憲法について……いわば国家権力を縛るものだという考え方はありますが，しかし，それはかつて王権が絶対権力を持っていた時代の主流的な考え方」（2014年２月３日衆議院予算委員会）だと発言しています。選挙で勝利すれば，政府は憲法を無視して政治を行ってよいのでしょうか。そのことでどのような問題が生じるのでしょうか。

Point

- 憲法とは何でしょう。日本国憲法の授業では何を学ぶのでしょうか。
- 国家とは何でしょう。国民は憲法を守らなくていいのですか。私人間効力とは何でしょう。
- 人権とは何ですか。権力分立はなぜ必要ですか。
- 憲法にはどのような種類がありますか。

1　憲法とは何か

モモは「憲法って何？」と聞いていますが，ここではそれに答える前に，憲法学は何を研究する学問か，から始めましょう。それを一言でいえば，良き国家（＝政府）とは何かを問う学問です。**国家**とは，簡単にいえば，国（領土），国民を支配する政治機構のことです。そして皆さんは日本国憲法の講義で，日本国憲法は良き国家をどのように構想したかを学ぶことになります。

簡単に歴史を振り返ります。古代ギリシアの哲学者**アリストテレス**（BC384-BC322年）は，良き国家として，君主制，貴族制，民主制を挙げ，それらは悪しき国家になると，僭主制，寡頭制，衆愚制に堕落すると指摘しました。アリストテレスは長い間ヨーロッパでは忘れられていましたが，十字軍をきっかけに再発見されます。この時代，キリスト教思想とアリストテレスを中心とした哲学を統合した『神学大全』で知られる**トマス・アクィナス**（1225頃-1274年）は，それならば，君主制，貴族制，民主制を組み合わせたらよいのではないか，と考えました。これを**混合政体論**といいます。

この議論を受け継いだのが**三権分立論**で知られる**シャルル・ド・モンテスキュー**（1689-1755年）です。彼は，国王と貴族，市民が対立する時代，国王は行政を，貴族は司法を，そして市民は立法を担当すればよいと考えました。この三権分立の考え方はアメリカ合衆国憲法（1787年）そしてフランス人権宣言（1789年）に引き継がれます。

この混合政体という考え方に対して純粋形態の方がよいと考え，絶対君主制を支持したのが**トマス・ホッブス**（1588-1679年）であり，純粋民主制を支持したのが**ジャン・ジャック・ルソー**（1712-1778年）です。ホッブスが絶対君主制を支持したのは，自然状態にある（＝国家がない）社会を，万人の万人に対する闘争が続く社会だと考えたからです。ルソーは，直接民主政のもと一般意志による全体の一致を目指し，一般意志に服従した人民主権（国民主権）のもとでの政治を理想としました。

権力が分立された国家か，純粋政体の国家かというこの議論とは別に，良き国家とは，自然権を保障する国家であると考えたのが**社会契約論**です。ホッブスは先の社会観から自然権を保障してもらうためにそれをただ一人の主権者に委ねます。

資料1－1　国家と社会

国家（State）とは，一定の地域を基盤にし，そこに住むすべての住民の上に排他的な権威をもつ決定を行う権力機構のこと（『現代政治学小辞典〔新版〕』有斐閣，1999年）。

社会（英：Society）: The English word 'society' can be stretched or narrowed to cover almost any form of association of personal possessing any degree of common interests, values, or goals.（The Concise Oxford Dictionary of Politics, 3rd. ed. 2009）.

国家と社会（独：Staat und Gesellschaft）:「国家」という用語は，最高の統制力を備えた共同体の法的組織を意味し，社会とは，主に私的利益によって導かれる自由な協働から生じる社会的構造および諸関係の全体を意味する。Maunz und Zippelius, Deutsches Staatsrecht 29. Aufl., 1994, S. 49.（中富公一訳）

これに対して**ジョン・ロック**（1632-1704年）は，自然状態においても，人々には理性があり，むやみに他人の権利を侵害することはないと考えました。彼は，この権利を人間に固有のもの（property）と呼び，生命（life），自由（liberty），財産（estate）がそれに当たるとしました。そして，各人が「自分のもの」としてのプロパティを自己の判断で適切に処理できる「自由」は，すべての人間に「平等」に与えられていると述べたのです。これを**自然権**といいます。そして人々は，自分が他人の権利を侵害できるということは，他人も自分の権利を侵害できるということを理解できる理性をもっているがゆえに，相互に自然権を尊重しようという暗黙の契約がなされたと考えました。しかし，ロックによれば，自然状態においては裁定者がいないので，紛争が起こったとき必ずしも合理的な解決が望めるとは限りません。そこで大多数の者が集まってシビル・ソサエティ（政治社会）をつくろうということになるといいます。その目的は，人間の自然権を守ることです。そのための国家と人民との契約を社会契約（＝憲法）といいます。

2　近代立憲主義憲法

以上述べてきた，権力分立と人権保障を兼ね備えた憲法を近代立憲主義憲法と呼びます。**フランス人権宣言**（巻末資料参照）16条は端的に，「権利の保障が確保されず，権力の分立が定められていないすべての社会は，憲法をもたない」と述べています。

人権について

アメリカ独立宣言（1776年）は次のように語っています。「すべての人は平等に造られ，造物主によって一定の奪うことのできない権利を与えられ，その中には生命，自由および幸福の追求が含まれる」と。ここでは権利として，生命，自由，そして財産権を含む「幸福追求の権利」が語られています。つまり自然権が想定されていました。アメリカのフェデラリストたちは，神の命令と立憲主義をそれほど違ったものと考えていたわけではないようです。造物主とは神様のことですね。

資料１－２　アメリカ独立宣言（1776年）

（前略）われらは，次の真理が自明のものであると信ずる。すべての人は平等に造られ，造物主によって一定の奪うことのできない権利を与えられ，その中には生命，自由および幸福の追求が含まれる。これらの権利を確保するために人びとの間に政府が組織され，その権力の正当性は被治者の同意に由来する。いかなる統治形態といえども，これらの目的を損なうものとなるときは，人民はそれを改廃し，彼らの安全と幸福をもたらすものと認められる諸原理と諸権限の編制に基づいて，新たな政府を組織する権利を有する。（後略）
（出典：初宿正典・辻村みよ子編『新　解説世界憲法集〔第２版〕』三省堂，2010年，84頁，野坂泰司訳）

ロック『統治二論』でいう自由は身体の自由が中心でしたが，アメリカ合衆国（以下，アメリカ）では，プロテスタントの信教の自由のことも重視されました。つまり「自由」とは，どの神（＝教え）を選択するかの自由でした。なお，ロックの議論を念頭に置きながら，生命，自由，幸福追求と書いたのは，**トマス・ジェファーソン**（1743-1826年）です。

権力分立について

アメリカの憲法制定者たちの論文を集めた『**ザ・フェデラリスト**』第51編（1778年）は，政府を形成する目的と方法について次のように語っています。「もし人が天使であれば，政府は必要ないであろう。またもし天使が人間を統治するというならば，政府に対する外部からのものであれ，内部からのものであれ，抑制など必要とはしないであろう。しかし，人間が人間の上に立って政治を行うという政府を組織するにあたっては，最大の難点は次の点にある。すなわち，まず政府をして被治者を抑制しうるものとしなければならないし，次に政府自体が政府自身を抑制せざるをえないようにしなければならないのである」，と（日本において政府といえば狭義には内閣を指しますが，ここでは国の統治機構全般の意味で用いられています。本章では後者の意味で用い，国家とも表現しています）。

ここではまず，国民が天使でない以上，人権を保障するために「被治者を抑制しうる」実効的な政治権力の創出が必要であるとされます。しかし同時に，政府を構成するのが天使ではない以上，政府の権力濫用を抑制することが必要であり，そのために「政府自体が政府自身を抑制せざるをえないよう」，政治権力をいくつかに分割して専制政治を防ぐことが構想されています。そのために取られた制度が三権分立です。なお，権力過程に内在するこの病理について，後に**アクトン卿**（1834-1902年）は，「権力は堕落する，絶対的権力は絶対的に堕落する」と表現しました。

権力分立と民主主義

ところで，フランス人権宣言の権力分立は，国王，貴族，市民による権力の分割を想定していましたが，アメリカには貴族は存在せず，国王もいませんでした。そこで大統領を創設し国王の役目を果たさせ，それを選挙で選ぶことにしました。また市民たちは代表を議会に送って，代表たちの多数決で法律の制定等を行うことにします。司法については，たとえば連邦最高裁判事は，大統領が指名し上院の同意を得て任命されることとしました。つまり，これらはすべて人民主権のもとに置かれることになります。したがって，これは権力の分立ではなく，権限の分立だともいわれます。

アメリカにおいて憲法とは，「人間が生まれながらにもっている基本的権利」＝人権の保障のために政治権力を創設し，その上でそれを抑制・コントロールするために制定されたものであったことが分かります。なお，アメリカ合衆国憲法は三権分立を厳格に受け取りましたが，イギリスなどでは当時すでに議院内閣制に移行していました。権力分立の様式については近代立憲主義諸国でも様々な方式が採用されています。

他方，ルソーは，選挙を伴う議会政治（間接民主制，代表制，代議制）とその多数決を否定し，一般意思は直接に確認されるべきだと考えました。

憲法のあり方

皆さんは憲法というと，六法全書に載っている日本国憲法の条文を思い浮かべると思います。このように憲法を１つの成文法典に記載するというやり方は**ヴァージニア州憲法**に遡ります。1776年，同州で権利章典が採択され，直後に採択された「政府の機構」という法典と一体を成すものとされ，その後，成文憲法といえば人権部分と統治機構部分から構成されるというモデルになりました。同憲法の制定に関わったジェファーソンは，アメリカ独立宣言の草稿づくりに関わり，**ジェームズ・マディソン**（1751-1836年）はアメリカ合衆国憲法の主要立案者の一人となりました。

それ以前にも憲法はありました。最広義において憲法とは，およそ国家の組織・構造の基本に関する法を意味するとされます。すなわち憲法とは国家の仕組みを意味するのであり，この意味での憲法は，国家である以上，すべての国が有しています。これを「**固有の意味での憲法**」と呼びます。絶対主義国家以前においては，憲法は慣習法などで存在しました。

立憲主義国家では「固有の意味の憲法」を成文憲法で定めるのが一般的となりますが，前者の憲法を構成する文書がすべて成文憲法の形式をとるとは限りません。また成文憲法典自体をもたない国もあります。他国に先駆けて近代立憲主義を実現したイギリスは「**不文憲法**」の国とも呼ばれますが，実際は，マグナ・カルタのような各種憲法的文書を有しています。このような文書を指して実質的憲法と呼ぶ場合があります。日本でも公職選挙法などは実質的憲法をなすとされますが，成文憲法典は特別に厳格な手続によらなければ変更できないものが多く，それを「**硬性憲法**」と呼び，通常の立法手続と同じ要件で改正できる「**軟性憲法**」とは区別されます。

規範的憲法・名目論的憲法・意味論的憲法

いま世界を眺めると，立派な憲法をもっているのに専制が行われ人権が保障されない国，あるいは憲法が特定の家族や集団の独裁を保障している国などがあります。これらを立憲主義憲法と呼べるでしょうか。このような問題関心から**カール・レーヴェンシュタイン**（1891-1973年）は，憲法を3つに分類しました。1つ目の規範的憲法とは，諸条件に恵まれ，書かれた憲法が「政治過程を支配し」て，「生ける憲法」となっている場合をいいます。2つ目の名目論的憲法とは，立派な条文をもっているものの諸条件に恵まれず実際には機能していないが，その現実化に向けて国民を教育していくことを主要な機能とするものとされます。他方，3つ目の意味論的憲法とは，事実上の権力保持者の利益のために，現存の政治的権力状況をそのまま定式化したものであるとされます。いかに憲法に基づいて政治が行われていても，これでは意味はありませんね。

3　国家の根本法としての憲法

憲法とは，国家と人民との社会契約だという考え方はすでに紹介しました。別の観点から憲法を説明した人たちもいます。その一人が**ハンス・ケルゼン**（1881-1973年）です。彼は，国家とは法律の束（法制度）であるといい，憲法はそれらの妥当根拠だと述べています。

たとえば，公立学校において公務員である教員は教育を行い，生徒を監督し

資料1－3　権威（authority）

権威とは，もっとも簡潔にいえば，「正統な権力」として定義することができる。権力（power）は，他人の行為に影響力を与える能力であるけれども，権威は，他人の行為に影響力を与えることができる権利である。権威はそれゆえ，むしろ，従うべきであると認められた義務に基づいている。……

マックス・ヴェーバー（1864-1920年）は，服従が得られることができる根拠の違いに基づいて，3種類の権威を区別した。すなわち，伝統的権威は歴史に基づいている。カリスマ的権威は個人の人格に起因している。そして，合法的・合理的権威は一連の非人格的な規則に基づいている。（Andrew Heywood, Politics, 3rd ed., Palgrave Macmillan, 2007）

ます。教員は児童，生徒を懲戒もできます。では，担任教員は，担当する生徒を担任教員という資格で停学にすることはできるでしょうか。

生徒を停学にするというのは相手の意思に反してまである行為を強制する力＝「権力」を行使しています。担任教員のその行為が「正当」か否かは，教員がそうする「権威」を有しているかどうかで決まります。そうした正当な権力のことを権限といいます。つまりこの問いは，担任教員には生徒を停学にする権限がありますか，という問いになります。答えは法律のなかにあります。NOです。なぜなら，法令（学校教育法施行規則26条2項）が，それを行いうるのは校長だけであると定めているからです。

このように公務員の活動は法律によって授権されているがゆえに，そしてその限りで正当性を有します。つまり国家活動は法律の束のなかにあるということになります。では，法律はなぜそのような権威を有するのでしょうか。

国会が作るからですね。では国会が作った法律はなぜそうした権威を有するのでしょうか。議員が民主的に選ばれたからですか。では，明治時代の国会議員は民主的に選ばれていましたか。こうして質問していくとキリがないと思うかもしれません。しかしキリをつける答えがあります。それは，憲法がそれを定めたからという答えです。

つまり，国会が定める法律になぜ権威があるかといえば，憲法41条が，「国会は，国権の最高機関であつて，国の唯一の立法機関である」と定めるからです。国会議員が民主的に選出されなければならないのは，憲法44条がそう規定しているからです。それ以上に，権威の根拠は遡りません。これを**憲法の最高法規性**（憲法98条）といいます。

このようにこれ以上遡れないのが憲法だと述べたのがケルゼンでした。そして彼は，憲法が根本規範に妥当根拠を有するがゆえに最高法規であり，すべての法律は憲法に，命令等は法律に，行政行為は命令等にその妥当根拠を有するという**法の段階構造論**を説きました。

彼のいう根本規範は憲法の外に観念的に想定されていましたが，**芦部信喜**（1923-1999年）は，自然権思想を実体化した人権規定が日本国憲法の中核を構成する「根本規範」であると述べています。こうなると，結果的に社会契約論と同じことになりますね。

なお市民革命期に，国家は人民との契約によって運営されるべきだと考えた人たちが革命を起こし憲法を制定しました。この力を憲法制定権力ということがあります。しかし立憲主義国家においてこの憲法制定権力は憲法に吸収され，裸の力であることを止めます。ところが市民革命を経ずに立憲国家になった国などでは，憲法に吸収されない場合があると指摘したのがC.シュミット（1888-1985年）です。彼の指摘は，事実解明的分析としては否定できません。しかしこの権力発動の要請が，立憲体制を崩壊させ悲惨な戦争に繋がったことはドイツや日本の歴史の貴重な教訓です。

資料1－4　C.シュミットの憲法制定権力論

シュミットは，それが革命やクーデターのような事実上の単なる権力問題であることを承認しながらも，「そうでない場合がある」と異論を唱えます。「たとえそれ自体が憲法によって把握されていないとしても，それにもかかわらず，それが既存の憲法との関係で憲法制定権力として現れる関係にあり，それなくしては合憲的な構成がなされえない権力が想定される場合である。それはそれ故に，既存の憲法がそれをたとえ否定したとしても，それによって否定され得ない。それがpouvoir constituant制憲権力の意味である」Die Diktatur, 3. Aufl., 1964, S. 137,（中富公一訳）と述べています。

4　憲法と法律の関係

憲法（＝社会契約）で国民の人権を守るように要請された国家は，何をするのでしょうか。資料1－5，1－6をみてください。自然状態で有していた自然権（＝生命・自由・財産）を守るために国家（政府）が樹立されました。

この国家に対して，日本国憲法13条は，「生命，自由及び幸福追求に対する国民の権利については，公共の福祉に反しない限り，立法その他の国政の上で，最大の尊重を必要とする」と命令します。すると国家は，市民間の権利を調整するために民法を制定します。また，どういう行為が人権を侵害し禁止されるべきかを明確にするために刑法を制定します。これに基づき国家は，警察

資料1－5　自然権の全方向性

出典：筆者作成

資料1－6　法律上の権利と人権

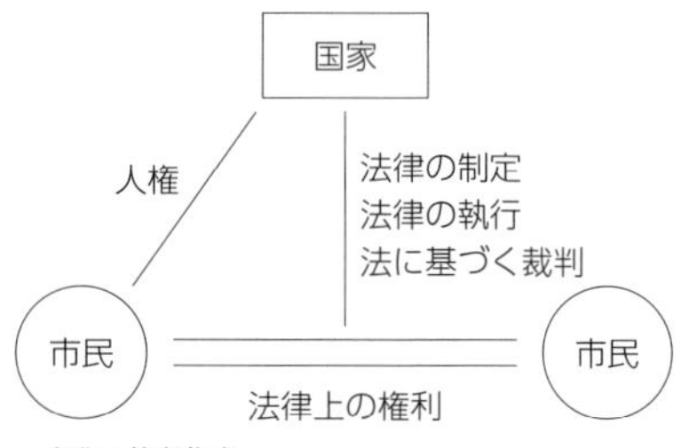

出典：筆者作成

官を雇い，刑法に反する行為を取り締まります。裁判所は，法律に基づいて被告人を裁き，あるいは市民間の権利を調整します。こうして人権が保障され，市民は法律を守ればよいということになります。

この国家を構成するのが公務員です。具体的には，憲法99条が規定する人々，すなわち，「天皇又は摂政及び国務大臣，国会議員，裁判官その他の公務員」です。そして人民（第1部第2章参照）は彼らに，「この憲法を尊重し擁護する義務を負ふ」と命じるのです。ここに，「国民」が入っていないのは，権力を行使する者＝公務員に対し，憲法に従って権力を行使せよと「国民」が命じているからです。

では，国民は憲法を守らなくてよいのでしょうか。もちろん社会契約論からいえば，契約ですから国家の相手方＝国民も義務を負います。基本的な義務は納税義務などですが，それ以外にも法律に従う義務があります。

しかし憲法の定める義務の多くは国家に向いています。たとえば，憲法4条，41条，65条，76条をみてください。国民はこれを守れるでしょうか。これらは，天皇，国会，内閣，裁判所に対する指示なので国民は守りようがありませんね。また憲法9条ですが，一国民が戦力をもつなど考えられませんので，これも国家に対する命令ですね。

憲法の私人間効力

では，ある企業が，特定の雇用者の思想が気に入らないからといって彼を解雇できるでしょうか。憲法は思想信条による差別を禁止しています。しかし憲法は私人を拘束しないので，法律が禁止していない限り，解雇は自由のように思われます。一般の国民であれば，あの人が嫌いだからといってグループに入れないことも自由ですね。しかし企業であればどうでしょう。この問題を**憲法の私人間効力**の問題といいます。

このことが争われた**三菱樹脂事件**で最高裁は，「場合によつては，私的自治に対する一般的制限規定である民法１条，90条や不法行為に関する諸規定等の適切な運用によつて，一面で私的自治の原則を尊重しながら，他面で社会的許容性の限度を超える侵害に対し」，その間の適切な調整をはかると述べています（最大判1973（昭和48）年12月12日）。私人は国家ほど厳格に憲法に拘束されませんが，社会的に許容しうる限界を超える場合には憲法はその違法性の判断基準となるといっているわけです。なお，当時の民法１条には，現民法２条も含まれています。

権利とは何だろう

ところで，日本では，権利と利権が同じ漢字を使っているようにこの２つの言葉が区別なく用いられることがあります。しかし権利を意味するドイツ語のRecht（レヒト）は，同時に正義や法を意味します。権利を最初に定義したとされるグレゴリー・ヴラストス（1907-1991年）によれば，**権利**とは「正当とみなされる要求」，すなわち「正当な根拠をもって要求できるものであり，主張された場合に他者が保証の義務をもつもの」としています。そして広辞苑によれば，義務とは，自己の立場に応じてしなければならないこと，また，してはならないことを意味するとあります。つまり権利とは，主張や要求が正当と認められ，それゆえ，ある機関または人に，それに応答する責任（義務）を負わせることができることを意味します。人権とは，まさに持って生まれた権利と考えられたのです。

発展学習

- アメリカ独立宣言の採用した民主主義の目的は何だったでしょうか。
- 相撲協会は，いまでも女性を土俵に入れませんが，これは憲法に反しないでしょうか。ステート・アクションの法理について調べてみましょう。

コラム①

法律家のように考える

法律家と非法律家の発想，あるいは考え方にはどのような違いがあるのでしょうか。たとえばいじめで自殺した生徒がいるとします。非法律家であれば，「こんなことがあっていいの，悲しいね」とか，加害者に対し，「そんなことをするのは悪い奴だよね」とかの感想をもつでしょう。

しかし法律家であればこうした場合次のように考えるでしょう。いじめ加害者Aを警察は逮捕すべきだろうか，裁判で有罪にすべきだろうか。また，次のようにも考えるでしょう。被害者の遺族に，Aおよびその親族は，あるいは学校は，損害賠償すべきだろうかと。このように，法律家のように考えるということは，事実状況からはじまり，ある過程を経て，当該当事者の権利と義務についての結論にたどり着く，ということを本質的に必要とします。つまり事実状況の説明およびそれについての情緒的感想で終わっては法律家とはいえません。

こうした事件に出会った時の，法律家の思考の順序をみてみましょう。

① 人が不当な扱いを受けているとき，具体的事実に即して，こんなことがあってはならないよねと考える。

② 不当な扱いを受けている人はどんな権利を侵害されたのだろう。加害者は何に違反したのか，学校にはどんな責任があるのだろうと考える。

③ どういう補償を行い，罰を与えるべきかを考える。

④ 憲法・法律を精査し，裁判所の判例を調べ，この事実に当てはめるべき規範を確定する。

⑤ 確定した事実に対してこの規範を適用し，権利・義務を決定する。

ここで非法律家と法律家との違いは，②段階から生じているかもしれませんが，典型的に異なってくるのは④⑤の過程を踏むか否かでしょう。いじめにかかわる事実を調べれば，誰が悪いのか，被害者遺族はどうすべきだったのか，償いを受けるべきだろうか等について感想をもつことはできます。しかしいくら事実を調べても，権利・義務は確定しません。というのも④はその事実からは出てこないからです。ではなぜ④の過程が重要なのでしょう。それは，ある状態にある人に，権利・義務があるかどうかは，憲法，法律，判例等によって決まるからです。これを規範といいます。規範とは何でしょうか，なぜ，権利を生みだす力をもつのでしょうか。

ところで，規範とは一般に当為を表すといわれます。当為とは「こうあるべき」という要請です。たとえば，人を殺した人がいるとします。これは事実です。これについて善悪の判断はまだありません。これが悪であるという判断は，「人殺しはいけない」という当為＝規範があって初めて成立するのです。規範がないからといって事実がなくなるわけではありませんが，規範がなければ善悪の判断はありません。

社会を律する規範はどのようにして生まれたのでしょう。人類史上最も有名な規範の一つはモーゼ十戒だと思われます。「汝，殺すなかれ」は聞いたことがあるでしょう。それは神との契約による命令として伝えられました。神の命令だからこそ人間の行動の基準となるのです。とはいえ規範は，神の命令に限りません。昔からこうしてきたから（＝伝統）とか，親の命令だからとか，王様の命令だからとか，社会には様々な規範があります。近代においては，事前に公布された法律が最も重要な規範となります。それは誰にでも公平に客観的な規準を提供するからです。さらに民主主義の時代では，それが自分たちで決めたルールでもあるからです。

ある事件に対して，その権利義務を明らかにする規範を探し，それに即して事実を整理し，その事実に規範を当てはめて，結論（権利と義務）を下します。事実→規範→適用→結論，これが法律家の思考パターンとされるものです。この事実を司法事実といい，事件毎に司法事実は異なりますので，同じ規範を適用しても結論は異なります。この判断は，裁判所によって行われ判決と呼ばれます。司法事実は類型化され，その類型に下された判決の蓄積が判例（法）です。

事実に適用すべき規範を法源といいます。一般に，憲法，法律，命令（政令・省令），条例（規則），慣習法，判例，条理などが挙げられますが，事件毎に何を適用すべきかが異なってきます。市民間の争いでは，当事者同士の契約も重要な法源となります。

第２章　立憲主義，民主主義と共和主義，積極国家

憲法って人権を守るための国家と人民の約束だったんだね。

人民って聞き慣れない言葉ね。

学校じゃ，民衆が王様を倒したって聞いたけど。

じゃあ，民衆が人民なの？

民衆が王様を倒したフランスでは共和国ができたんだよね。イギリスは連合王国。

ドイツも立憲主義国家だよね。この前テレビでは，ドイツを，「民主的社会的連邦国家」って紹介していたな。立憲主義にも色々あるみたいだね。

生命・自由・財産という自然権を守るための装置として考案された立憲主義ですが，その後の歴史的展開の中で立憲主義も成長していきます。国家といえば君主制が一般的でしたが，共和国が誕生し広がります。また，民主主義の発達に伴って人権の内容も多彩になります。ここでは，立憲主義と民主主義の関係，人権の種類について考えていきましょう。

Point

- 人民とは誰を指しますか。立憲君主国と立憲民主主義国の違いは何でしょうか。
- 共和主義と自由主義との関係はどうなっているのでしょう。消極国家から積極国家へ，とは何のことでしょうか。
- 立憲主義の展開の中で生じた新たな人権はどのように分類されますか。

1　立憲主義と民主主義

人と市民

フランス人権宣言の正式名称は「人および市民の権利宣言」といいます。人と市民が区別されていますね。アメリカ独立宣言（第1部第1章資料1－2）も，「人々（men）」と「人民（people）」とを使い分けています。独立宣言の論理構造をみてみましょう。

自然状態における人々の自然権を確保するために，政府が組織されます。しかし政府がその目的を損なうとき，人民はそれを改廃し新たな政府を組織する，とされます。

市民の集合体を**人民**といいます。ギリシャ時代，市民は，アゴラ（広場）に集まり政治や芸術・哲学について議論し，いざ戦争の時には自らの武器を持参して戦いに参加しました。これが**民主共和制**のモデルです。**ハンナ・アーレント**（1906-1975年）によれば，共和制下の**市民**（citizen）とは，政治に自ら積極的に参加し，公共的な役割に献身し，いざ戦争の時には国のために勇敢に命を捧げることができる徳をもつものとされます。

中世には共和制は貴族制と結びついて理解されましたが，近代立憲主義確立期の市民とは，公共の事柄（レス・プブリカ）に積極的自由を行使できる者とされました。西欧では教養と財産のある人，アメリカでは有徳の人です。彼らは一定以上の税金を払い，兵役に就くとともに，政治に参加する権利＝**市民権**（citizenship）が与えられました。フランスでは，市民は議会に代表を送り，権力分立に基づいて王権をチェックし法律を制定しました（巻末資料，フランス人権宣言6条，13条，14条参照）。そうした国家を**立憲君主国**といいます。

民主主義と共和主義

他方，アメリカでは国王や貴族がおらず，タウンにおいて共和制と民主制とが結合しました。**タウン**とは2000～3000人の地域共同体で，タウンの上にカウンティ（郡）があり，その上に州（state＝国家）があります。人々は平等で，土地を切り開きタウンをつくり，学校などを設立し協力して運営しました。**アレクシ・ド・トクヴィル**（1805-1859年）は次のように記録しています。

「タウンでは，代表の法理は受け入れられていない。タウン議会は存在しない。……地域集会（タウンミーティング）の招集権をもつのは理事だけだが，彼らにその招集を促すことはできる。もし10人の土地所有者がなにか新しい計画を思いつき，これについてタウンの同意を得ようと思うならば，彼らは住民総会の招集を要求する。……タウンには主な公職が全部で19ある。住民は誰しも任命されたならこれらのさまざまな職務を引き受けねばならず，断れば罰金が科される。だが公職の多くには俸給が支払われるので，貧しい市民も損失を被ることなく公務に時間を割くことができる。」(『アメリカのデモクラシー　第1巻上』岩波文庫，2005年，100頁）と。

この公共の事柄（レス・プブリカ）に参画することに自由をみるのが**共和主義思想**です。共和主義思想は，古代ローマ，ルネサンスをルーツとしたのに対し，**民主主義思想**は，古代ギリシャをルーツとし，ある国に生まれたというだけで政策決定に参画できることを自動的に保障します。政治権力の担い手は社会の一般構成員である有権者で，普通選挙によって実現され，有権者の意思が政策決定に反映されることをまずもって追求します。これに対し，権力が民主的に選ばれようとそれを他者とみて，その権力から干渉を受けない私的な領域を確保することを重視する考えを**自由主義思想**といいます。ロックの自由主義は，相手が君主であれ（立憲君主政），民主政であれ（立憲民主政），対応可能です。これに対しアメリカ憲法起草者の一人マディソンは，君主政を否定するとともに，民主政の危険性も想定しました。そこで，有徳の人物が得られなくとも政治に関与するエリート間の競争と相互抑制を制度的に確保し，民主主義的要素を持つ政府であったとしても「多数者の専制」に陥らずに済む政体として政治権力の多元主義を構想しました。

なお，国家の政治に国民をどこまで参画させるかについても争いがありました。有権者を広げ直接民主制にも賛成する人たちに対し，共和主義者はそれに反対し**代議制**を支持しました。このように人民の範囲をどこまで広げ，どこまで参画させるかは，国と時代によって変遷しています。**エイブラハム・リンカーン**（1809-1865年）の有名な演説，「人民の人民による人民のための政治」の人民とは当時誰を指したか考えてみて下さい。黒人や女性は含まれていたでしょうか。

近代立憲主義その後

憲法に基づいて近代国家が成立することにより，人権は，法律上の権利として理解されるようになります。というのも横の関係，すなわち人と人との権利の対立は，政府が法に基づいて裁判によって解決することになり，紛争解決の基準は法律によって示されるようになったからです。つまり自然権は実定法上の権利となります。こうして自然権思想は退潮し，「人の権利」から「国民の権利」への観念の転換がみられるようになります。人だからというより，国民だから，法律が保障するから権利があると観念されるようになったわけです。これに対して政府が人の権利を侵害するとき，あるいは保障しないとき，市民は憲法に基づいて政府に対抗できますが，これも，市民に選ばれた議会がそれを保障すると考えられました。

自然権を，市民間の紛争解決の基準として法制化したのが**市民法**です。なお日本では，市民法を民（たみ）の法，すなわち民法と呼んでいます。この市民法によって，**人格の平等**，**所有権の確立**，**契約の自由**，**過失責任主義**が確立します。この後三者を市民法の三原則ということがあります。フランス人権宣言は，所有権を神聖不可侵の権利としました。イギリスでは，近代国家への変化は「身分から契約へ」という標語で理解されました。過失責任主義のもとでは，他人に損害を与えても故意，過失がなければ損害賠償の責任を負いません。これは自由競争を促進します。こうしてこの市民法のもとで**資本主義**が発達しました。

ところが，身分制が解体し，財産と教養ある市民と労働者とでは「形式的には」対等・平等となりましたが，資本をもつ市民と労働者との間には圧倒的な力の差があり，金持ちはますます豊かになる一方，労働者は窮乏状態に陥ります。しかし，それは人格の平等のもとに自由な契約を行った結果であって，社会制度自体は公正な制度であるとされました。給料が安くて暮らせないというなら別の企業に行ってください，それは自由ですというわけです。賃金を上げろと組合を作ったりする労働運動は，契約の自由を侵すものとして犯罪視されました。労働者の「実質的な」権利が保障されなかったとしても，選挙権をもたない労働者はそれに対して声を上げることはできませんでした。

そのため19世紀後半には，「市民の権利」派に対して，労働時間の短縮や賃上げなど「**労働者の権利**」を求める人たちの挑戦が始まります。そしてこの時期に普通選挙権を求める民主化運動が展開します。具体的な権利は政治の民主化があって初めて実現するからです。民法や刑法を念頭に，法は理性の法であり，市民とは有徳の人であるという考え方は維持できなくなっていきます。有徳の人のいう国の利益とは，結局，彼ら自身の利益にすぎないと考えられるようになります。

2　民主主義と積極国家

成年男子普通選挙制を導入するきっかけとなったのは**徴兵制**の導入です。近代国家成立後の戦争は，王侯貴族の戦いではなく，国家間の戦いとなったからです。人々を戦争に動員するためにも彼らに国民意識をもたせることが必要となりました。フランス革命で国民皆兵による徴兵制と普通選挙制が導入されますが，後者は実施されませんでした。普通選挙制は，7月王政崩壊後の第二共和制政府により1848年に再導入されます。北ドイツ連邦では普墺戦争を契機に1867年，アメリカでは南北戦争を契機に1870年，イギリスでは第一次世界大戦を契機に1918年に実現します。一方日本では，兵役義務があったにもかかわらず選挙権は与えられていませんでしたが，普選運動の高まりにより1925年に実現しました。

普通選挙を通じて，女性を除く国民の全階層が政治過程に参与するようになります。そして様々に対立する国民の諸利害を政治に反映させるために政党が発達します。カール・レーヴェンシュタインによれば，この**政党**によって国民が，従来の三権に匹敵する第四権としての独立の固有な権力保持者の地位を獲得したとされます。民主化は独裁政権を誕生させることもありますが，民主化により政治権力が強化されても，複数政党が認められ政権交替が保障され，そして権力の分立と人権が保障される国を**立憲民主主義国**といいます。

第一次世界大戦（1914-1918年）を経て，ロシア革命によりソビエト連邦が誕生し，ドイツではヴァイマル革命が起こります。ソビエトは資本家を否定し労働者の国家を宣言し，**民主的独裁**のもと権力分立が排されます。ヴァイマル憲法（巻末資料）は市民法三原則を維持しますが，その修正により労働者の地位向上を目指します。すなわち，所有権や契約の自由は保障されますが，それらは法律による制約に服します。他方，労働者にはその保護や団結の自由等が約束されました。後者を**社会権**といいます。ヴァイマル憲法自体はナチスの台頭により短命に終わりますが，アメリカでは**ニューディール型国家**が，ソビエト連邦では**社会主義国家**が建設され，両者は第二次世界大戦後，世界の国々のモデルとなりました。前者の思想は**フランクリン・ルーズベルト**（1882-1945年）大統領の議会年頭教書演説（1941年）にみることができます。そこで彼は**4つの自由**，すなわち表現の自由，信教の自由，欠乏からの自由，そして恐怖からの自由を訴えました（資料2－1）。「欠乏からの自由」では，住民のための健全で平和時の生活を保障するような経済的合意が謳われます。労働者と資本家の協調が求められたといえます。国防，警察，司法等により自然権を保障するほかは，社会に介入しないことを原則とする国家を**消極国家**というのに対し，ルーズベルト型国家を**積極国家**，ドイツでは**社会国家**といいます。日本国憲法では，前文の「恐怖と欠乏から免れ」という表現にルーズベルト演説の影響をみることができ，社会権は25条以下の生存権，労働基本権などで具体化されました。

資料2－1　4つの自由

フランクリン・ルーズベルトの議会年頭教書演説（1941年1月6日）

（前略）われわれが確実なものとすることを追求している将来の日々に，われわれは人類の普遍的な4つ自由を土台とした世界が生まれることを期待している。

第1は，世界のあらゆる場所での言論と表現の自由である。

第2は，世界のあらゆる場所での，個人がそれぞれの方法で神を礼拝する自由である。

第3は，欠乏からの自由である。それは，世界的な観点で言えば，あらゆる国に，その住民のための健全で平和時の生活を保障するような経済的合意を意味する。

第4は，世界のいかなる場所でも，恐怖からの自由である。それは世界的な観点で言えば，いかなる隣国に対しても，物理的な侵略行為を犯すことがないような形で，世界中の軍備を削減することを意味する。

これは，千年先の幻想ではない。われわれの時代と，この世代のうちに実現可能な形の世界の，明確な基盤である。そうした種類の世界は，独裁者たちが爆弾の衝撃によって作り上げようとしているいわゆる専制政治の新秩序のまさに対極にある。

（出典：アメリカンセンター JAPAN https://americancenterjapan.com/aboutusa/translations/2383/）

第二次世界大戦後，立憲主義の価値が再確認され，アメリカで実施されていた**違憲審査**制度が広がるとともに，自然法思想が再生します（99頁以下「自然権の復権」参照）。人権が「国民の権利」となってからは，それは法律上の権利と同義となっていましたが，実定憲法に書き込まれた人権は自然権であり，法律によっても侵しえない場合があると考えられるようになります。それを保障するのが違憲審査制度です。また日本国憲法13条が，「すべて国民は，個人として尊重される」と規定しているのもそうした自然権思想の現れといえます。

発展学習

● 日本国憲法にはどんな人権が規定されていますか。人権を，自然権，市民権，社会権，その他に分類し，その特徴を述べなさい。

第３章　国家機関としての象徴天皇

今の日本って，天皇がいるから君主国なのかな？　天皇が象徴ってどういう意味なのかしら。

確かに天皇って昔からいるよね。明治になって近代国家になったって聞くけど，その時に天皇の立場は何か変わったのかな？

でもどうしてこの時，近代国家になったんだろうね。

黒船がやってきて，日本が植民地化されそうになったからじゃないかしら。

徳川幕府じゃなぜ駄目だったんだろうね。家康は幕府を開いた時，なぜ天皇家を温存したんだろう？

何でだろうね。でも徳川時代の天皇の地位と明治憲法のそれとは違うよね。それらと今の憲法の下での地位も違うようだね。

日本は明治維新をもって近代国家の仲間入りをします。それはどういう意味でしょうか。またなぜ，天皇主権の国家を作ったのでしょうか。それは立憲主義国家といえたでしょうか。日本国憲法が定める象徴天皇にはどんな働きがあるのでしょう。

Point

- 明治維新は天皇をどういう地位に就けましたか。それはなぜでしょうか。
- 明治憲法は立憲主義憲法といえるのでしょうか。
- 日本国憲法の象徴天皇とは，どういった国家機関なのでしょう。

1　明治憲法と天皇

近代国家と日本

日本は明治維新で近代国家の仲間入りをしました。というのも近代国家には，国民，領土，主権の三条件が必要とされます。つまり国民，領土，主権をもたない政治権力を国家とはいいません。徳川幕府はこれらを保有していたでしょうか。国家は国民から直接税を徴収し，彼らに裁判権等を行使できてこそ国家といえます。つまり**主権**（対内的）ですね。徳川時代，領民に対してこれらを行使できたのは藩主です。したがって徳川幕府は，大名のなかの第一人者にして諸藩連合の盟主ですが，国家ではありませんでした。諸藩に盟主としての権威を認めさせるためには天皇による任命が必要でした。マックス・ヴェーバー的にいえば，家康のカリスマ的権威と天皇の伝統的権威との組合せによって徳川幕府は権威を保持できたといえるでしょう。徳川幕府を倒した維新政府も彼らの武力だけで国民を統治する権威を獲得できたわけではありません。イギリスやフランスでは，市民階級の成長が革命をもたらしますが，明治維新は，欧米の進出に対抗する必要という外圧から生まれました。そして維新の中心となった人たちが下級の武士や貴族だったため，その支配を天皇の伝統的権威で支える必要があったといえます。**大日本帝国憲法**（**明治憲法**）の草案作成者の一人，**伊藤博文**（1841-1909年）は次のように述べています。

ヨーロッパにおいて憲法政治はすでに歴史的に長い。それのみではなく，「宗教なるものありて，これが基軸をなし深く人心に浸潤して人心これに帰一せり。然るに我国にありては宗教なるもの其力微弱にして，一も国家の基軸たるべきものなし」。仏教は，「今日に至りてはすでに衰勢に傾きたり」。神道も，「祖宗の遺訓に基づき，これを祖述すとはいえども，宗教として人心を帰向せしむるの力に乏し」。そうすると「我国にありて基軸とすべきは，独り皇室あるのみ」。

伊藤の構想は，天皇を神のごとくして日本人の精神的支柱とし，そのことによって日本人を形成することでした（この目的で，天皇は**国家神道**で神とされ，**教育勅語**が定められ，立派な大人になって「皇運ヲ扶翼スベシ」と学校で教えられました）。その天皇が憲法を国民に与えることによって立憲主義を導入し近代国家を建設しようというものだったと思われます。ただ立憲主義といっても，その憲法は国家と人民との契約ではなく，天皇が付与する憲法（＝**欽定憲法**）です。

憲法前文が，「朕ハ我カ臣民ノ権利及財産ノ安全ヲ貴重シ及之ヲ保護シ此ノ憲法及法律ノ範囲内ニ於テ其ノ享有ヲ完全ナラシムヘキコトヲ宣言ス」というように，**天賦人権**というより，天皇が保護する限りでの「**臣民の権利**」だったといえます。また同じく前文が，「国家統治ノ大権ハ朕カ之ヲ祖宗ニ承ケテ之ヲ子孫ニ伝フル所ナリ」というように，天皇に主権があることを宣言するものでもありました。その目的は，「相与ニ和衷協同シ益々我カ帝国ノ光栄ヲ中外ニ宣揚」することにあったと思われます。

このように一方で，君権を制限し臣民の権利を保護するとしながら，他方で，**天皇大権**を確立し，臣民の権利は恩恵的な性質のものとされました。それゆえ，こうした体制を**外見的立憲主義**と呼びます。

なお，この憲法で**臣民**という概念が作られたことには要注意です。「臣」は古代中国では，男性の家内奴隷を意味していました。その主人が王国の君主となると，それにつれ，臣も君主のもとで行政を担当する官僚となります。つまり，臣は，君主のために働く統治階級の一員です。他方，「民」は農民を意味し，君主の支配を受け，統治される階級の一員です。そこには対立する階級という緊張関係がありました。したがって，中国では，「天（＝民）」の支持を失った王は「革命」によって交替させられるとされ，西欧では「人民」が，そのような国家を倒し市民革命を起こします。

ところが，「臣民」という言葉によって，日本の人々全員が，天皇に服従し一つの共同体をつくっているという観念を植え付けられました。そしてこれまた新たに作られた「忠孝一如」概念を注入された結果，天皇が恩恵を施す代わりに，人々は親に尽くすごとく天皇に尽くすべしとされ，その結果，他の国では考えられない特攻隊まで甘受することになります。

ただし，規定が抽象的だったので，運用次第で，議院内閣型君主制にも，絶対君主制にもなりうるものだったといえます。前者の方向を追及したのが**美濃部達吉**（1873-1948年）の**天皇機関説**で，大正デモクラシーの理論的支柱となりますが，後に軍部によって攻撃されたのは周知のとおりです。

そもそも明治憲法は内閣についての定めを置いていませんでした。55条によれば，各大臣がそれぞれに天皇を補弼し，56条では別途，枢密顧問が「天皇ノ諮詢ニ応ヘ重要ノ国務ヲ審議ス」としていました。しかし議会政治の発展とともに同じ政治的意見をもった者同士（政党）でつくる内閣が形成され，これが天皇大権を輔弼するようになります。美濃部は，天皇大権が，**大臣の輔弼**によること，**大臣の副署**があって初めて効力を有すること（明治憲法55条）に着目し，合議機関としての内閣を重視し，政党内閣を擁護しようとしました。これに対し，天皇親政を掲げ政党政治に反対する軍部は，首相が大臣たちの第一人者にすぎず，各大臣が個別に天皇を補弼することを強調しました。そして山縣有朋（1838-1922年）内閣が定めた**軍部大臣現役武官制**，すなわち軍部大臣を現役の大将・中将に限るという制度を利用し，組閣を妨害し，ついに軍部から首相を選ばせるのに成功しました。

伝統の権威

ところで天皇の権威を伝統的権威と述べましたが，それはどのような伝統を象徴しているのでしょう。**王政復古の宣言**は「諸事，神武創業の始に原づき」と神武創業の始めに遡るとしました。その意味について歴史学者の井上勲（1940-2016年）は，「神武創業に原づいて天皇統治をのぞく他の一切を否定すれば，……歴史が生みつづけた制度・組織・慣行の集積を否定し去って，新たな創業をはかることができるからである」と解説しています。伝統から天皇が統治するということだけを抽出し，あとは白紙のキャンバスに，開国和親，廃藩置県・四民平等・国民皆兵，そして立憲政治をも描くことができたというわけです。物事を抜本的に，ラディカルに改革しようとすればするほど，人は歴史を遡ります。ロックは，国家が存在しないところまで遡り自然状態を描くところから出発しました。明治維新のそれは神武創業の始だったわけです。それが紀元節の起源であり，**建国記念の日**の原義です。

2　日本国憲法と天皇

象徴天皇の創設

日本に降伏を勧告する**ポツダム宣言**は1945年７月26日に発せられます。降伏を受け入れるに当たっての日本政府の最大の関心は国体が護持されるかどうかでした。日本政府は，８月10日付申入書において，この宣言は，「天皇ノ国家統治ノ大権ヲ変更スルノ要求ヲ包含シ居ラサルコトノ了解ノ下ニ受諾」したいが，この理解でよいか尋ねます。これに対し，米英ソ政府の回答は，「日本国民の自由に表明する意思により決定せられる」というものでした。この返答を巡って戦争続行派と反対派が対立し，最後に天皇が降伏を決定したとされます。

天皇制を残すべきかどうか。ポツダムでアメリカの海軍長官ジェームズ・フォレスタル（1892-1949年）は，イギリス外相アーネスト・ベヴィン（1881-1951年）に尋ねました。彼は，「先の世界大戦後に，ドイツ皇帝の体制を崩壊させなかったほうが，われわれにとってはよかったと思う。ドイツ人を立憲君主制の方向に指導したほうがずっとよかったのだ。彼らから象徴を奪い去ってしまったがために，ヒトラーのような男をのさばらせる心理的門戸を開いてしまったのであるから」と答えたとされます。

日本国憲法制定の方針を示した**連合国軍最高司令官（SCAP）ダグラス・マッカーサー**（1880-1964年）の三原則には，「天皇は国家の首部（at the head of the state）にある」と記されました（34頁，資料4-5）。日本国憲法草案についてのGHQ側の責任者**コートニー・ホイットニー**（1897-1963年）民政局長は，「天皇にはすべての尊厳と名誉が与えられるべきである，しかし実際政治に介入することはしないというのが新憲法に関するマッカーサー元帥の考えである」と大声を張り上げたと伝わります。

この方針は，3条「天皇の国事に関するすべての行為には，内閣の助言と承認を必要とし，内閣が，その責任を負ふ」，4条1項「天皇は，この憲法の定める国事に関する行為のみを行ひ，国政に関する権能を有しない」と明記されます。国事行為としては，7条に10個の行為が規定されます。これらの行為は，元来君主が行っていたもので政治的に重要なものですが，7条は，「天皇は，内閣の助言と承認により」これらを行うとし，天皇の行為を儀礼的役割に限定しました。

なお，教科書のなかには「天皇は国家の元首である」と訳すものもありますが，元首という概念は，国家を人体に見立て，君主は人体の頭に相当するというドイツ国法学の国家有機体説に基づく考え方から来ています。マッカーサーにそうした発想はなかったと思われます。

こうして天皇は，「**日本国民統合の象徴**」（1条）であることが期待されますが，その意義をよく現している行為に，6条があります。1項は，「国会の指名に基いて，内閣総理大臣を任命する」。2項は，「内閣の指名に基いて，最高裁判所の長たる裁判官を任命する」とします。

もし，内閣総理大臣を国会が任命し，最高裁判所長官を内閣が任命するとすればどうでしょうか。そうすると，総理大臣は自分を任命してくれた国会の多数派のための政治を行い，最高裁は，自分を任命してくれた内閣のための裁判を行うのが民主的である，となりそうです。しかし憲法15条が，「すべて公務員は，**全体の奉仕者**であつて，一部の奉仕者ではない」と定めるように，総理大臣は国民全体の利益に奉仕すべきであり，最高裁は党派に偏することなく法に基づき公平な裁判をすべきでしょう。そのことを天皇が任命するという形式をとることによって確認させているといえるでしょう。また，総理大臣と最高裁長官を天皇が任命することにより，後者は前者に指名されたにもかかわらず，三権の長として同格になるともいえます。

君主制の効用

議会主義的君主制の模範とされ，昭和天皇にも大きな影響を与えたジョージ5世（1865-1936年）が，ジョゼフ・ターナーの講義を聴いた受講ノートに，「君主は諸政党から離れており，それゆえ彼の助言がきちんと受け入れられるだけの公正な立場を保証してくれている。彼はこの国で政治的な経験を長く保てる唯一の政治家なのである」とあるそうです。国民を利害で分断しない知恵が，生き残った立憲君主制にはあるようです。6条はそうした考えに基づいているように思われます。なお，天皇家の人々に名字がないのも同様の趣旨だったと思われます。

それに加え，ウォルター・バジョット（1826-1877年）が**『イギリス憲政論』**の中で，イギリス王室に関して述べた利点のいくつかを紹介しましょう。

①「要するに君主制は，興味深い行動をするひとりの人間に，国民の注意を集中させる統治形態である。……ところで人間の感情は強く，理性は弱い。したがって，この事実が存続するかぎり，君主制は広く多くの者の感情に訴えるために強固であり，共和制は理性に訴えるため弱体である。」

②「宗教的な力によって政府を補強している」。

③「君主が社会（社交界）の頂点に位置している」。

④「人々が君主を道徳の指導者として考えるようになっている」。

①は，アメリカの大統領にも当てはまるかもしれません。だからこそ民主主義を維持するためには憲法やその他人文社会科学の教養が国民には欠かせないのだといえるでしょう。②に関していえば，確かに，明治憲法下の天皇は神として国家を支えました。しかし，それは，国民の思想・信条の自由を侵害し理

性を歪めました。それゆえ，昭和天皇は1946年に「**人間宣言**」を発し，日本国憲法は，20条３項で厳格な政教分離を謳っています。

④についていえば，現上皇は，生前退位を希望した2016年８月８日の「おことば」で，国民統合の象徴行為としての「鎮魂（ちんこん）」と「慰藉（いしゃ）」について語りました。「鎮魂」とは先の大戦で斃（たお）れた人々の霊を鎮めるための祈りのことです。天皇は実際に死者がそこで息絶えた現場まで足を運び，膝をついて祈りを捧げました。慰藉とは「時として人々の傍らに立ち，その声に耳を傾け，思いに寄り添うこと」であり，様々な災害の被災者を訪れ，同じように床に膝をついて，傷ついた生者たちに慰めの言葉をかけました。

岡山大学法学部の学生を対象にした天皇制についての意識調査をみると，ⓐ現状維持，ⓑ廃止，ⓒ地位を高める，ⓓその他，に賛成した人の割合は，平成天皇が即位した1989年４月時点で，ⓐ73％，ⓑ22％，ⓒ３％，ⓓ２％（小畑隆資教授調べ）だったのに対し，退位を表明した翌年2017年の時点では，ⓐ89％，ⓑ５％，ⓒ４％，ⓓ２％（中富調べ）となっています。

この調査をみる限り現上皇の活動は，支持されたとみてよいでしょう。ところで，現上皇は，天皇に即位する時，「皆さんとともに憲法を守り」と述べ注目されました。なお，この「皆さん」は，国民ではないと解すべきでしょう。第１章でも述べたように憲法尊重擁護義務があるのは，憲法99条の挙げている人々ですので，呼びかけられた「皆さん」は，即位式に列席した人々だと思われます。ちなみに，上皇が述べた象徴的行為ですが，憲法上いかに位置づけるかで議論があります。憲法７条の国事行為に挙げられていないので憲法に反するという意見，国事行為以外に象徴的行為を認めるべきだとの意見があります。しかし国費が投じられているなら政府が責任をもつべきでしょう。７条10号の「儀式を行ふこと」に含めるのが妥当かと思われます。

日本国は君主国か

日本は世襲の天皇という制度をとるため，君主制ではないという意味での共和国とは呼べないでしょう。では君主国でしょうか。外務省は，日本は**立憲君主国**であるとしています。

これについて，皇位を世襲する天皇は**君主**の一種とみることができるとの意見が有力です。あと一歩すすめば共和制になってしまうような，君主制最後の形態ということになります。他方，**元首**かどうかですが，先に紹介した国家有機体説による元首でないことは確かです。外交等で形式的・儀礼的行為を行う機関でも，元首と呼んで差し支えないという説もあり，元首かどうかは定義によるといえます。ただ，元首と呼ぶことで天皇の地位を拡大強化することにならないかとの懸念もあります。これらに対して，「天皇の象徴としての地位は，主権者たる国民がまったく新たに創設した地位」で，君主とか元首とかに翻訳する必要はないとの見解もあります。確かに，君主とか元首とかの概念は日本の法律上の概念ではないので，一理あると思われます。

なお，天皇制という言葉には注意が必要です。戦前の日本を天皇制国家というときには，それは，国家と社会秩序全体を編成する概念として使われています。しかし現憲法の下で天皇制とは国家の制度を指します。ただ，天皇とは人の名前でもあるので，〇〇天皇が「天皇」という地位に就いたという分かりにくい文章になってしまいます。後者の「天皇」は，天皇制というより天皇という**国家機関**と理解した方が分かりやすいでしょう。

皇位継承問題

皇室典範１条は，「皇位は，皇統に属する男系の男子が，これを継承する。」と定めます。今の皇室に男系男子は今上天皇，弟の秋篠宮文仁皇嗣，その子の悠仁親王しかいません。このままでは皇位継承に不安があることが指摘されています。皇室典範は法律なので通常の法改正の手続きで改正できます。皇室典範を改正して女性天皇を認めるか，その場合でも男系を維持すべきか女系天皇（母方にのみ天皇の血筋をもつ人物が天皇になること）にまで広げるかについて意見が分かれています。

これについて2023年秋に，岡山大学教養科目受講者81名と修道大学法学部他受講者254名に以下の項目でアンケートを行いました。

①天皇は男性に限るべきだ。②女性天皇を認めるが皇位継承順位は男性を優先すべきだ。その場合，②a. 女系天皇には反対。②b. 女系天皇でも構わない。③皇位継承順位は男女平等にすべきだ。

その結果は，①16名，②a 30名，②b 68名，③221名でした。

発展学習

- 天皇機関説事件や統帥権干犯問題について調べてみましょう。
- 「日本国の象徴」と「日本国民統合の象徴」の意味についてどのような議論があるか調べてみましょう。

第４章　憲法が目指す平和を守る仕組み
——平和主義

憲法９条の戦力放棄の規定は世界でも珍しいけど，戦力を放棄して日本の防衛は大丈夫なの？

自衛隊があるしアメリカ軍もいるよね。自衛隊やアメリカ軍は憲法９条に違反しないのかな。

ところでアメリカ軍はなぜ日本にいるの？　見返りは何かな。

沖縄では，普天間基地撤去とか，辺野古基地反対とかいって反対しているよネ。

日本国憲法の特徴の１つが憲法９条です。憲法といえば９条を思い起こす人も多いのではないでしょうか。この９条のもとで，自衛隊や安保条約はどうして認められ，どのような制約を課されているのでしょうか。その動態についてみていきましょう。

Point

- 憲法９条が制定された理由を，少なくとも３つの視点から述べなさい。「非武装平和主義」を成立させた現実の条件を述べなさい。それを成立させうる理想的条件は何ですか。
- 憲法９条は戦後どのように歩んできたのでしょう。自衛隊が合憲だという政府の憲法９条解釈はどうなっていますか。現在，自衛隊を規律する憲法準則，そして法律はどうなっているでしょう。
- 安保条約のもと日本はアメリカにいかなる義務を負っていますか。沖縄は特に抗議活動が活発ですが，なぜでしょう。

1　台湾有事と存立危機事態

資料４－１　重要影響事態に際して我が国の平和及び安全を確保するための措置に関する法律

第二条　政府は，重要影響事態に際して，適切かつ迅速に，後方支援活動，捜索救助活動，…船舶検査活動（…）その他の重要影響事態に対応するため必要な措置（以下「対応措置」という。）を実施し，我が国の平和及び安全の確保に努めるものとする。

2　対応措置の実施は，武力による威嚇又は武力の行使に当たるものであってはならない。

3　後方支援活動及び捜索救助活動は，現に戦闘行為（国際的な武力紛争の一環として行われる人を殺傷し又は物を破壊する行為をいう。以下同じ。）が行われている現場では実施しないものとする。ただし，第七条第六項の規定により行われる捜索救助活動については，この限りでない。

いまやウクライナ戦争に続き台湾有事が取り沙汰されている昨今です。台湾有事になると，法的にはどのような枠組みのなかで日本はいかなる選択を迫られるのでしょうか。その理解のためには，武力攻撃事態，存立危機事態，重要影響事態という概念，そして安保条約の理解が重要です。それらは台湾有事とどのような関わりをもつことになるのでしょうか。

2012（平成24）年12月26日に始まった第二次安倍政権は2014年７月１日武力行使の新三要件を発表します。閣議決定で憲法９条の解釈を変更したこと，従来憲法上許されないとされていた集団的自衛権に踏み込んだとされたことに対し，立憲主義を守れという市民運動が繰り広げられました。そうした中，安保関連法（平和安全法制整備法と国際平和支援法）が2015年９月19日に成立します。これにより，旧事態法は新事態法（「武力攻撃事態等及び存立危機事態における我が国の平和と独立並びに国及び国民の安全の確保に関する関する法律」）に，周辺事態法は**重要影響事態安全確保法**（「重要影響事態に際して我が国の平和及び安全を確保するための措置に関する法律」）に改正されました。

重要影響事態とは日本の平和及び安全の確保のために，主に米軍の活動を後方支援できる事態です。周辺事態法の周辺という地理的制約をはずし地球規模に拡大し，その可能な活動地域を「現に戦闘行為を行っている現場」ではない場所としました。後方支援を行っている場所が「現に戦闘行為を行っている現場」となったら支援を止めることになっています（２条３項，資料４－１参照）。

新事態法には**存立危機事態**が加えられました。これらの改正によって自衛隊が対処すべきとされた主な事態を整理します。

存立危機事態については，これまで違憲とされてきた集団的自衛権を認めた

資料４－２　防衛等のために自衛隊が対処すべき主な事態

事態名	定義	対処措置
武力攻撃事態	武力攻撃が発生した事態又は武力攻撃が発生する明白な危険が切迫していると認められるに至った事態	武力攻撃の発生に備えるとともに，武力攻撃が発生した場合には，これを排除しつつ，その速やかな終結（新事態法３条３項）
存立危機事態	我が国と密接な関係にある他国に対する武力攻撃が発生し，これにより我が国の存立が脅かされ，国民の生命，自由及び幸福追求の権利が根底から覆される明白な危険がある事態	存立危機武力攻撃を排除しつつ，その速やかな終結（新事態法３条４項）
重要影響事態	そのまま放置すれば我が国に対する直接の武力攻撃に至るおそれのある事態等我が国の平和及び安全に重要な影響を与える事態	後方支援活動，捜索救助活動，…船舶検査活動（…）その他の…必要な措置（重要影響事態法２条）

出典：筆者作成

のかが問題となります。**集団的自衛権**とは，「自国と密接な関係にある外国に対する武力攻撃を，自国が直接攻撃されていないにもかかわらず，実力をもって阻止する権利のことである。」とされます。もし存立危機事態が集団的自衛権を認めたということであれば，台湾有事の際に，台湾を「自国と密接な関係にある外国」と解すれば自衛隊の発動が可能となります。

日本は台湾とともに戦うべきなのでしょうか。筆者は岡山大学および広島修道大学の憲法の受講生（計444名）に，どれを選択すべきか以下の選択肢を示しアンケート調査を行いました。

①　現在のウクライナに対する日本の姿勢と同様，一定の支援をするが軍事的には関与しない。ある意味見殺しもやむを得ない。

②　アメリカが台湾とともに戦い，日本はアメリカの後方支援に廻る（重要影響事態安全確保法で対処する）。

③　アメリカ＋台湾とともに日本も参戦する（存立危機事態に当たるとする）。

④　日本単独でも台湾とともに戦う（存立危機事態に当たるとする）。

⑤　その他

結果は，①213名，②197名，③17名，④12名，⑤５名でした。一般国民に調査をすれば学生より③④が多少増えるかもしれませんが，それでも台湾のために中国と直接戦うつもりの人が多いとは思えません。

2023（令和５）年防衛白書も，「武力行使の目的をもって武装した部隊を他国

資料４－３　武力行使の三要件についての旧事態法と新事態法との比較

旧三要件	新三要件
①　わが国に急迫不正の侵害があること	①　わが国に対する武力攻撃が発生したこと，またはわが国と密接な関係にある他国に対する武力攻撃が発生し，これによりわが国の存立が脅かされ，国民の生命，自由および幸福追求の権利が根底から覆される明白な危険があること
②　これを排除する他の適当な手段がないこと	②　これを排除し，わが国の存立を全うし，国民を守るために他に適当な手段がないこと
③　必要最小限の実力行使にとどまること	③　必要最小限度の実力行使にとどまるべきこと

出典：筆者作成

の領土・領海・領空に派遣するいわゆる海外派兵は，一般に，自衛のための必要最小限度を超えるものであり，憲法上許されないと考えられている。」（194頁）として集団的自衛権の否定を確認しており，集団的自衛権を根拠に台湾有事を存立危機事態と認定することは困難でしょう。あくまでも「わが国の存立を全うし，国民を守るため，すなわち，わが国を防衛するためのやむを得ない自衛の措置」と判断されるかがポイントです。

ところで2021（令和３）年10月４日に岸田政権が誕生すると，首相はバイデン大統領と会談し，日本の防衛力を抜本的に強化することを約束する「日米首脳共同声明」を発表（2022年５月23日）します。これを受けて同年12月に策定されたのが，「国家安全保障戦略」，「国家防衛戦略」，「防衛力整備計画」により構成される**「安保三文書」**でした。

この三文書は，戦後持たないとされてきた反撃能力の保有を決定し，米製トマホークなど長射程ミサイルを導入，戦後維持してきた防衛費GNP1％枠を破棄し２％へ倍増するなど，我が国の安全保障や国防の在り方を大きく変える歴史的な転換点になったと評されています。

これまで憲法の制約から，大陸弾道弾など「性能上専ら相手国国土の壊滅的な破壊のためにのみ用いられる，いわゆる攻撃的兵器を保有することは，直ちに自衛のための必要最小限度の範囲を超える」とされており，これは2023（令和５）年防衛白書でも確認されています（194頁)。このことは国会でも問題となりましたが，「回答は難しいことを理解していただければと思う」（2022年11月10日安藤敦史防衛政策局次長）と曖昧なまま置かれています。にもかかわらず，

資料4－4　日本国とアメリカ合衆国との間の相互協力及び安全保障条約（1960年6月23日条約6号）

五条　各締約国は，日本国の施政の下にある領域における，いずれか一方に対する武力攻撃が，自国の平和及び安全を危うくするものであることを認め，自国の憲法上の規定及び手続に従つて共通の危険に対処するように行動することを宣言する。

六条　日本国の安全に寄与し，並びに極東における国際の平和及び安全の維持に寄与するため，アメリカ合衆国は，その陸軍，空軍及び海軍が日本国において施設及び区域を使用することを許される。

トマホーク400発を2113億円で購入する予算が可決されました。

反撃能力や防衛力増強はなにを目的に行われているのでしょう。ここで問題になってくるのが**日米安保条約**です。万一中国が台湾に攻め入ったとき，アメリカがこれに介入する可能性があります。その時日本はどうするのでしょうか。

米シンクタンク「戦略国際問題研究所」（CSIS）は2023年1月9日付で，中国が2026年に台湾を侵攻すると想定した「台湾防衛」机上演習結果を公表しました。報告書は，想定するすべてのシナリオで「在日米軍基地を使用しなければならない」と断定。とりわけ，「在日米軍基地の使用なしに戦闘機・攻撃機は戦争に参加できない」として，航空基地の嘉手納（沖縄県），三沢（青森県），横田（東京都），岩国（山口県）に言及しています。CSIS のシミュレーションで米軍が失うのはだいたい，原子力空母2隻，ミサイル巡洋艦などの艦船7～20隻，死傷者約3000人，行方不明者と合わせて約1万人，航空機168～484機。日本の自衛隊は中国から攻撃を受けた場合に参戦し，軍用機112～161機と艦船26隻を失う。台湾軍は航空機の半数以上とすべての艦船26隻を失う。中国軍は，航空機155～327機，艦船138隻，地上での死傷者7000人以上，加えて海上で約7500人が死亡するとされています（https://www.jfss.gr.jp/article/1863）。またここには言及されていませんが，在日米軍基地が攻撃の拠点となる以上，相手も敵基地攻撃を行うでしょうし日本もこれに応じお互いのミサイルの撃ち合いになるでしょう。その損害は図りしれません，日本はこれを拒否できないのでしょうか。

在日米軍基地はなんのためにあるのでしょう。安保条約6条によれば米軍は，極東の安全（台湾を含む）のために日本の基地を使うことができます。また同5条によれば，米軍が台湾のために在日米軍基地を使用しそこが攻撃をうけた時，日本は中国と戦うとされています。但し，お互い「自国の憲法上の規定及び手続に従つて」と拒否できる建前にはなっていて，とりわけ**岸・ハーター交換公文**に基づいて「我が国の領域にある米軍が，我が国の意思に反して一定の行動をとることのないように義務付けられている」（林外務大臣；第208回国会　外務委員会　第9号（2022（令和4）年4月13日））と答弁されていますが，いままでこうした事前協議が行われたことはないのが実態です。

以上のことから，台湾有事が日本の存立危機事態かという問題に立ち返ると，台湾有事が直接に日本の存立危機事態となることはほとんど考えられないが，これにアメリカが参戦した場合，そのことが存立危機事態となって武力が行使される危険性があるということになります。沖縄諸島や在日米軍基地が攻撃を受けた場合は，武力攻撃事態となるでしょう。

先に述べた安保関連法案の国会審議において，当時の岸田外務大臣は，次のように述べています。「日米同盟に基づく米国の存在，そしてその活動は，我が国の平和そして安定を維持する上で死活的に重要である，こういったことを前提とした場合に，このような米軍に対する武力攻撃，これは，それ以外の国に対する武力攻撃の場合に比較しても，この新三原則に当てはまる可能性は高いと考えなければならないと思っています。」（第186回国会　予算委員会　第18号（2014（平成26）年7月14日））。万一戦争となったとき，日本の犠牲の上に米軍が戦うことになっていることを忘れてはなりません。

ところで，憲法9条のいかなる解釈のもとで何故こうした法制度が成立しているのでしょうか。憲法9条と由来と解釈，その後の法律の変遷そして日米安保条約の締結の由来とその改正についてみていきます。

2　憲法9条の制定と安保条約の締結

9条制定の論理

日本国憲法の最も重要な特徴であるといわれる憲法9条はなぜ制定されたのでしょう。

これには5つの側面からみる必要があります。第1に当時の国際社会，第2に日本を支配していた**ダグラス・マッカーサー**，第3が当時の日本国政府，第4が日本国民（＝人民），そして最後が沖縄です。

第1の国際面からいえば，日本ミリタリズムの被害者であった東アジア，東南アジアの人民およびその関係国があります。彼らは，占領下の被害の賠償そして二度と日本が侵略してこない保障を求めていました。彼らは，連合国対日

資料4-5　マッカーサー・ノート三原則

I

The Emperor is at the head of the State.
His succession is dynastic.
His duties and powers will be exercised in accordance with the Constitution and responsible to the basic will of the people as provided therein.

II

War as a sovereign right of the nation is abolished.
Japan renounces it as an instrumentality for settling its disputes and even for preserving its own security.
It relies upon the higher ideals which are now stirring the world for its defense and its protection.
No Japanese army, navy, or air force will ever be authorized and no rights of belligerency will ever be conferred upon any Japanese force.

III

The feudal system of Japan will cease.
No rights of peerage except those of the Imperial Family will extend beyond the limits of those now existent.
No patent of nobility will from this time forth embody within itself any national or civic power of government.
Pattern budget after British system.
（出典：憲法調査会資料「憲資・総第9号」）

最高政策決定機関である**極東委員会**（**FEC**）の構成国となります。

第2に，**連合国軍最高司令官**（**SCAP**）として**ポツダム宣言**（巻末資料）の執行に当たったマッカーサーです。日本の統治のために天皇制度を残したいと考えた彼は，FECが開催される前に日本自ら戦争を放棄するならばFECを説得できると考えました。そこで日本政府に憲法制定を急がせます（第1部第3章参照）。憲法制定に当たっての原則を指示した**マッカーサー・ノート**（資料4-5）の第2には，「国の主権的権利としての戦争は廃止される。日本は，その紛争の解決の手段として，また，自己の安全を保持するためであっても，戦争を放棄する。日本は，その防衛と保護を，今や世界を動かしつつある崇高な理想に委ねる」とあります。マッカーサー構想によれば，アメリカは沖縄を軍事基地として占拠する予定でしたし，日米安保条約が締結されればアメリカ軍が日本に常駐することになり，日本に軍隊は必要がないと考えたのです。ただし，日本政府に示された文書からは「自国の安全を保持するためであっても」の文言は削除されていました。

第3の，当時の日本国政府についていえば，彼らにとっての最も重要な課題は天皇制の存続でした。そのために憲法「改正」を押しつけられたと感じた彼らも，日本国憲法の平和・人権・民主の原則を受け入れました。

第4の日本国民についていえば，当時の状況のもとで戦争はもう嫌だという思いで一杯でした。彼らは初めて女性選挙権を認めた普通選挙制のもとで代表を選出し，憲法制定の審議をとおしてその作成に参加しました。では国民は，どのような論理で平和憲法を支持したのでしょうか。

日本国民は自らの安全を放棄したわけではありません。第二次世界大戦を経て国民は，なにより国民の安全を脅かすのは政府であり，政府が行う戦争であることを実感しました。そこで，「政府の行為によつて再び戦争の惨禍が起ることのないやうにすることを決意し」たのですが，そのためにも「主権が国民に存することを宣言」し，それだけでは不十分だと考え，政府に戦争放棄を命じることにします。

では，他国からの侵略にはどう対処するのか。世界の人民と手を取り合えば，政府同士の戦争を止めさせることができるはずだと考えました。そこで，「**平和を愛する諸国民**の公正と信義に信頼して，われらの安全と生存を保持しようと決意し」ました。諸国家ではなく，the peace-loving peoples of the world であることに注意して下さい。

さらに当時，国連が結成されていました。**国際連合憲章**（1945年6月）の前文は，「寛容を実行し，且つ，善良な隣人として互いに平和に生活し，国際の平和及び安全を維持するためにわれらの力を合わせ」と述べています。そして日本国民は，この国際社会を，「平和を維持し，専制と隷従，圧迫と偏狭を地上から永遠に除去しようと努めてゐる国際社会」と捉え，そこにおいて名誉ある地位を占め，安全を保障される存在になろうと考えます。このように考えるならば，政府に戦争を放棄させた方が，よりスムーズにそれを実行できると考えるのは自然なことであったと思われます。

第5に沖縄の人々がいます。第二次世界大戦において苛烈な地上戦を経験した沖縄人民のその思いは一層切実でした。琉球王国として独自の政治，文化を有していた沖縄は，明治政府によって日本に併合され日本化が進められました。しかし第二次世界大戦末期，沖縄は本土決戦の捨て石とされ，そこでは米英連合軍55万人対日本軍11万人の闘いが行われました。戦死者はアメリカ軍1万2500人，日本軍，沖縄住民それぞれ9万4000人，沖縄県民の戦没者は軍民併せて15万人といわれ，これは当時の県人口の3分の1に当たります。戦後，アメリカ軍の支配下に置かれた沖縄は軍事要塞とされ，アジアにおける米軍のキー・ストーンと呼ばれました。こうした状況に反発した沖縄県民は平和憲法をもつ日本への復帰運動を進めその高まりのなか1972年復帰を果たします。

安保体制の始まり

しかしながら，第二次世界大戦における連合国間の蜜月時代は終わり，**東西冷戦**が始まります。すでに大戦末期から連合国の米・英と旧ソ連との間に相互不信が芽生え，1945年のドイツ降伏後，ヨーロッパの戦後処理をめぐって対立が顕在化しました。アジアでも，朝鮮半島の南北分裂国家の誕生（1948年），国共内戦後の中華人民共和国の成立（1949年）など，緊張の舞台は拡大します。ちなみに日本国憲法の制定は1946年であり，冷戦の始まる一歩手前でした。

1948年１月，アメリカ軍ロイヤル陸軍長官は「日本を全体主義の防波堤にする」と発言します。1950年朝鮮戦争が勃発し（〜1953年，現在停戦中），中国に支援された北朝鮮と，アメリカ軍を中心とする国連軍が激戦を交え，双方に数十万の戦死者（一般市民を除く）が出ます。同年，人員７万5000人からなる「国家警察予備隊」の設立などを内容とするマッカーサーからの書簡が吉田首相に送られ，８月10日警察予備隊令（政令）で警察予備隊が発足します。この時，国会審議は許されず，ウィリアムズ民政局国会担当課長は，「警察予備隊創設に関する一切の事柄は政令によってなされる。この件に関する限り，国会は何らの審議する権限を持たない。この政令に反対することは最高司令官命令に反するものとみなされる」と発言しています。その後，1952年に警察予備隊は保安隊に改編されました。

日本は1951年，西側諸国との間に**サンフランシスコ平和条約**（巻末資料）を締結し1952年に独立しますが，沖縄は引き続きアメリカの支配下に置かれることになりました。同時に日米安保条約が締結され（資料４-６），独立後もアメリカ軍が日本に駐留することとなります。この条約は日本を，アメリカ軍のアジアにおける軍事拠点とするもので，こうして日本は独立後も，アメリカへ軍事的にも従属することとなりました。1954年にはMSA協定（日米相互防衛援助協定）が締結され，日本がアメリカから援助を受け，その見返りとして防衛力増強の義務を負うことになります。

1946年には「一切の戦争を放棄」するといっていた吉田首相ですが，ついに1954年自衛隊が設立されます。吉田内閣のあと政権を引き継いだ鳩山一郎首相は，憲法との整合性のために９条の改正を目指します。しかし，国民は，憲法改正に反対しました。こうして日本は，９条を維持しつつも自衛隊をもち，安保体制を受け入れるという複雑な道を歩むことになりました。

自衛隊正当化の論理　では，政府は憲法9条を維持しながらいかなる論理で自衛隊を正当化したのでしょうか。憲法原則をめぐる国会での議論，そこでの政府答弁や国会決議によって政府の9条解釈そしてそれに伴う諸原則が確立していきます。まずは**9条の解釈**をみてみましょう。

資料4-7をみて下さい。憲法9条1項は，「国際紛争を解決する手段としては」，事実上の戦争も含め戦争を放棄しています。これについて，①戦争を全面的に放棄した，②侵略戦争を放棄したという2つに解釈は分かれます。

憲法9条2項は，「前項の目的を達するため，陸海空軍その他の戦力は，これを保持しない。」と定めます。この「前項の目的を達成するため」という文言は，1項冒頭の「日本国民は，正義と秩序を基調とする国際平和を誠実に希求し」という言葉とともに，衆議院の審議の中で付加され，「芦田修正」と呼ばれています。

1項について①②どちらの解釈をとるにせよ，③いかなる戦力も保持しえないとする2項の解釈と，**芦田修正**による「前項の目的」を「国際紛争を解決する手段としては」を受けるものと解し，②の立場から，④侵略のための戦力が禁止されたにすぎないという解釈に分かれます。

政府の解釈はもう少し複雑で，②+③の立場に立ちながら，⑤実力組織としての自衛隊は許されるとするものです。すなわち「戦力」を「近代戦争を有効適切に遂行しうる装備，編成を備えるもの」と定義したうえで，「戦力」に至

資料4-6　日本国とアメリカ合衆国との間の安全保障条約
（1952年4月28日条約6号）

第1条　平和条約及びこの条約の効力発生と同時に，アメリカ合衆国の陸軍，空軍及び海軍を日本国内及びその附近に配備する権利を，日本国は，許与し，アメリカ合衆国は，これを受諾する。この軍隊は，極東における国際の平和と安全の維持に寄与し，並びに，一又は二以上の外部の国による教唆又は干渉によつて引き起された日本国における大規模の内乱及び騒じょうを鎮圧するため日本国政府の明示の要請に応じて与えられる援助を含めて，外部からの武力攻撃に対する日本国の安全に寄与するために使用することができる。

第2条　第1条に掲げる権利が行使される間は，日本国は，アメリカ合衆国の事前の同意なくして，基地，基地における若しくは基地に関する権利，権力若しくは権能，駐兵若しくは演習の権利又は陸軍，空軍若しくは海軍の通過の権利を第三国に許与しない。

第3条　アメリカ合衆国の軍隊の日本国内及びその附近における配備を規律する条件は，両政府間の行政協定で決定する。

資料4－7　憲法9条の解釈

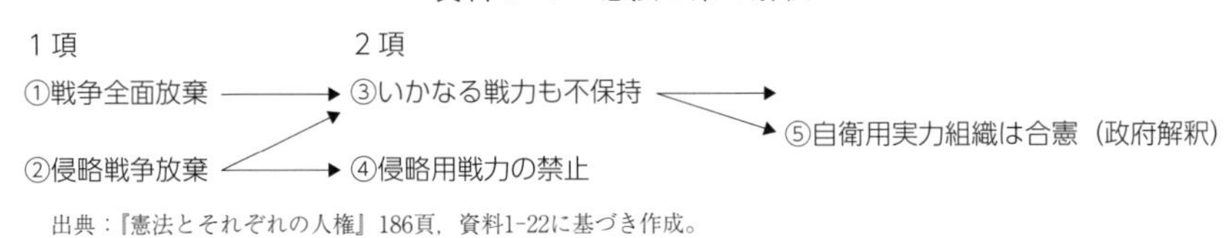

出典：『憲法とそれぞれの人権』186頁，資料1-22に基づき作成。

らない程度の，自衛のための必要最小限度の実力の保持は，憲法上認められているとしています。

「交戦権」については，国家として戦いを行う権利そのものを意味するとの説と，国が交戦者として有する国際法上の諸権利，すなわち占領地の行政権，船舶の臨検・拿捕権，あるいは敵の兵力を兵器で殺傷する権利などをいうとする説に解釈が分かれますが，政府は後者の解釈をとっています。

政府は，自衛隊を合憲と説明するために様々な条件を設定してきました。資料4－8は，2013（平成25）年，第二次安倍政権成立時（安保法制改正前）の防衛白書ですが，これまで国会において確立した**憲法9条関係の準則**が整理してあります。すなわち，⑴その保持しうる自衛力が，自衛のための必要最小限のものでなければならないこと，⑵自衛権の発動条件は，①わが国に急迫不正の侵害があること，②これを排除する他の適当な手段がないこと，③必要最小限の実力行使にとどまること，⑶武力行使の目的をもって武装した部隊を他国の領土，領海，領空に派遣するいわゆる海外派兵は行えないこと，⑷集団的自衛権を行使しえないこと，⑸自衛の範囲を超えた相手国兵力の殺傷と破壊，相手国の領土の占領などは認められないこと，などです。さらに，徴兵制も憲法に反するとされています（資料4－9）。

9条改憲の主目的の1つとなっている⑷**集団的自衛権**については，国際法上それを保持しているものの，行使することは憲法9条の許容する実力行使の範囲を超え，憲法上許されないとされています。

自衛隊の規模と活動を以上のように限定してきたのは，憲法9条とそれを支持する国民の力です。しかし，日本に軍事協力を求め続けるアメリカ軍からすれば，それは障害となっており，改憲が試みられるゆえんです。

安保体制の展開

敗戦国が戦勝国の軍事基地となり軍事的資源を提供させられる例は歴史上枚挙に暇がありません。アメリカもまた軍事基地のみならず軍隊の増強を要請しました。1953年アメリカは陸上

資料4－8　自衛隊が準拠する憲法原則
（平成25年版『防衛白書』から）

1　憲法と自衛権

……日本国憲法は，第9条に戦争放棄，戦力不保持，交戦権の否認に関する規定を置いている。もとより，わが国が独立国である以上，この規定は，主権国家としての固有の自衛権を否定するものではない。政府は，このようにわが国の自衛権が否定されない以上，その行使を裏づける自衛のための必要最小限度の実力を保持することは，憲法上認められると解している。

このような考えに立ち，わが国は，憲法のもと，専守防衛をわが国の防衛の基本的な方針として実力組織としての自衛隊を保持し，その整備を推進し，運用を図ってきている。

2　憲法第9条の趣旨についての政府見解

1　保持できる自衛力

わが国が憲法上保持できる自衛力は，自衛のための必要最小限度のものでなければならないと考えている。その具体的な限度は，その時々の国際情勢，軍事技術の水準その他の諸条件により変わり得る相対的な面があり，毎年度の予算などの審議を通じて国民の代表者である国会において判断される。憲法第9条第2項で保持が禁止されている「戦力」にあたるか否かは，わが国が保持する全体の実力についての問題であって，自衛隊の個々の兵器の保有の可否は，それを保有することで，わが国の保持する実力の全体がこの限度を超えることとなるか否かにより決められる。

しかし，個々の兵器のうちでも，性能上専ら相手国国土の壊滅的な破壊のためにのみ用いられる，いわゆる攻撃的兵器を保有することは，直ちに自衛のための必要最小限度の範囲を超えることとなるため，いかなる場合にも許されない。たとえば，大陸間弾道ミサイル（ICBM: Intercontinental Ballistic Missile），長距離戦略爆撃機，攻撃型空母の保有は許されないと考えている。

2　自衛権発動の要件

憲法第9条のもとで認められる自衛権の発動としての武力の行使について，政府は，従来から，

〈1〉わが国に対する急迫不正の侵害があること

〈2〉この場合にこれを排除するためにほかの適当な手段がないこと

〈3〉必要最小限度の実力行使にとどまるべきこと

という三要件に該当する場合に限られると解している。

3　自衛権を行使できる地理的範囲

わが国が自衛権の行使としてわが国を防衛するため必要最小限度の実力を行使できる地理的範囲は，必ずしもわが国の領土，領海，領空に限られないが，それが具体的にどこまで及ぶかは，個々の状況に応じて異なるので，一概には言えない。

しかし，武力行使の目的をもって武装した部隊を他国の領土，領海，領空に派遣するいわゆる海外派兵は，一般に自衛のための必要最小限度を超えるものであり，憲法上許されないと考えている。

4　集団的自衛権

国際法上，国家は，集団的自衛権，すなわち，自国と密接な関係にある外国に対する武力攻撃を，自国が直接攻撃されていないにもかかわらず，実力をもって阻止する権利を有するとされている。わが国は，主権国家である以上，国際法上，当然に集団的自衛権を有しているが，これを行使して，わが国が直接攻撃されていないにもかかわらず他国に加えられた武力攻撃を実力で阻止することは，憲法第9条のもとで許容される実力の行使の範囲を超えるものであり，許されないと考えている。

5　交戦権

憲法第9条第2項では，「国の交戦権は，これを認めない。」と規定しているが，ここでいう交戦権とは，戦いを交える権利という意味ではなく，交戦国が国際法上有する種々の権利の総称であって，相手国兵力の殺傷と破壊，相手国の領土の占領などの権能を含むものである。一方，自衛権の行使にあたっては，わが国を防衛するための必要最小限度の実力を行使することは当然のこととして認められており，たとえば，わが国が自衛権の行使として相手国兵力の殺傷と破壊を行う場合，外見上は同じ殺傷と破

壊であっても，それは交戦権の行使とは別の観念のものである。ただし，相手国の領土の占領などは，自衛のための必要最小限度を超えるものと考えられるので，認められない。

資料4－9　徴　兵　制

一般に，徴兵制度とは，国民をして兵役に服する義務を強制的に負わせる国民皆兵制度であって，軍隊を常設し，これに要する兵員を毎年徴集し，一定期間訓練して，新陳交代させ，戦時編制の要員として備えるものをいうと理解している。このような徴兵制度は，我が憲法の秩序の下では，社会の構成員が社会生活を営むについて，公共の福祉に照らし当然に負担すべきものとして社会的に認められるようなものでないのに，兵役といわれる役務の提供を義務として課されるという点にその本質があり，平時であると有事であるとを問わず，憲法第十三条，第十八条などの規定の趣旨からみて，許容されるものではないと解してきている。

（1980年8月15日政府答弁書）

防衛力を32万5000人に増強するよう迫り，日本側は憲法や経済的制約を理由に抵抗，逆に経済援助を引き出そうとします。この会談は**池田・ロバートソン会談**と呼ばれ，池田勇人自由党政調会長（後の首相）とロバートソン米国務次官補との間で行われました。日本側はアメリカの改憲要求には応じなかったものの，日本国民に「防衛に対する責任感を増大させる」などの約束を行いました。

政府はアメリカの要請に抵抗しつつも，安保条約に基づきアメリカ軍に基地を提供してきました。安保条約の違憲性が問われた**砂川事件**において，第1審東京地裁（1959（昭和34）年3月30日判決，いわゆる**伊達判決**）は「わが国が，……合衆国軍隊の駐留を許容していることは，……第9条第2項前段によつて禁止されている……戦力の保持に該当する」と述べこれを違憲としましたが，最高裁は，「憲法9条は，わが国がその平和と安全を維持するために他国に安全保障を求めることを，何ら禁ずるものではないのである」として，「一見極めて明白に違憲無効であると認められない限りは，裁判所の司法審査権の範囲外」であるとしました（最大判1959（昭和34）年12月16日）。

最高裁判決はそうはいうものの，旧安保条約においてアメリカ軍に日本の防衛義務はありませんでした。これを明記しようと改定を試みたのが岸信介首相です。その結果は，冒頭にみた新安保条約（資料4－4）5条です。しかし同時にこの改定は，日本に軍拡を義務づけ，共産圏とアメリカとの戦争に日本を巻き込むのではないかと危惧され，さらに，警察官500人を衆議院本会議場へ導入して強行採決した岸首相の強権的手法に国民は強く反発し，60年安保闘争の結果，岸首相は退陣しました。

安保体制第1期が旧安保条約の締結，第2期が安保条約の改定に始まったとすれば，第３期はアメリカが**ベトナム戦争**（1960-1975年，アメリカは1965年に北爆開始，1973年撤兵完了）に敗退した時に始まりました。アジアから一部撤退せざるを得なくなったアメリカは，日本にその役割の一部を担うように求めてきます。1978年「日米防衛協力のための指針（ガイドライン）」が策定され，「憲法上の制約」および「非核三原則」を「研究・協議の対象としない」という条件で，「日米防衛協力」が取り組まれることになりました。これにより共同演習等が行われるようになりますが，しかし現実の戦闘でアメリカ軍支援が行われることはありませんでした。

この時期，1972年に沖縄が日本に返還されました。しかし復帰した現在でも，沖縄における米軍基地の縮小は進んでいません。在日米軍の面積にして75％が沖縄に集中し，様々な事件事故を起こしています（資料４－10，４－11，４－12参照）。

第４期は冷戦の崩壊を契機に始まります。これにより平和の配当が期待されましたが，丁度その頃，イラクのサダム・フセインがクウェートに侵略したのを契機に1991年，**第一次湾岸戦争**が始まります。アメリカは日本にも「血を流せ」と要求し，日本は130億ドルをアメリカに提供したにもかかわら

資料４-10　非核三原則，非核兵器ならびに沖縄米軍基地縮小に関する衆議院決議（1971年11月24日衆議院本会議）

一，政府は，核兵器を持たず，作らず，持ち込まさずの非核三原則を遵守するとともに，沖縄返還時に適切なる手段をもつて，核が沖縄に存在しないこと，ならびに返還後も核を持ち込ませないことを明らかにする措置をとるべきである。
一，政府は沖縄米軍基地についてすみやかな将来の縮小整理の措置をとるべきである。右決議する。

資料４-11　駐留米軍機の墜落事件に関する日本国際法律家協会（JALISA）の声明

８月13日金曜日，在日米軍海兵隊に所属する軍用ヘリコプターが，沖縄の市街地にある沖縄国際大学の敷地内に墜落した。機体の残骸は米軍によって撤収され，現場は立ち入りを禁止された。この事故は，米軍基地外で発生し，日本の法律に反する犯罪行為に当たるものであり，速やかに日本警察によって捜査されるべきものである。日本警察の要求にもかかわらず，また事故があった宜野湾市の抗議にもかかわらず，在日米軍の地位に関する協定を口実にして，米軍はいっさいの協力を拒否した。この論法をもってすれば，在日米軍は，たとえ住民に多数の死傷者が出ても，同種の事故に関して，いっさいの協力を拒否することができることになり，日本側の救助や捜査を阻むことになる。（中略）

われわれは，米軍が住民の要求を速やかに受け入れ，米政府が直ちに地位協定の改定に応じるよう，要求する。（2004年８月23日）

（出典：『憲法とそれぞれの人権』192頁，資料１-31参照）

資料4-12　沖縄県にある米軍基地

出典：那覇出版社編集部編『安保条約と地位協定—沖縄問題の根源はこれだ—』那覇出版社，1995年，240頁

ず，国際的に評価されなかったとの思いから，「国際貢献」「一国平和主義」という言葉が飛び交うようになります。その後，目に見える「貢献」として自衛隊の海外派遣を求める声が高まり，翌年，**PKO 協力法**が制定されました。しかしこれは国連の活動への協力であり，直接に安保体制に寄与するものではありませんでした。

3　世界のグローバル化と安保体制の展開

冷戦終了後の安保体制

冷戦終了後，グローバル化競争が始まります。アメリカは，東アジア・太平洋地域を，「アメリカ国民すべての福祉に影響をおよぼす死活的な国家的利益にかかわる」（1996年２月アメリカ軍国防省国際安全保障局）地域と位置づけ，その安全保障戦略に日本がもっと寄与することを求め始めます。そして日本との間で1996年「日米安全保障共同宣言」が発表され，そこでは，1978年ガイドラインの見直し，アメリカ軍への後方支援の実質化が謳われます。これを受けて1997年，**新ガイドライン**が締結され，周辺事態（日本の平和と安全に重要な影響を与える事態）におけるアメリカ軍への後方地域支援が約束されました。すなわち，国内ではアメリカ軍への新たな基地の提供や民間による協力が，そして公海上およびその上空ではアメリカ軍支援等が義務づけられたのです。そしてそれを国内法化するものとして1999年**周辺事態法**（現・重要影響事態安全確保法）が制定されます（資料４-１参照）。

2001年９月11日にアメリカで起こったニューヨーク貿易センタービルに対する同時多発テロに衝撃を受けたジョージ・ブッシュ政権は「**テロとの戦争**」を掲げ，アフガニスタンとイラクで戦争を始めます。2003年３月20日，米・英軍はサダム・フセイン政権による核開発疑惑を理由に「先制攻撃の権利」を主張して攻撃を行いました。これは国連憲章に明白に違反しており，多くの国々はこの攻撃を非難しました。しかし日本は，同年７月「**イラク特措法**」を制定し，イラク国民への「人道支援活動」と，米英軍への「安全確保支援活動」のため自衛隊をイラクに派遣しました（資料４-13参照）。

陸上自衛隊は2006年６月イラク・サマーワから撤収しましたが，航空自衛隊は同年７月頃以降も，定期的にアリ・アルサレム空港からバグダッド空港へ武装した多国籍軍の兵員を輸送するなどしていました。この活動は集団的自衛権の行使に該当します。これに対し名古屋高裁は，「武力行使を禁止したイラク特措法２条２項，活動地域を非戦闘地域に限定した同条３項に違反し，かつ，憲法９条１項に違反する」として，違法・違憲と判示しました（名古屋高判2008（平成20）年４月17日）。なお，第２部第６章90頁を参照のこと。

資料4－13　イラク問題に関する国際法研究者の声明

国連憲章は，伝統的に個々の国家に認められてきた戦争の自由を否定し，国際関係における武力の行使と武力による威嚇を禁止した。憲章が認める武力行使禁止原則の例外は，次の二つだけである。一つは，武力攻撃が発生した場合，安全保障理事会が必要な措置をとるまでの間，国家に認められる個別的または集団的な自衛権の行使であり，もう一つは，平和に対する脅威，平和の破壊または侵略行為に対する集団的措置として，安全保障理事会が決定する行動である。

現在，第一の，自衛権発動の要件である武力攻撃が発生しているのか。答は否である。この要件をかわすために，将来発生するかもしれない武力攻撃に備えて，今，先制的に自衛しておくという論理が主張されている。しかし，このような論理を認める法原則は存在しない。もし，まだ発生していない武力攻撃に対する先制的自衛を肯定するような先例を今ここで作ってしまえば，例外としての自衛権行使を抑制する規則は際限なく歯止めを失っていくであろう。

では，第二の，集団的措置を発動するための要件である平和に対する脅威等の事実が存在しているのか。その存在を認定し，それに対して武力の行使を容認するか否かを決定するのは，安全保障理事会である。五常任理事国はこの決定に拒否権をもっており，一カ国でも反対票を投じればこの決定は成立しない。安全保障理事会によって容認されない，すなわち明確な各別の同意を得ない武力行使は，違法であろう。安全保障理事会決議1441は，そのような同意を与えたものではない。

（出典：「しんぶん赤旗」2003年3月19日）

有事法制の確立

有事とは，通常は外国からの武力侵攻や国内の武力蜂起のような場合に，軍隊の出動が要請されるような緊急事態をいいます。政府は，自衛隊の創設とともに，有事の際の対処方法を法律で定めようとしてきましたが，国民の反対も強く制定できないままでした。ところが上記の流れのなかで，2003年，有事に関する基本法の性質をもつ**武力攻撃事態法**が制定され，外国から武力攻撃を受けた事態，その切迫した危険が生じた場合（武力攻撃事態），あるいは武力攻撃が予測されるに至った場合（武力攻撃予測事態）に，内閣が採るべき措置（対処基本方針の作成等）を定めます。

次いで，2004年にこれを補完する7つの法律が制定されました。武力攻撃事態に際して住民を避難させる仕組みを定めた「国民保護法」，アメリカ軍の日本における行動を円滑に行いうるようにするための「アメリカ軍行動円滑化法」，外国の軍事品等を海上輸送する船舶を臨検するための「外国軍用品海上輸送規制法」などです。

イラク・フセイン政権崩壊後の世界

既述したように，G・ブッシュ政権によりイラクは攻撃され，フセイン政権は崩壊しました。こうしてイラク国家・社会の秩序は崩壊し，それは中東全域に広がりISが台頭します。他方，イラクがやられたのは核兵器を保有していなかったからだとの教訓を引き出した北朝鮮政府は，核実験，ミサイル発射実験を繰り返し周辺国との緊張を高めています。

冷戦終結以後のグローバル化競争の激化による富の偏在，格差の拡大が，ヨーロッパでは，アフリカ・中東からの難民，移民問題とも相俟って排外的ナショナリズムの台頭を助長しています。アメリカでは，アメリカファースト，移民排斥を訴えたドナルド・トランプ氏がグローバリゼーションから取り残された人々の支持を得て大統領選挙に勝利しました。またロシア，東欧，中国など世界の各国で，ナショナリズムの高まりを背景に独裁化が進んでいます。

日本では「政権交代」を掲げる民主党鳩山由紀夫内閣が誕生し，自衛隊インド洋派遣の撤退を決め，普天間基地の辺野古への県内移設見直し，中国との積極的な対話などの政策を掲げますが，基地の本土移設でつまずき政権を失いました。

憲法改正を掲げる第二次安倍政権が2012（平成24）年12月に始まります。そして「防衛を取り戻す」をスローガンに，自民党「新『防衛計画の大綱』に関わる提言」（2013年6月4日）をまとめ，その後，国家安全保障基本法の制定，防衛産業の育成，武器輸出三原則の見直し，国家安全保障会議（NSC）の設置，日米軍事情報保全のため特定秘密保護法の制定を着々と行っていきます。**特定秘密保護法**の問題点については資料4－14を参照して下さい。

ちなみに第一次安倍政権（2006（平成18）年9月～2007（平成19）年9月）が行った主な仕事は，教育基本法の改正と，防衛庁を防衛省へ昇格させることでした。また，米軍への後方支援，国連の活動への寄与等を自衛隊法3条に明記し自衛隊の本来任務としています。

そして先にみたように2015（平成27）年9月安保関連法が成立しました。この法律では，既述した存立危機事態の新設や米軍の戦闘行為への後方支援拡大のほかに，在外邦人の保護，平時の米軍への協力の拡大，国連PKOの協力の拡大などが定められました。また法成立以前，同年4月27日に第3次日米ガイドラインが締結されています。ここで新たな「同盟調整メカニズム」が設置されましたが，これは自衛隊が平時からアメリカの指揮下に実質的に入ることを意味しています。

なおそれとは別に，文官である防衛官僚（背広組）と自衛官（制服組）を対等

資料4－14　秘密保護法の制定に反対する憲法・メディア法研究者の声明

（略）

1　取材・報道の自由，国民の知る権利などさまざまな人権を侵害する

……本法案は，防衛・外交・特定有害活動の防止・テロリズム防止の4分野の情報のうち特に秘匿が必要なものを行政機関の長が「特定秘密」として指定し，その漏えいに対して懲役10年以下の厳罰でもって禁止するだけでなく，特定秘密保有者の管理を害する行為により取得した場合も同様の処罰の対象とし，さらに漏えいや取得についての共謀・教唆・扇動にも罰則を科し，過失や未遂への処罰規定も置いている。

以上のような仕組みが導入されてしまうと，まずなによりも，重要で広範な国の情報が行政機関の一存で特定秘密とされることにより，国民の知る権利が制約される危険が生じる。また，特定秘密を業務上取り扱う公務員や民間の契約業者の職員が萎縮することにより情報提供が狭められるのに加えて，漏えいへの教唆や取得なども犯罪として処罰されることにより，ジャーナリストの取材活動や市民の調査活動そのものが厳しく制限され，ひいては報道の自由や市民の知る権利が不当に侵害されかねない。……

このほか，本法案は，特定秘密を漏らすおそれがないよう秘密を取り扱う者に対する適性評価制度を導入し，評価対象者の家族関係や犯罪歴，病歴，経済的状態などを詳細に調査しようとしているが，これは個人のプライバシーを広範囲に侵害するものであり，不当な選別，差別を助長し，内部告発の抑止にもつながりかねない。また，秘密とされる範囲は広範囲に及び，かつ，漏えい等が禁止される事項も抽象的に書かれており，漠然としていて処罰の範囲も不明確であり，憲法31条が要求する適正手続の保障に反する疑いも強い。さらに，本法案が実現すると，秘密の中身が明らかにされにくく公開裁判が形骸化するおそれがあり，憲法37条が保障する公平な裁判所による迅速な公開裁判を受ける権利が脅かされかねない。

2　憲法の国民主権の原理に反する

（略）

3　憲法の平和主義の原理に反する

（略）

以上のように，本法案は基本的人権の保障，国民主権，平和主義という憲法の基本原理をことごとく踏みにじり，傷つける危険性の高い提案に他ならないので，私たちは重ねてその制定に強く反対する。（2013年10月11日）

（出典：『憲法とそれぞれの人権』201頁，資料1-43）

にする防衛省設置法改正案も可決されました。戦前，軍人が政治に口を出し，軍事を政治の上に置いたことに散々苦しめられた経験から，背広組優位の体制が作られてきたわけですが，その準則も変更されたわけです。さらに岸田政権のもとで，米軍と自衛隊の連携強化が進められようとしています。今後，日本の政治が軍事政策をコントロールできるのか注視が必要です。

発展学習

- 世界各国の軍事力，軍事費について調べてみましょう。
- 国連の集団安全保障体制，PKO 等について調べてみましょう。
- 自衛隊等についての国会での議論，政府の答弁，国会決議等調べてみましょう。
- 沖縄の戦後史について調べてみましょう。

第2部

人権を守るための組織

統治機構

第1章　政治と国民，国会議員

ねえ，今度の選挙，投票に行った？

いや行ってない。選挙って面倒だし，誰に投票していいか分からないもん。

政治を変えたければ選挙に行かなくちゃ。

だけど，選挙に行ったからって変わるのかな？　いい提案だなと思っても単なる思いつきみたいで，本当に実現するとは思えないし。変わるものなら変わるでしょう。一体，選挙って何のためにあるのかな。

そりゃあ，自分の要求を訴えるためでしょ。声を出しているから変わるんじゃないの？

僕は，総理大臣になって欲しい人の政党に投票するけど。

ルソーは，「イギリスの人民は自由だと思っているが，それは大まちがいだ。彼らが自由なのは，議員を選挙する間だけのことで，議員が選ばれるやいなや，イギリス人民はドレイとなり，無に帰してしまう。」（ルソー／桑原武夫・前川貞次郎訳『社会契約論』岩波文庫，1980年，133頁）といっていました。本当に選挙は意味がないのでしょうか。選挙以外に政治に参加する方法はないのでしょうか。政治が民主的に行われることは，私たちにとってどんな意味があるのでしょうか。

Point

- 選挙で代表者を選ぶことには，どういう意味があるのでしょうか。

- 選挙権は日本国憲法上どのように位置付けられているのでしょうか。また，選挙権以外の政治的権利にはどのようなものがあるでしょうか。
- 国民と国会議員との関係を考えてみましょう。

1　国民主権

政治を決めるのは私たちだ

日本国憲法は「主権が国民に存する」（前文）として「国民主権」を謳っています。この「主権」という言葉には様々な意味合いがありますが，ここでは，主権を「国の政治のあり方を最終的に決める力または権威」を指すという意味で捉えることが重要です。そう捉えるならば，国民主権とは，政治を最終的に決める「力または権威」は誰か偉い特定の人（国王など）がもっているのではなく，国民がもっているということを意味します。

代表者による政治

さて，国民主権といっても，実際には，選挙を通じて国民から選ばれた代表者（**国会議員**）が政治を行う制度が，日本では採られています（**代表民主制**）。

日本国憲法も，憲法前文に国政における権力行使については「国民の代表者がこれを行使」すると謳っており，代表民主制を前提にしているものと考えられます。また，憲法15条１項は，「公務員を選定し，及びこれを罷免することは，国民固有の権利である」としています。公務員の中に国会議員が含まれることは，疑いがないでしょう。

ここではまた，国会議員を選ぶことは「国民固有の権利」であるとされています。この「国民」にはもちろん有権者が含まれます。しかし，憲法は彼／彼女ら一人ひとりに政策の１つひとつを決めさせる決定権を与えているわけではありません。

むしろ，政治的な代表者を選ぶ選挙という過程において，憲法は個々人に“政治参加の機会”を与えていると理解できます。「選挙」とは，多数の有権者が行う集合的行為なのです。モモたちは次の選挙で，政治を変えるために，投票を行おうとしています。そこでは，一人ひとりの市民（people）として，彼／彼女らのよいと考える議員・政党に投票することで政治的意思表示をするわけです。

2　選挙と国民の意思形成

選挙権をもつのは誰？

有権者として選挙に参加することができるという「**選挙権**」は，後述する「被選挙権」と並んで，国民が国家の政治的決定に参加する権利，すなわち「**参政権**」の中心的なものです。

選挙権は，一定の資格・地位をもった者，具体的には政治的な意思決定のできる一定程度成熟した国民にのみ与えられます。

それでは，どういう条件を満たせばそうした資格・地位（選挙権）を得て「選挙人」となることができるでしょうか。その1つは①年齢です。憲法15条3項は，「公務員の選挙については，成年者による普通選挙を保障する。」としています。ここで求められている「普通選挙」とは，性別や納税額などを要件としない，年齢以外を要件としないという選挙制度のことです。しかし，「成年者」が何歳であるかについて，憲法は具体的に述べていません。その年齢については，公職選挙法という法律が定めています。2015（平成27）年6月の同法改正により，翌2016（平成28）年6月19日より，満18歳以上の者に選挙権が与えられることになりました。

また，憲法15条が「国民固有の権利」としているように，②**国籍**も選挙権取

資料1－1　憲法改正手続

憲法96条は，憲法改正の手続きについて「国会で衆参各議院の総議員の3分の2以上の賛成を経た後，国民投票によって過半数の賛成を必要とする」としています。しかし，それ以上の具体的な手続きを憲法は定めていませんでした。

2007（平成19）年5月14日に，「日本国憲法の改正手続に関する法律（憲法改正国民投票法）」が成立し（公布は同月18日），2010（平成22）年5月18日から施行されました。同法によって，憲法改正のための国民投票を行う手続きが定まりました。同法の2021（令和3）年の改正では，共通投票所での投票を可能とする等の制度改正がありました。

なお，国民投票の投票権については，満18歳以上の日本国民が有するとされています。

①憲法改正原案の発議
（衆議院100人以上，参議院50人以上）

②憲法改正の発議
（各議院総議員の3分の2以上）

③国民投票の期日の議決
（改正の発議をした日から起算して60日以後180日以内）

④広報・周知
国民投票広報協議会（各議院の議員から委員を10人ずつ選任）を設置

⑤国民投票運動
（改正への賛成／反対を一定のルールのもとで行う）

⑥国民投票・開票

⑦結果の告示
（官報による）

出典：毛利透『グラフィック　憲法入門〔第2版〕』新世社，2021年，231頁を参考に筆者作成

得の要件です。公職選挙法は，「日本国民」が選挙権を有するとしています（9条)。かつては，日本国籍を有している者であっても外国にいる者（在外日本人）は選挙権の行使ができない状況にありました。しかし，在外日本人選挙権訴訟（資料1－2参照）を経て，現在は，現地にいながらにして国政選挙へ参加することが保障されています。

ところで，**外国人の参政権**については，国民主権との関係などから（憲法15条），学説の多くは衆議院・参議院の国政選挙の選挙権および被選挙権は外国人には及ばないと解します（否定説)。日本国籍を有さない外国人は，たとえ在留資格の上で「定住者」とされている者であっても投票を行うことはできません。最高裁判所も，定住外国人に選挙権および被選挙権を認めないとする現行法の規定を合憲としています（選挙権につき最判1993（平成5）年2月26日／被選挙権につき最判1998（平成10）年3月13日）。

資料1－2　在外日本人選挙権訴訟（最大判2005（平成17）年9月14日）

かつて，在外日本人は，国外の居住地域から投票を行うことができませんでした。1998（平成10）年，在外日本人の投票を可能とする制度（法律）改正が行われ，衆参両議院の比例代表選挙については選挙権の行使が可能となりました。しかし，衆議院議員の小選挙区や参議院の選挙区選挙においては，投票を行うことができないままでした。

そこで，在外日本国民であった人々（原告）は，日本政府（被告）を相手取って，選挙権の行使の機会を保障しないことが，憲法14条1項，15条1項・3項，43条および44条等に違反すること（主位的主張），そして，国会が法律の改正を怠ったため1996（平成8）年の第42回衆議院議員総選挙に投票することができなかったとして損害賠償（予備的主張）を求めました。

最高裁は，「国民の選挙権又はその行使を制限することは原則として許されず」，そして，「本件選挙において在外国民が投票をすることを認めなかったことについては，やむを得ない事由があったとは到底いうことができない」として，「本件改正前の公職選挙法が，本件選挙当時，在外国民であった上告人らの投票を全く認めていなかったことは，憲法15条1項及び3項，43条1項並びに44条ただし書に違反するものであった」と判示しました。

一方で，地方自治体レベルの選挙においては，憲法93条が地方公共団体の長や議会の議員を選ぶのは地方公共団体の「住民」であると表記していることもあり，学説の見解は分かれています。従来は，国政選挙に準じて否定説が説かれてきました。最高裁も，在日韓国人が地方選挙権を求めて訴えた事件（最判1995（平成7）年2月28日）において，その訴えを退けています。しかし，同事件において最高裁は，「外国人のうちでも永住者等であってその居住する区域の地方公共団体と特段に緊密な関係を持つに至ったと認められるものについて」法律で選挙権を付与することは憲法上禁止されていない旨を，傍論部分で述べました（許容説）。

なお，選挙権は制約されることもあります。公職選挙法では，受刑者（執行猶予中の者を除く）や選挙犯罪による処刑者は，選挙権（および被選挙権）を有しないこととされています（11条）。選挙権の公務としての性格からは，こうした制約も許容されるという説明もあります。一方で，受刑者に対しては選挙権を認めるべきだとする見解も有力です。

立候補してみようかな

国民の国政への参加としては，公務員となり国政の一翼を担うという方法もあるでしょう。このような**公務就任権**も参政権的な意義を持ちます。

ところで，公務員と一言にいっても，そこには様々な職業があります。皆さんの中には，市役所の窓口職員を想像する人が多いかもしれません。しかし，警察官や自衛官などの公安職に携わる公務員もあります。公務就任権に関しては外国人が公務員に就くことを認めるべきか（それはどの職種までか）が議論されています（**外国人の公務就任権→**第3部第2章参照）。

公務員になるには，試験を受験する方法が一般的です。しかし，**議員**など一部の公職については，有権者によって選挙で選任されることが必要です。このような，選挙によって公職に就く資格・地位を「**被選挙権**」といいます。これは選挙権と並んで参政権の中心的な内容を占めるものです。

被選挙権について，日本国憲法には明文で規定がありません。そこで，学説では様々な見解が唱えられてきました。たとえば，被選挙権は権利ではなく，資格または権利能力と捉えるべきとの見解があります。一方で，被選挙権を権利として捉える立場もありますが，その根拠は学説によって異なります。憲法13条（幸福追求権）から保障されると主張する者もあれば，同14条（平等原則）の問題であると捉える論者もあります。この点最高裁は，「憲法15条1項には，被選挙権者，特にその立候補の自由について，直接には規定していないが，これもまた，同条同項の保障する重要な基本的人権の一つと解すべきである」としています（**三井美唄炭鉱労組事件**：最大判1968（昭和43）年12月4日）。しかし，制限がすべて違憲というわけではありません。

選挙で選ばれた者は，国民みんなの代表者として政治に関わるわけですから，ある程度社会経験のある人が望ましい，そう考えてもおかしくはないでしょう。したがって，選挙権に比べて，被選挙権については年齢要件が厳しく設定されています（資料１－３参照）。また，当選する意思がないのに（売名などを目論んで）立候補する無責任な人が現れるのを防ぐため，供託金制度も設けられています。たとえば，衆議院議員選挙に小選挙区から出馬するためには，法務局へ300万円を納めなければなりません。もし，有効得票数の10分の１以上が得票できなかったり，途中で選挙から降りたりすれば，これらの供託金は没収される決まりとなっています。

資料１－３　被選挙権年齢

現行制度においては，選挙権は，国政／地方の両選挙とも，日本国籍保持者で満18歳以上の者に与えられています。一方で，被選挙権については，選挙によって年齢要件が異なります。

区分		被選挙権年齢	被選挙権資格
国政選挙	衆議院議員	25歳	日本国籍保有
	参議院議員	30歳	
地方選挙	市町村議会議員 都道府県議会議員	25歳	
	市町村長	25歳	
	都道府県知事	30歳	

出典：筆者作成

3　国民と国会議員と

議員活動と全体の奉仕者

選挙後の議員活動について，議員たちはどう立ち振る舞うべきなのでしょうか。たとえば，公共事業を地元に誘致する（利益誘導型の）政治は，非難されるべきなのでしょうか。この問題は，国民主権の「国民」をどう考えるかという問題とも結びついています。

もし，国民を実在する有権者の集団であると考えるのであれば，その代表者は自分を選んでくれた選挙区の選挙人の意向に沿う政治を行うべきであると考えられます（**命令委任**）。一方で，国民を抽象的な全国民であると捉えるのであれば，その代表者は日本全国のことを考えて行動すべきでしょう。したがって，選挙区の選挙人の意向には必ずしも拘束されず，選挙人の意向に反して政治活動を行うことも許されるはずです（**自由委任**）。

これに関して，憲法15条は「すべて公務員は，**全体の奉仕者**であつて，一部の奉仕者ではない。」としています。また，憲法43条は，「両議院は，全国民を代表する選挙された議員でこれを組織する。」としています。ここから，学説における通説は，議員は有権者から独立すべきという立場，すなわち自由委任の見解を支持します。

したがって，選挙区の選挙人の意向に反して活動したとしても，そのことをもって“法的には”責任を追及されることはありません。一方で，現実問題としては，国会議員は選挙区の声を代表する者として期待され，その声を無視して当選することは不可能です。つまり，国会議員は，選挙において“政治的に”責任を問われることになります。

このようなことを踏まえれば，私たち国民の政治参加は，何も選挙に限られるわけではないことが分かるでしょう。国会議員が政治的責任を果たしているか否か，彼ら／彼女らの日々の活動をチェックして声を上げていく，そうしたことも国民の政治参加のあり方といえます。

国会議員の特権

日本国憲法は，国会議員が政府による干渉を受けずに自由に政治活動を行えるように，①免責特権（51条），②不逮捕特権（50条），③歳費受領権（49条）を定めています。このうち，②不逮捕特権について，憲法は「法律の定める場合を除いては，国会の会期中逮捕され」ないとしています。これは，政府が議会内の反対派を不当に逮捕するなどして，議員や議会の活動が妨げられないように設けられたものです（逮捕が許される場合について，国会法33条参照）。2023（令和５）年に，暴露系 YouTuber 議員が，自身の投稿に基づいて逮捕される可能性があるとして国会への欠席を続けたケースがありました。しかし，このような理由で不逮捕特権を求めることが正当と言えるでしょうか。結局，この事案においては，参議院は議員懲罰権を行使し，当該議員を除名しました（第２部第３章67頁も参照）。

発展学習

- 判断能力が低下した高齢者や障害者について，その投票意思をどう確かめることができるでしょうか。また，投票行動をいかに支援すべき（すべきでない）と考えますか。東京地判2013（平成25）年３月14日を参考に考えてみましょう。
- 選挙に関しては，特に若者の投票率の低下が問題となっています。これを改善するにはどのような方策を採るべき（採るべきでない）でしょうか。たとえば，選挙を義務化することは許されるでしょうか。罰則を設けることはどうでしょうか。
- 被選挙権を，条例などによって制限することは可能でしょうか。たとえば，知事の多選禁止などについてはどう考えますか。

第２章　選挙権，選挙制度，政党

いよいよ選挙が始まったね。選挙区と比例区，みんなそれぞれの投票先は決めたのかな。

人口に比例して選挙区を設計すると，都市部の議員数が多くなるね。

少数派の意見もなんとか国政に届けられないかな。

政党が出しているマニフェストや各候補者の公約もしっかり吟味しないといけないかなぁ。でも，うちは新聞をとっていないし，テレビもないんだよね。

もう，政見放送もネットで配信して欲しいよ。なぜダメなんだろう。

モモ，キビ，スセリの３人は，選挙に向けてかなり意気込んでいるようですね。さて，皆さんの中には，すでに実際の選挙を体験した方もあるかと思います。本章では，改めて憲法学的な視点から，選挙制度や選挙におけるマス・メディアの役割などについて考えてみましょう。

Point

- 日本の選挙制度はどうなっているのでしょうか。
- 政党はどのような役割を担っているでしょうか。
- 議員の選挙活動を，国民はどうやって知ることができますか。

1　代表民主制

代表者を選ぶ方法は？

国民主権のもと国家の政治的決定を行うにあたっては，国民が直接に政策の選択を行う方法（**直接民主制**）と代表者を選出することにより政策を形成する方法（**代表民主制**）とがあります。

日本国憲法は，原則として代表民主制によって国政を運営することを謳っています（前文1段，41条および43条）。一方，直接民主制的な制度としては，憲法改正（96条）や特定の地方のみに適用される特別法の制定（95条）があります。これらは，国民が**議会**の決定を覆すことができるという点で大きな意味をもちます。そこで，日本国憲法が採用したのは“**半直接民主制**”であるとの分析もされています。しかし，このうち憲法改正は実際には行われたことがありません。今日，国民の意思を国政に伝えるための最も重要な制度，それはやはり選挙であるといえます。

2　選挙制度

選挙の仕組み

皆さんの中にはもう選挙を経験した方もあるでしょう。思い出して下さい。国政選挙に行ったときに，投票用紙が2枚ありませんでしたか。日本の国政選挙は，選挙区から出ている候補者個人を選ぶ選挙区選挙と，政党の選択を中心として行う**比例代表制**とを組み合わせて行われています。

衆議院議員総選挙では，1994（平成6）年以降は，選挙区の中で一番多く得票を得た候補者1名が当選する方式を採用しています。これは，**小選挙区制**と呼ばれています。現在は，この小選挙区制と併せて，比例代表にも投票を行う制度（小選挙区比例代表並立制）が採用されています。衆議院の比例代表選挙では，東海，近畿，中国……等の比例ブロック毎に代表を選出する方式が採られ，政党のあらかじめ提出した名簿順に議席が割り当てられます（拘束名簿方式）。また，小選挙区と比例代表の選挙の両方に重複して立候補することも，認められています（公職選挙法86条の2第4項）。

他方で，参議院議員通常選挙では，1982（昭和57）年以降，都道府県を基本的な単位とした選挙区選挙と全国を1つの区とした比例代表選挙を組み合わせて実施されています。2015（平成27）年には，複数の県にまたがる「合区」も設置されました。参議院の比例代表選挙では，政党ごとに多く得票を獲得した候補者から順に議席が割り当てられます（非拘束名簿方式）。ただし，2019（令和元）年の選挙から，比例代表選挙の非拘束名簿とは別に，政党が「優先的に当選人となるべき候補者」を順位を付けて決めることができる「特定枠」の制度が作られました。なお，参議院では小選挙区と比例代表との重複立候補は認められていません。

参議院議員選挙では，３年ごとの半数改選が行われます。2022（令和４）年の議員定数248名を例にすれば，選挙区74議席と比例代表50議席が改選対象となります（公職選挙法４条２項）。

なお，選挙には人を選ぶ目的と政策を選ぶ目的があります。選挙で政策を選択できることを民主主義というならば，政権政党とは別に少なくとももう一つ政党が存在すること（複数政党制）が必要です。選挙が行われても政党が一つしか許されていない国は，独裁国家と呼ばれます。

なぜ２つの制度を組み合わせるの？

消費税を上げるべきかどうか，自衛隊を海外に派遣すべきかどうか。私たち国民の間には，多様な意見があります。しかし，国の政策は１つに決定することが必要です。ここにおいて，**選挙制度**の設計は，私たちの多様な声（意見）を政策にどのように集約し，反映するかという問題と結びつけて理解できます。

さて，皆さんが選挙においてもっとも重視するのは，政権を獲得すべき政党であること（政権選択）でしょうか。それとも，政権選択に結びつかなくても自分の意見が国会で反映されること（多様性の反映）でしょうか。

後者（多様性の反映）に適した選挙制度として，比例代表制があります。比例代表制では，得票数に応じて**政党**に議席を配分します。結果として，小さな政党も議席を確保する可能性があります。しかし，比例代表制のもとでは，多くの政党が乱立することがしばしば起こります。そこでは，複数の政党が集まって連立政権を担うことになるでしょう。連立政権を組むにあたっては，各政党間で政策の妥協が図られることになります。したがって，政党（またその政党の議員）に期待した政策が実際に行われるとは，限りません。そればかりか，政策の違いや政局の主導権争いに起因する党員の離党や合流，政党の分裂・合流・新党結成等が生じ，政治が不安定化することすらありえます。

資料2－1　衆議院と参議院の選挙制度

衆議院		参議院
4年	任期	6年（3年ごとに半数改選）
465名	議員定数	248名
289名（289選挙区）	選挙区選挙	148名（45選挙区「合区」あり）
176名（11比例ブロック） 拘束名簿方式	比例代表選挙	100名（全国1区） 非拘束名簿方式 「特定枠」あり
○（同一選挙区内）	重複立候補	×

出典：筆者作成

そこで，選挙においては，個々の政策よりも，国民が政権を担当する（内閣を組閣する）政党を選ぶこと（政権選択）を重視する考え方もあります。日本の政治においては，第一党の政党，その党首が内閣総理大臣に選出されることがほとんどです。したがって，「誰を首相にしたいか」という観点から，特定の政党に所属する候補者を選ぶ人も多いでしょう（内閣の組織については，第2部第4章を参照）。こうした政権選択に重きを置く考え方には，小選挙区制の方が適しています。小選挙区制では選出されるのは1名のみ，選挙区の多数派が当選者を独占することになります。したがって，選挙で勝つために，政党は多数派の形成を目指すことになります。具体的には，選挙の際には，2大政党が公約として示した（あらかじめ意見集約が進められた形での）政策のいずれかを，国民が選択する。選挙に勝利した政党は，公約に従って政治を進めていく。こうしたモデルが，小選挙区制では期待されています。衆議院議員選挙は，小選挙区と比例代表選挙の組み合わせですが，皆さんは前者では政権選択選挙，後者では多様性の反映と使い分けていますか。少なくとも，そうした使い分けができるのが立法者意思だと思われます。また，参議院議員選挙では，各都道府県を単位とした選挙区の改選定員は1～6名となり，定員1名の選挙区は小選挙区制，2名以上は中選挙区制となっていて，選挙制度の性格を捉えることが困難となっています。

このように様々な問題があるにせよ，国民の意思を集約するに際して万能の方法は存在しません。各国における選挙制度の違いは，多様性の反映と集約に対する考え方の（理論的また歴史的な）相違と捉えることも可能です。

3 政　　党

政党の役割は？

私たちの様々な意見を集約していく過程で，重要な役割を占めているのが政党です。**政党**とは，「政治上の信条，意見等を共通にする者が任意に結成する政治結社」のことです（共産党袴田事件：最判1988（昭和63）年12月20日）。簡単にいえば，政治について同じ志をもった者たちの集まりのことです。

さて，この政党について，日本国憲法の条文には明示的な記載がありません。それでは，憲法上，政党はどう位置づけられるのでしょうか。

憲法上の位置付け

国会議員は全国民の代表であるという考え方を重視すれば，議会政治の主役はあくまで**議員**個人であって，政党には縛られるべきではないということになるでしょう（第２部第１章参照）。かつては，このような考え方も有力でした。しかし，現代において，政党が政治に重要な役割を果たしていることは否定できません。政党は，国民の意見を聞き，多くの複雑な課題がある中で争点を絞って，（消費税増税などの）政策を示します。そして，選挙へ候補者を擁立し，政党としての公約集（**マニフェスト**）を示して，国民に判断を仰ぐわけです。最高裁判所も，政党は「議会制民主主義を支える不可欠の要素」であり，「国民の政治意思を形成する最も有力な媒体」であると述べています（八幡製鉄事件：最大判1970（昭和45）年６月24日）。このように，現代の議会政治において，政党の果たす役割は非常に大きいといえます。だからこそ，ドイツやイタリアのように，諸外国の中には憲法上に政党を明文で位置づける（存在を承認した上で一定の規制を加える）国があるわけです。

先に触れたように，政党について日本国憲法は直接述べてはいません。しかし，日本国憲法が議院内閣制を採用している以上，政党を敵視したり，無視するような立場を採用しているわけではないでしょう。

法律上の位置づけ

この点，法律は，明文で政党を位置づけています。たとえば，国会法46条は（衆議院・参議院）院内においては，議員たちが「**会派**」を単位として活動することを予定しています。この会派は，政党とイコールであることがしばしばです（もちろん，２つ以上の政党が１つの会派を形成することもあります）。

資料2－2　投票箱と記載台

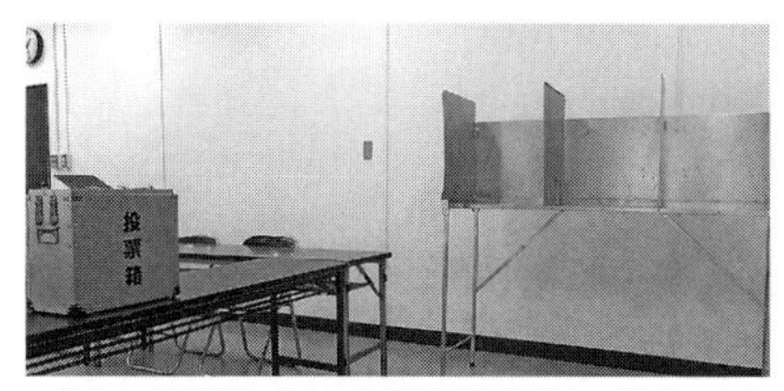

出典：筆者撮影（岡山市選挙管理委員会の協力により撮影用にセットしたもの）

また，**政治資金規正法**や政党助成法は，政党とは政治団体のうちで「所属する衆議院議員又は参議院議員を5人以上有するもの」，「直近において行われた…〈略〉…選挙における当該政治団体の得票総数が当該選挙における有効投票の総数の100分の2以上であるもの」と定義しています（政治資金規正法3条2項，政党助成法2条に同趣旨）。これらの法律は，政党の活動にかかる費用についてもルールを定めています。しかし，なぜ政党の活動についてルールを定めなければならないのでしょうか。

4　選挙活動

正確な情報が必要だ

選挙にあたっては，正しい情報が十分に提供されることが不可欠です。政党や候補者は，様々な活動を行い，情報を発信しています。たとえば，政治的なビラを作成して配布したり，会場を借りて演説を行ったり，最近ではSNSを通じて発信を行うことも一般的となっています。

私たちが多くの情報を得るためには，政党や候補者が政治活動をする自由が保障されることが必要です。しかし，財力をもつ者がマス・メディアによって印象操作を行うとしたらどうでしょう。また，そうした財力をもたない者との不平等は，考慮しなくてよいのでしょうか。さらに，議員や政党と深い繋がりをもつことによって，自己の活動や事業に融通をはかって欲しいと考える**利益団体**は，日本にも多数存在します。そうした団体の集めた政治資金が特定の個人や政党に流れ込むようなことがあれば，金銭の力によって政治が歪められる危険性がないとはいえないでしょう。したがって，政党や候補者の活動に一定の規制を行うために，**政治資金規正法**等の法律が設けられたわけです。

選挙運動に関する規制と国民参加

実際の投票に当たっては，政党や候補者の政策を知ることが重要です。注意が必要なのは，**選挙運動**に関しては，法的には一般的な政治活動とは区別され，特別な制約があることです。この選挙運動とは，特定の選挙で候補者の当選を目的として「直接または間接に必要かつ有利な周旋，勧誘若しくは誘導その他諸般の行為をなすこと」を指します（最決1963（昭和38）年10月22日）。

具体的な制約として，**公職選挙法**129条は，「選挙運動は，…〈略〉…公職の候補者の届出のあつた日から当該選挙の期日の前日まででなければ，することができない。」としています（事前運動の禁止）。また，同法138条は**個別訪問**を禁止しています。これは日本特有の規制で，学説からも批判がなされてきました。しかし，最高裁判所は，個別訪問の禁止は合憲であるとしています（最判1981（昭和56）年６月15日）。なお，公職選挙法150条は，**政見放送**を無料で放送することができるとしています。

このような規制のもと，従来は，政党や候補者の演説や選挙運動ビラ，新聞やテレビなどの**マス・メディア**が報道するところから，有権者は政党や候補者の情報を得る状況にありました。しかし，より手軽に情報収集を可能とすることが，有権者の政治参加を促進すると考えられました。そこで，2013（平成25）年の公職選挙法改正は，インターネットやSNSを通じた選挙運動を政党・候補者のみならず，有権者についても，一定程度認めるようになりました。ネット選挙運動が可能となって既に10年が経過しました。総務省「国政選挙における投票率の推移」によると，この間の衆議院議員総選挙の投票率は，59.32%（2012（平成24）年総選挙）から55.93%（2021（令和３）年総選挙）となっています。狙いどおり，国民の政治への関心は高まったのでしょうか。

発展学習

- インターネットやSNSを用いた選挙運動については，政党・候補者と，一般の有権者とでは，できる運動の内容が異なります。どう異なるのか，総務省や選挙管理委員会のWebページで調べてみましょう。
- あなたは選挙で当選して国会議員になりました。さて，国会で投票する際には，所属する政党の方針に，あなたは必ず従わなければならないのでしょうか。
- いわゆるフェイク・ニュースとは何でしょうか。フェイク・ニュースと選挙や政治とは，どのような関係または問題があるのでしょうか。政治家が世論を動かすためにメディアやSNSを利用すること，メディアが民意を形成するためにニュースを編集すること，これらの問題点を具体的に検討してみましょう。

第3章　国　　会

テレビの街頭インタビューで，働き盛りのサラリーマンが「老後の生活が不安」だっていっていたけど，年金の制度もあるのにどうしてかな？

そういえば，この前インターネットでみたけれど，日本では，2040年には現役世代1.5人で65歳以上の１人を支えることになるらしいよね。

そうだね。だから年金を受け取る人が多くなる一方で，年金を支払う現役世代が少なくなるから，深刻な財政問題が起こる可能性があるんだ。

え～！　年金があるから老後も安心だと思っていたのに安心じゃないの？

だからこそ，これからの社会保障のあり方に関連して，国会で法律を作ったり財政を踏まえた議論をしていく必要があるんじゃないかな？

これは放っておけない，私も議論に参加しなきゃ……あれっ⁉　でも，どこで，どうやって議論に参加したらいいんだろう……？

　私たちは，国民の代表者である国会議員を選挙で選び，私たちに選ばれた国会議員が国会で話し合いを行うことにより，国の政治を決めています。それでは，国会において国会議員はどのような活動を行っているのでしょうか。また，国会はどのような役割を担い，私たちの暮らしにどのように関わっているのでしょうか。

Point

- 日本は代議制を採用していますが，どのような意義があるのでしょうか。
- 国会が国権の最高機関であることの意味は何でしょうか。
- 国政調査権とは何でしょうか，また，どのような意義があるのでしょうか。

1 代議制とは何か

私たちは，家庭や学校をはじめ，クラブ，サークルやアルバイト先など，様々な社会（集団）の中で生活しています。もしもその社会の中で問題が生じた場合，あるいは，その社会をよりよいものとするために取り組むべき課題がみつかった場合，私たちはどうしたらいいのでしょうか。現代の社会では，まずはその問題を解決し，課題の克服に向けた話し合いを行うことが必要になるでしょう。これは国の場合でも同じです。国の場合は，国民から選ばれた人たちが議会で話し合いを行い，国の政治を決めるという方法が採られます。この方法は**代議制**と呼ばれています。

日本も代議制を採用し，議会すなわち国会の場で政治が行われています。日本が代議制を採用していることは，日本国憲法がその前文で，「日本国民は，正当に選挙された国会における代表者を通じて行動」するとし，国政にかかる「権力は国民の代表者がこれを行使」するとしていることからも明らかです。

2 国会の地位

国権の最高機関・国の唯一の立法機関とは

日本国憲法は，「国会は，国権の最高機関であつて，国の唯一の立法機関である」（41条）と定めています。「立法」には，形式的意味の立法（国会が制定する法規範である「法律」の定立を意味し，「命令」を含まない）と，実質的意味の立法（「法規」という特定の内容の法規範の定立を意味し，「命令」も含まれる）の２つの意味があり，日本国憲法41条の「立法」は，後者の実質的意味の立法として理解されています。

ところで，どうして国会が「**国権の最高機関**」であり，「国の唯一の立法機関」なのでしょうか。戦前は，天皇が統治権を総攬していました。しかし，日本国憲法で主権は国民のものとなり，その代表者である国会が「国権の最高機関」となり，天皇等の拒否権を禁止するとの意味を込めて，「唯一の立法機関」とされました。なお，日本国憲法が「両議院は，全国民を代表する選挙された議員でこれを組織する」(43条1項) としていることから，国会が「国民の代表者で構成された機関」であることは明らかです。

さて，国権の担い手である国会，内閣および裁判所の3つの機関の中で国会が「国権の最高機関」の地位にありますが，その理解については見解が分かれています。すなわち，「最高」という言葉に法的な意味を見出そうとする立場と「最高」という言葉に法的な意味を見出そうとしない立場からの見解です。前者によれば，三権分立が定められているにもかかわらず国会には他の二権に介入できる権能が認められるという理解になります。他方，後者の立場によれば，「最高機関」であるにもかかわらず，三権の独立は尊重されるべきという理解が導かれます。後者のように理解する説を「政治的美称説」といいます。この違いは，国政調査権の法的性質をめぐっても争われました（資料3-2のいわゆる「浦和事件」や「日商岩井事件」なども参照)。

3　二院制と衆議院の優越

なぜ二院制なのか

国会は**衆議院**と**参議院**の2つの議院で構成されています。このように議会が2つの議院から構成される制度を二院制（または両院制）と呼びます。このような制度を採用する理由として，二院制をとることで，より慎重な審議を期待することができることや，私たちの多様な意思を国政に反映できることなどが挙げられます。

衆議院の優越とは何か

日本の国会は，衆議院も参議院も国民の代表者である国会議員によって組織されるという点で共通した性質をもっていますが，議院の権能や議決について**衆議院の優越**が認められています。具体的には，衆議院の予算先議権（憲法60条1項）が認められているほか，衆議院にのみ**内閣不信任決議権**（憲法69条）が認められています。また，予算の議決（憲法60条2項)，条約の承認（憲法61条)，**内閣総理大臣の指名**（憲法67条2項）についても，衆議院と参議院の議決が異なった場合には，衆議院の議決が国会の議決となります。さらに，法律案の議決（憲法59条2項）については，衆議院で可決し，参議院でそれと異なった議決をした場合，衆議院で出席議員の3分の2以上の多数で再び可決したときに，法律となります。

ところで，両院で意見が対立した場合，いずれかの優越を認めておかなければいつまでも国会の判断を出せなくなる恐れがあります。そこで日本国憲法は

資料3－1　衆議院の優越

対象となる案件	衆議院の優越の対象となる場合	優越による結果
予算の議決・ 条約締結の承認	●参議院が衆議院と異なる議決をし，両院協議会（衆議院と参議院から選ばれた10名ずつの協議員で組織される）を開いても意見が一致しないとき ●参議院が衆議院の議決を受け取った後30日以内に議決しないとき	衆議院の議決がそのまま国会の議決となる
内閣総理大臣の指名	●衆議院と参議院で異なった人を指名し，両院協議会を開いても意見が一致しないとき ●参議院が，衆議院の指名を議決後10日以内に指名しないとき	衆議院の議決がそのまま国会の議決となり，衆議院で指名された人が内閣総理大臣になる
法律案	●衆議院で可決した法律案を参議院が否決または修正議決したとき ●参議院が衆議院で可決された法律案を受け取ってから60日以内に議決しない場合に，衆議院で参議院が否決したとみなす議決をしたとき	衆議院がもとの案を出席議員の３分の２以上の賛成で再び可決したとき，法律となる ただし，両院協議会を求めることもできる

出典：参議院ウェブサイトより

衆議院に参議院に対する優越的地位を認めたわけですが，その理由は何でしょうか。これについては，衆議院には解散制度があるほか，議員の任期も参議院に比べて短いため，衆議院のほうが参議院よりも民意に密着しており，民主政治の徹底を図ることができるという見解があります。

ところで，参議院では，内閣総理大臣や国務大臣に対する問責決議が行われることがあります。参議院の問責決議には，衆議院の内閣不信任決議とは異なり，法的な効力はなく，あくまでも政治的な意味をもつにとどまりますが，参議院における内閣に対する責任追及の方法として，重要な役割を担っています。なお，衆参逆転国会の場合，問責決議を受けた大臣は結局辞任に追い込まれますが，衆議院は解散で対抗できるのに参議院は解散もできないこととなり，この運用には疑問の声も出ています。

4　国会の会期

国会が憲法上の権能を行使できるのは，一定の期間に限られています。この期間のことを「会期」といい，常会（毎年１回１月に召集される期間150日の会），臨時会（臨時の必要に応じて召集される会）および特別会（衆議院の解散による総選挙後に召集される会・内閣総理大臣の指名などを行う）の３つがあります。また，

資料3－2　国政調査権の法的性質

国政調査権の法的性質については，いわゆる「浦和事件（1948（昭和23）年）」をきっかけとして，活発に議論されるようになりました。「浦和事件」では，夫が生業を顧みないことから，前途を悲観した母親が親子心中を図り，子どもを殺したものの自らは死にきれなかった母親に対して，裁判所が懲役3年（執行猶予5年）の判決を下しました。それを参議院法務委員会が取り上げ，量刑が不当であるという決議を行いましたが，最高裁判所は，司法権の独立を侵害するものであり，国政調査権の範囲を逸脱するものであると抗議しました。

その後，マクダネル・ダグラス社が航空機の売り込みを行うために日商岩井を通じて日本の政府高官に不正資金を供与しているとの疑惑に絡む，いわゆる「日商岩井事件」（東京地判1980（昭和55）年7月24日）では，国政調査権の範囲が1つの争点となりました。東京地裁は，「国政調査権は議院等に与えられた補助的権能と解するのが一般であつて，予算委における国政調査の範囲は，他に特別の議案の付託を受けない限り，本来の所管事項である予算審議に限定さるべきことは，所論指摘のとおりである。」と判示しました。

国会は衆議院と参議院から構成されますが，衆議院の解散後，特別会が召集されるまでの間に国に緊急事態が発生した場合，残された参議院が応急的に国会を代行しなければなりません。これを参議院の緊急集会といい，この議決には，その後衆議院の同意が必要とされます（憲法54条2項・3項）。

なお，日本では，憲法上の要請ではなく戦前からの慣行を踏襲する形で，**「会期不継続の原則**（会期中の活動が原則として次の会期に継続しないこと）」が採用されています。そのため，野党が反対する法案について，国会の会期終了とともに廃案に持ち込むことをねらい，いわゆる「牛歩戦術」などの手段に訴えたこともあります。これらの弊害を避け，国会審議を充実させるために，通年国会制の導入や会期不継続の改善が望まれるとの指摘があります。

5　国会の権能と議院の権能

国会の権能とは何か

日本国憲法は，国会に対して，次に挙げるようなきわめて強い権能を与えています。すなわち，憲法改正の発議権（96条），法律案の議決権（59条），条約の承認権（61条・73条3号），内閣総理大臣の指名権（67条），弾劾裁判所の設置権（64条），予算の議決権（60条）および財政の監督権（83条）などです。ここでは，国会の権能のうち，最も重要な立法権について触れておきます。

そもそも，法律はどのようなプロセスを経て制定されるのでしょうか。法律が作られるきっかけは，国会に対する法律案の提出です。この法律案には，内閣が提出する法律案（内閣提出法案）と議員が提出する法律案（いわゆる**議員立**

法）があります。法律案が国会に提出されると，まずは委員会で審議と採決が行われます。その後，本会議での審議と採決を経て，本会議で可決された法律案が法律として成立することになります。こうした公開での手続きを経ることにより，法律は，より合理的で公正なものとなることが期待されますし，国民は政府がしっかりやっているかの判断材料を得て，次の選挙に生かすことができます。こうしたことが保障されるのが民主主義の良さですね。

ところで，第二次安倍政権以降顕著となった官邸主導体制においては，官邸の政策決定が非公開に，少数のメンバーで短期に進められてきたといわれています。これにより，政策決定が素早くできるようになったとの利点もありますが，国会での討議が不十分で説明責任が果たされていない，官僚の専門性が軽視されているなどの問題点も指摘されています（第2部第4章第2節参照）。

議院の権能とは何か

衆議院と参議院には，両院いずれもが関与する権能（国会の権能）以外に，他の議院の関与を受けず独自に行使できる権能が認められており，これを議院の権能といいます。

議院の権能の1つである「議院自律権」は，各議院が他の議院や内閣および裁判所など他の国家機関からの関与を受けずに自らの組織および運営等を決めることができる権能のことであり，議員の資格争訟の裁判権（憲法55条），役員選任権（憲法58条1項），議院規則制定権（憲法58条2項）および議員懲罰権（憲法58条2項）などがあります。

また，もう1つの議院の権能である「**国政調査権**」については，日本国憲法62条が「両議院は，各々国政に関する調査を行ひ，これに関して，証人の出頭及び証言並びに記録の提出を要求することができる」と定めています。この国政調査権に基づいて，衆議院や参議院は独自に証人喚問をしたり，資料の提出を求めたりすることができるわけです。この国政調査権の性質については，国会は「国権の最高機関」（憲法41条）であり，国権を統括するために国会に認められた権能であるとする見解と，議院が有する権能を実効的に行使するために認められた権能であるとする見解があります。

発展学習

- 国会単独立法の原則とは何か，国会中心立法の原則とあわせて調べてみましょう。
- 両院協議会とは何か，また，両院協議会の果たす役割は何か，調べてみましょう。

第４章　内　　閣

来年には，あの大学に新しい学部ができるらしいね！

でも，まだ決まったわけじゃないんじゃないかな？
ニュースでみたけれど，国会でも議論されているようだし。

えっ⁉　大学や学部の新設については，文部科学省が判断するんじゃないの？　どうして国会で議論する必要があるの？

そうだよね……どうして国会で議論しているのかよく分からないんだよ。ニュースでは，内閣府から文部科学省に対して働きかけがあったのが問題だとかいっていたけれど……

そうか！　もしかすると，学部の設置を認めるという行政の活動が正しく行われているかどうかを，国会でチェックしているのかもしれないね。
よし，調べてみよう！

日本は議院内閣制を採用しており，内閣は国会に連帯して責任を負いながら行政活動を行っています。この議院内閣制とはどのような仕組みなのでしょうか。また，内閣の活動は私たちの暮らしにどのように関係しているのでしょうか。

Point

- 国の政治の仕組みの中で，内閣はどのような役割を担っているのでしょうか。
- 日本国憲法における議院内閣制とは，どのようなシステムなのでしょうか。
- 内閣の不信任決議とは何でしょうか，また，衆議院の解散とは何でしょうか。

1 行政とは何か

私たちの日常を振り返ると，安全な水の供給やごみの処理，道路交通の取り締まりや学校における教育活動など，行政活動が私たちの暮らしに密接に関係していることが分かります。このように，私たちの生活に身近であり，国家活動の中心ともいえる行政活動を統括するのが内閣です。

ところで，日本国憲法65条は，「行政権は，内閣に属する」と規定していますが，ここでいう「行政」とは何でしょうか。国家権力の三権のうち，「立法」はルール（規範）を作ることであり，「司法」は法的紛争・トラブルを解決することである，とある程度は説明することができても，「行政」とは何かを明らかにするのは難しいというのが実情です。国家権力をすべて憲法の下に置かなければならないという立場からは，「行政＝国家権力－（立法＋司法）」と理解されるのが一般的です（控除説）。さらに，「行政は法に従って行わなければならない」という基本原則（法治主義）を踏まえながら「行政とは何か」を考えていく必要がありますが，ここでは国会で作られた法律を執行する作用を行政として理解することとします。

2 内閣の組織および権能

内閣はどのように組織されているのか

内閣は，**内閣総理大臣**と**国務大臣**によって組織される合議体です。内閣総理大臣は，国会議員の中から国会の議決で指名され，天皇によって任命されます。また，内閣総理大臣は，「首長」すなわち内閣のリーダーとして，内閣を代表し，行政各部を指揮監督する地位にあります。さらに，内閣総理大臣は，**国務大臣の任命や罷免**をする権能も有しています。

国務大臣は，内閣総理大臣によって任命されますが，その過半数は国会議員でなければなりません（憲法68条1項）。法律上の規定では，国務大臣の数は14人以内とされますが，特別に必要がある場合には3人を限度に増加し，17人以内とすることができます（内閣法2条2項）。

ところで，日本国憲法は，「内閣総理大臣その他の国務大臣は，文民でなければならない」（66条2項）とし，文民統制（シビリアン・コントロール）の原則を定めていますが，これは軍部の暴走を抑え込むために必要な制度です。な

資料４－１　内閣総理大臣の職務権限

いわゆる「ロッキード事件」(最大判1995（平成７）年２月22日）では，内閣総理大臣の職務権限が争点の１つとなりました。1972（昭和47）年８月，アメリカ・ロッキード社の販売代理店・丸紅の代表取締役が，当時の内閣総理大臣に対し，日本の大手航空会社・全日本空輸がロッキード社のトライスター機を選定購入するよう行政指導を行うべく，運輸大臣を指揮し，あるいは総理大臣自ら全日本空輸に働きかけるなどの協力を請託し，その成功報酬として５億円の供与を約束し，かつ，その報酬を受け取ったとして内閣総理大臣らが起訴されたのです。最高裁は，内閣総理大臣の行政各部に対する指揮監督権について，閣議にかけて決定した方針が存在しない場合においても，内閣総理大臣は，「少なくとも，内閣の明示の意思に反しない限り，行政各部に対し，随時，その所掌事務について一定の方向で処理するよう指導，助言等の指示を与える権限を有する」のであって，内閣総理大臣の運輸大臣に対する働き掛けは，一般的には，内閣総理大臣の指示として，その職務権限に属することは否定できないと判示しました。

お，「文民」の意味については，①軍国主義的思想をもっていない者，②現在自衛官でない者，③過去自衛官でなかった者を，単独または複合的に捉えて理解することになります。

内閣はどのような職務を担っているのか

内閣に属する行政権については，国のとるべき適切な方向・総合的な政策のあり方を追求しつつ，かつ法律の誠実な執行を図る作用（佐藤幸治『日本国憲法論〔第２版〕』成文堂，2020年，523頁）ともいわれます。内閣は，政策を法律案として国会に提出し，そこでの議論・修正を経て成立した法律を誠実に執行する責任を負います。

具体的にはさらに広範に，日本国憲法73条の規定に基づき，一般行政事務のほか，①法律の誠実な執行と国務の総理（１号)，②外交関係の処理（２号)，③条約の締結（３号)，④官吏に関する事務の掌理（４号)，⑤予算の作成と国会への提出（５号)，⑥**政令**の制定（６号）および⑦恩赦の決定（７号）を行います。その他にも，内閣は，天皇の国事行為に対する助言と承認（憲法７条)，最高裁判所長官の指名（憲法６条２項）やその他の裁判官の任命（憲法79条１項・80条１項）などを行います。

閣議とは何か

上述した内閣が行う職務について，内閣法は，「内閣がその職権を行うのは，**閣議**によるものとする」（４条１項）とし，「閣議は，内閣総理大臣がこれを主宰する」（４条２項）と定めるとともに，「内閣総理大臣は，閣議にかけて決定した方針に基いて，行政各部を指揮監督する」（６条）と規定しています。なお，この閣議は，内閣総理大臣と国務大臣で組織され（内閣法２条１項)，その議事は慣習により全会一致で決められることになっています。そうすると閣議については，内閣総理大臣の方針決定に対する歯止めとしての機能を有しているとの評価を導くことができます。

官邸主導体制

ところで，1990年代の行政改革で官邸および内閣機能の強化が図られました。そのために，内閣の補助機関として内閣官房が置かれ，内閣官房を助けるために内閣府が設置されました。他方で，内閣の補助機関であるはずの内閣官房が，実際には総理大臣の補助機関として機能した結果，重要な政策の立案や調整が首相官邸に担われ，憲法上行政権を有するはずの内閣が空洞化した，と指摘されるようになりました。官邸主導体制のもとでは，官邸の政策決定や人事が，国民の目の届かないところで非公開に行われるという問題があります。また，各省の大臣や官僚が官邸に抑え込まれ，現場の声や専門知識が軽視され，世論をみながら人気のありそうな政策が官邸から迅速に打ち出されてくるといった問題も指摘されています。

3　議院内閣制とは何か

日本国憲法66条3項は，「内閣は，行政権の行使について，国会に対し連帯して責任を負ふ」と定め，内閣は行政権全般について，国会に対して連帯して責任を負うことになっています。議会（立法権）と政府（行政権）との関係は国によって異なり，両者を完全に分離した**大統領制**を採用する国（アメリカなど）もあれば，議会支配制を採用する国（スイスなど）もあります。

アメリカ型の大統領制の場合，政府の長である大統領は国民によって選ばれますので，大統領は国民に対して直接責任を負います。一方，日本国憲法における**議院内閣制**の場合，内閣総理大臣は国会議員の中から国会により指名され，その他の国務大臣は内閣総理大臣によって任命されます。つまり，議院内閣制のもとでは，内閣は国会の信任により成立しています。

しかし，国会の多数派によって内閣が支えられているとはいっても，内閣の政策について国民の支持率が下がったり，国会と意見が対立したりした場合，内閣は国会から責任を追及されることになります。そして最終的には，衆議院によって「不信任の決議案」（憲法69条）が可決される場合もあります。衆議院で内閣の不信任決議がなされると，内閣は，衆議院を「解散」するか「総辞職」するかの選択を迫られます。内閣がこの不信任決議を受け入れる場合には，内閣は総辞職します。他方，受け入れない場合には，内閣不信任決議案の

資料４－２　憲法７条のみを根拠とする衆議院の解散

1952（昭和27）年８月28日，第三次吉田内閣は，召集されたばかりの第14回国会において衆議院を解散しました。この解散は衆議院による内閣不信任決議に対抗して行われたものではなく，憲法７条のみを根拠とする初めての解散でした。さらに，持ち回り閣議により，詔書案につき一部の閣僚の賛成署名を得ただけで，直ちに天皇に送付されて裁可を受け，28日の臨時閣議で解散詔書の即日公布を決定したという経過もあり，「抜き打ち」解散といわれました。

この「抜き打ち」解散当時，衆議院議員であったＸ（原告・苫米地義三）は，憲法７条のみによる解散は違憲無効であり，自らは議員としての地位を失っていないとして，国に対する地位確認の訴えと，任期満了までの議員歳費の支払いを求める訴えを提起しました。いわゆる「苫米地事件」（東京高判1954（昭和29）年９月22日）です。この事件で東京高裁は，どのような場合に衆議院の解散を行うべきかについては，現行憲法はその判断を政治的裁量に委ねたものであることを認めたうえで，本件解散については，天皇に対し助言する旨の閣議決定が行われ，天皇に対する総理大臣の上奏によって，内閣より天皇に対する助言がなされ，天皇はこの助言により解散の詔書を発布し，内閣はその後これを承認したものであると解するのが相当であるとして，解散を有効なものと認めました。

可決から10日以内に衆議院を解散しなければなりません（憲法69条）。**衆議院の解散**後は，衆議院議員総選挙が行われることになります。

議院内閣制とは，こうした国会と内閣とのチェック・アンド・バランスのシステムをいいます。このシステムによって，国民は，内閣を支持するか否かを選択することができます。この制度の良さはアメリカ型の大統領制と比較すれば分かります。アメリカの場合，大統領が所属する政党と議会の多数党が異なる状態のことを「分裂政府（Divided Government）」といいますが，この分裂政府のもとでは，異なる政党の間で対立する政策課題についての合意形成が難しいといわれています。大統領の政策に議会が反対すると，大統領は特定の事務以外何もできません。そうかといって議会が政策を実行することもできず，膠着状態が長く続きます。それでもアメリカがやっていけるのは，社会が強く，豊かだからです。アメリカ型の大統領制を模倣した多くの国は，大統領独裁制に転化したことをカール・レーヴェンシュタインは指摘しています（カール・レーヴェンシュタイン著／阿部照哉・山川雄巳共訳『新訂　現代憲法論―政治権力と統治過程―』有信堂，1986年，146頁）。他の国では真似できません。こうした時，日本であれば，議会を解散して民意を問うことができるわけです。

ところで，内閣不信任決議案が可決されてもいないのに，衆議院が解散される場合があります。内閣不信任決議案の可決（69条解散）のほかに衆議院の解散はできるのでしょうか。確かに，衆議院が内閣の政策は通さないのに，不信任の決議をしない場合，政治の膠着状態が続きます。そこで，日本国憲法７条３号に着目し，天皇の国事行為に対し「助言と承認」を行う内閣が解散についての実質的な決定権をもっているとの解釈が行われています。この立場からは，**衆議院の解散**は69条の場合に限らず，内閣の判断で行うことができる（７条解散）とされます。現実には，「解散権は首相の伝家の宝刀」などといって，この方式による解散事例が多くみられます。

これに対し，内閣にとって都合のよい時を狙って解散をするのは許されないという批判や，解散の制度が設けられている趣旨を踏まえて，前回の総選挙の際には争点にならなかった重要な事案が新たに生じた場合のほか，内閣が提出した法律案（内閣提出法案）のうち，とくに重要だと考える法律案が衆議院で否決された場合などに限定されるべきだという批判が行われています。

ところで，日本国憲法65条は，「行政権は，内閣に属する」と定めていますが，「独立行政委員会」も内閣のコントロールのもとにあるとの趣旨でしょうか。**独立行政委員会**とは，人事院，公正取引委員会，公害等調整委員会など，その職務上政治的中立性が要求される活動を行う委員会です。このモデルはアメリカです。そこでは三権分立のもと，議会が設置した独立行政委員会が，大統領から独立した行政活動を行っており，日本の議院内閣制には適していないともいわれます。しかし，この種の委員会が内閣から「独立して」活動を行うことの重要性は誰も否定できません。そこで国会が設置し，内閣を媒介に，人事など最終的に国会のコントロールが及んでいるのであれば日本国憲法65条に反しないと解されています。

発展学習

- 国会しか制定できない「法律」とは，どのようなものなのでしょうか。「法律の法規創造力」，「法律の留保」および「法律の優位」とあわせて調べてみましょう。
- 内閣官房とは何か，また，内閣官房と内閣府との関係についても調べてみましょう。

コラム②

行政法ってどんな法律？

「『行政法』という名前の法律はない！」といったら，みなさんきっと驚くでしょうね。でも，実際に『六法全書』のような法令集を開いてみると，「憲法」や「民法」そして「刑法」といった名前の法律はみつけられるものの，「行政法」という名前の法律をみつけることはできません。そうすると，「行政法って一体何なの？」という疑問が湧いてきます。実は「行政法」については，行政活動を規律する法の寄せ集めといわれることもあり，現在2000近くある法律の多くが行政法であるともいわれています。行政活動との関わりをみてみると，たとえば妊娠した場合には市町村長から母子健康手帳〔親子手帳・母子手帳〕をもらい（母子健康法），そして子どもが生まれたら14日以内に市町村長に出生届を提出し（戸籍法），その後児童手当ての支給などの子育て支援を受けたりします（児童手当法）。さらに学校に通うようになれば教育基本法や学校教育法，自動車やバイクに乗りたくなったら道路交通法，マイホームを建てて住みたいと思えば建築基準法などと関わります。これらはすべて「行政法」として理解されるものです。このように，私たちはあらゆる場面で，まさにゆりかごから墓場まで「行政法」と関わりをもって生活しているわけです。

しかし，このような「行政法」の１つひとつの法律を個別に学ぶことは，その法律の数から難しいと思われます。そこで行政法の学びとしては，平たくいうと，数多く存在する行政に関する法について共通する性質や内容を取り上げて，その共通する事項について学んでいくことになります。たとえばモモ・キビ・スセリ一人ひとりの「個人」について知りたいという場合は，モモたちの特徴や性格などをそれぞれ検討しなければなりません。他方で「人（人間）」について知りたいという場合には，「人」であるモモたちに共通する事項を取り上げて検討すればよいことになります。そこで得られた知識や理解は，モモたち以外の「人」を理解する上で役に立ちます。行政法の学びも同じであって，実は１つひとつの法律を個別に学ぶのではなく，それら行政に関する法に共通する性質や事項（たとえば法治主義の考え方や許認可などの行政法理論）を学ぶことになります。行政に関する法に共通する性質や事項を学んでおけば，はじめて遭遇した「行政法」であってもその内容を読み解

	立法＝規範の制定	行政＝三権のうち立法・司法以外	司法＝法的紛争の解決
国会	法律の制定	内閣総理大臣の指名	弾劾裁判
内閣	命令の制定〔立法〕	営業の許可〔行政〕	行政不服審査〔司法〕
	→形式的意味の行政＝内閣の活動（命令の制定・営業の許可・行政不服審査）		
裁判所	最高裁規則の制定	下級裁判官の指名	民・刑事裁判

出典：筆者作成

くことができるわけです。

ところで行政法については，「行政を行う組織や行政活動そのもの，またはそれらをめぐる法的紛争に関する法の体系である」と説明されますが，ここでいう「行政」とは何かについて確認しておきましょう。

まず行政とは何かについて，「実質的意味の行政」と「形式的意味の行政」に分けて考えます。このうち「実質的意味の行政」については，「行政＝『国家権力』－（『立法』＋『司法』)」という控除説の考えが一般的です。しかし，行政法における「行政」は，ここでいう「実質的意味の行政」ではなく，内閣以下の行政機関の活動，すなわち「形式的意味の行政」として理解されています。

したがって，行政法では，「立法」（国民の権利義務に関する一般的規範の制定）としての性質をもつ政省令の制定（ただし，法律の委任に基づきます）についても行政立法として学びますし，「司法」（独立の裁断機関による具体的な法的紛争の解決）としての性質をもつ審査請求（ただし，行政機関は，終審として裁判を行うことはできません）や取消訴訟についても行政上の不服申立てや行政訴訟として学んでいきます。

最後に，行政活動において広く存在している，行政裁量（法律によって一義的に拘束されない行政機関の判断の余地）について見ていきましょう。行政裁量をどのようにコントロールするのかについては，「行政法学の究極の課題といって良い」という指摘があるように，行政法学において，裁量統制のための理論が検討されてきました。その１つである「裁量濫用論（裁量の踰越濫用の法理）」は，裁量行為が裁量権の範囲を逸脱またはその濫用があった場合には，その行為を違法と判断することができるというものです（この考え方は，行政事件訴訟法30条に定められるに至っています)。行政活動が裁量にもとづくものであっても，あらかじめ違法性の判断を免れるものではなく，それぞれ個別具体的に違法判断がなされることになっています。行政裁量のコントロールについては，より良い統制方法を見出せるように，研究が進められています。

第5章　地方自治

連休中に岐阜県の白川村に行ってきたんだ。世界遺産の「合掌造り集落」をみることができて，とっても感動，素敵だったなあ！

白川村といえば，「平成の大合併」が進む中，あえて合併をしなかった村だよね。

そうなの？

そうなんだ。白川村がこれまで培ってきた歴史や文化を大切にしたい，世界遺産でもある白川郷を守りたいという住民の思いがあったと思うよ。

えっ？　住民の思いで合併するかどうか決めることができるの？

そう，決めることができたんだよ。さっきいった「平成の大合併」では，自分たちの町や村が合併することの是非を問う住民投票を行ったところもあるんだよ。

いま住んでいる「市」も昔は「町」だったって聞いたけれど，もしかして……

私たちの日常生活を振り返ると，国よりも都道府県そして市町村との関わりが強いことに気がつきます。日本国憲法は地方自治の章（第8章）を設けていますが，そもそも地方自治とは何でしょうか。また，地方自治は私たちの暮らしにどのように関係し，どのような役割を果たしているのでしょうか。

Point

- 地方自治の本旨とは何でしょうか。住民自治や団体自治とは何でしょうか。
- 住民が地方政治に参加する方法としてどのようなものがあるでしょうか。
- 国と地方公共団体との関係はどのように理解するべきでしょうか。

1　地方自治とは何か

地方自治と民主主義

「地方自治は民主主義の学校である」(ブライス) や「タウンミーティングと自由の関係は小学校と科学の関係である」(アレクシス・ド・トクヴィル) という言葉を聞いたことがあると思います。いずれも地方自治の必要性と，民主主義にとっての重要性について述べています。また，ブランダイス裁判官は，「各州は民主主義の実験室である」と述べています。州は地方自治というより国家ですが，地方自治についてもそれは言えると思われます。

私たちは，一定の地域に住み，そこでの政治や行政に関わりをもちながら暮らしています。たとえば，私たちの暮らしに目を向けると，地域の活性化を目指した産業誘致に係る取組みや，いわゆる「ツタヤ図書館」にみられるような公の施設や保育園の民営化 (民間化) のほか，産業廃棄物処理施設の設置許可など，私たちの生活に関わる行政活動が数多く存在しており，これらの内容についてどうするべきかを決めなければならないことが分かります。そして，その地域に住む住民の生活に影響するならば，自分たちのことは自分たちで決めることが重要になるのは当然です。このように，そこに暮らす住民たちが，自らの手でその地域における政治を行うことを地方自治といいます。

「地方自治の本旨」とは

日本国憲法は，「地方公共団体の組織及び運営に関する事項は，**地方自治の本旨**に基いて，法律でこれを定める」(92条) と規定していますが，この「地方自治の本旨」とは一体どのようなことを意味するのでしょうか。日本国憲法における「地方自治の本旨」には，**住民自治**と**団体自治**の２つの要素があります。住民自治は，地域住民が自らの意思に基づいて，その地域における政治のあり方を決めていくことであり，民主主義的な側面をもっています。他方，団体自治は，地方公共団体が国などの干渉を受けることなく団体自らの意思を決めていくことであり，自由主義的な側面をもっています。

このように住民自治と団体自治は地方自治において重要なものといえますが，どのような関係にあるのでしょうか。日本国憲法が地方自治を制度として保障していることを踏まえると，住民自治は地方自治の基礎的な要素であって，団体自治は住民自治を実現するための手段としての要素であると考えられます。

2　地方公共団体とその機関

都道府県と市町村

地方公共団体とは何かについて，日本国憲法は具体的に明らかにしていませんが，地方自治法は都道府県および市町村を「普通地方公共団体」と定めるとともに，特別区，地方公共団体の組合および財産区を「特別地方公共団体」と定めています。地方自治法は，都道府県と市町村による二層制を前提としています。そこには，住民に最も身近な自治体である市町村から出発し，市町村で処理できない場合には都道府県が対応し，最後に国が対処するという考え（**補完性の原則**）があります。それでは，日本国憲法も都道府県と市町村による二層制を求めているのでしょうか。

都道府県は，「基礎的な地方公共団体」である市町村を包括する「広域の地方公共団体」として存在しています。都道府県を単純に廃止するとなれば，市町村の規模が大きくなり，基礎的な地方公共団体としての市町村の意義が失われる可能性があります。逆に市町村の力が弱ければ，基礎的な地方公共団体としての市町村の仕事を国が行うことになり，中央集権化が進む可能性もあります。

首長と地方議会

地方公共団体の機関には，執行機関の総括的な取りまとめ役である首長（都道府県知事や市町村長など）と，議決機関としての議会があります。地方公共団体における首長と議会議員はいずれも住民の直接選挙によって選ばれますので，それぞれ住民に対して直接責任を負う**二元代表制**が採られていることが分かります。

地方公共団体の執行機関には，公選制による首長のほかに，首長から独立して行政の執行にあたる行政委員会（教育委員会，人事委員会，選挙管理委員会など）があります。このように，**執行機関多元主義**に基づいて，首長から独立した行政委員会が執行機関として行政運営を行う制度は，１つの機関への権限集中を防ぐとともに，行政運営の公正性，妥当性および中立性を確保するうえで，大きな役割を果たしているといえます。

ところで，地方公共団体の長と議会（地方議会）は，どのような関係にあるのでしょうか。一般的に，首長と地方議会の関係は，抑制と均衡（チェック・アンド・バランス）の関係にあるといわれています。地方自治法は，首長と議会との緊張関係の中で，抑制と均衡を図るために，さまざまな制度について定めています。たとえば，地方議会の議決について首長が反対する場合，首長の請求によって，議会があらためて審議しなおす「再議」の制度（地方自治法176条１項。長の拒否権ともいわれています）があります。また，地方議会は不信任決議によって首長を失職させる権能を有する一方，首長は，これに対抗する形で，地方議会を解散させる権限をもつという，「不信任議決」と「議会解散」に関する制度（地方自治法178条１項）もあります。

なお，首長については，しばしばアメリカ大統領のように例えられることがありますが，首長には地方議会に対する議案の提案権（地方自治法149条１号）や，上述した地方議会の解散権が認められる一方，アメリカ大統領にはこのような権限はありませんので，首長とアメリカ大統領には相違がみられます。

3　地方公共団体の条例制定権

条例とは

日本国憲法94条は，地方公共団体は法律の範囲内で条例を制定することができると定めていますが，この条例とは一体どのようなものなのでしょうか。

条例とは，地方公共団体の自主法一般を意味するといわれています。つまり，各都道府県や各市町村の議会が作った法規範（ルール）のことを条例と呼び，それが作られた地方公共団体においてのみ法的な効力が認められることになります。たとえば，「タバコポイ捨て禁止条例」が作られた市ではタバコのポイ捨てが禁止されますので，タバコのポイ捨てに罰則が科される可能性があります。

このように都道府県や市町村は，条例を作ることができる権能（条例制定権）に基づいて，様々な条例を作っています。まちづくりの基本理念などを定めた「自治基本条例」や「まちづくり基本条例」をはじめ，「情報公開条例」や「個人情報保護条例」など，多くの地方公共団体で作られています。

また，それぞれの地方公共団体の地域や文化の特性に基づいた条例も作られています。たとえば，市にホタル学校を設置してホタルを通じて自然環境への理解を深めてもらうための「岡崎市ホタル学校条例」，市の伝統産業である清酒による乾杯の習慣を広めて日本文化への理解促進を図る「京都市清酒の普及の促進に関する条例」，美星町の名に象徴される美しい星空を光害から守るための「美しい星空を守る井原市光害防止条例」などが制定されています。その他にも，「香川県ネット・ゲーム依存症対策条例」や「大和市おもいやりマスク着用条例」など，社会情勢への対応を踏まえた条例もみられます。

条例制定権の限界

都道府県や市町村は**条例制定権**に基づいて様々な条例を作っていますが，どのような条例でも作ることができるのでしょうか。日本国憲法によって認められている地方公共団体の条例制定権は，法律の範囲内でのみ行使することができます。実は，地方公共団体の条例制定権には，２つの大きなハードルがあり，このハードルをクリアできない条例はその存在が許されません。１つは「憲法」のハードル，もう１つは「法律」のハードルです。

まず，憲法のハードルについては，日本国憲法が最高法規である以上，条例が憲法に反することはできません。これに関連し，「奈良県ため池条例事件」（最大判1963（昭和38）年６月26日）では，憲法29条２項が財産権の内容は「法律でこれを定める」としているのに，条例で財産権を制限してもよいのかが１つの争点となりました。この事件で最高裁は，「ため池の破損，決かいの原因となるため池の堤とうの使用行為は，憲法でも，民法でも適法な財産権の行使として保障されていないもの」であるから，これらの行為を条例で禁止しても憲法には違反しないと述べています。

次に，法律のハードルです。かつては法律が制定されている場合，条例で法律よりも厳しい基準を設けたり（上乗せ条例），制限する対象を広げたり（横出し条例）することは許されないという考え方がありました。たとえば，工場からの排水やばい煙を規制する法律がすでに存在している場合には，公害等を防止するという法律と同じ目的で，その法律よりも厳しい基準を条例で設けることは許されないという考えです。これは「**法律先占論**」と呼ばれています。

しかし，私たちが安心して暮らせる環境を確保するために，たとえば法律よりも厳しい条例を作って公害をしっかりと防ぐということが本当に許されないのでしょうか。実は「法律先占論」については，①条例が法律よりも厳しい基準を設けることで人権を保障できる場合もあること（実質的法治主義の観点からの批判）や，②法律が規制基準を設けたとしても，それが規制や取締まりについての最低限度の基準であるならば，条例でそれよりも厳しい基準を設けたとしても違法ではない（ナショナル・ミニマム論からの批判）との批判がなされ，「上乗せ条例」が適法だとされるケースもみられるようになりました。

ところで，法律と条例の関係についてリーディングケースとなった事件として，**徳島市公安条例事件判決**（最大判1975（昭和50）年９月10日）があります。この事件では，公道でのデモ行進を規制する法律として道路交通法があったところ，徳島市が公安条例（集団行進及び集団示威運動に関する条例）を定め，デモ行進を規制したことについて，法律と条例の間に矛盾抵触が生じないかが争われました。最高裁は，「条例が国の法令に違反するかどうかは，両者の対象事項と規定文言を対比するのみでなく，それぞれの趣旨，目的，内容及び効果を比較し，両者の間に矛盾抵触があるかどうかによってこれを決しなければならない」とし，両者が同一の目的であっても，国の法令が必ずしもその規定によって全国的に一律に同一内容の規制を施す趣旨ではなく，その地方の実情に応じて，別段の規制を施すことを容認する趣旨であると解される場合には，国の法令と条例との間に矛盾抵触はなく，条例が国の法令に違反する問題は生じないとしました。最高裁は，道路交通法の定めは，全国的に一律に同一内容の規制を施す趣旨ではなく，地方の実情に応じて別段の規制を施すことを容認する趣旨であるとして，徳島市公安条例は法令に違反しないとしました。

4　地方公共団体の事務と公の施設

自治事務と法定受託事務

日本国憲法は，地方公共団体は事務を処理する権能を有すると定めています。地方公共団体の事務については，1999年に成立したいわゆる地方分権一括法によって，地方公共団体が国の組織の一部という前提のもとで行ってきた機関委任事務が廃止され，地方公共団体の事務は「自治事務」と「法定受託事務」とされました。ところで，「自治事務」と「法定受託事務」とはどのようなものなのでしょうか。

地方自治法によれば，「**自治事務**」とは「法定受託事務」（２条９項）以外の地方公共団体が処理する事務であり（２条８項），住民の福祉の増進を図ることを基本として，広く地域における行政を自主的に決定できる事務である（１条の2第1項）と理解することができます。たとえば，介護保険サービス，国民健康保険の給付，児童福祉・老人福祉・障害者福祉サービスのほか，各種助成金等（乳幼児医療費補助等）の交付，公の施設（文化ホール・生涯学習センター・スポーツセンター等）の管理などが自治事務にあたります。

他方，「**法定受託事務**」とは，もともとは国が行う事務だけれど都道府県や市町村または特別区が行う場合や，もともとは都道府県が行う事務だけれど市町村または特別区が行う場合の事務をいい，国政選挙，旅券の交付，国道の管理，戸籍事務および生活保護に関する事務などがこれにあたります。

ところで機関委任事務の廃止に伴い，地方自治法上，少なくとも事務の執行について国と地方公共団体は対等な関係となりました。しかし，地方公共団体の事務の執行については国からの是正の要求などもあり，国と地方公共団体との間で争いが生じることもあります。その場合，地方公共団体は**国地方係争処理委員会**に審査の申出を行うことができ，当該申出に係る審査を行った同委員会は，国に対して必要な措置を講じるべきことを勧告することができます。

ただし，「ふるさと納税指定制度」をめぐる国（総務省）と泉佐野市の争いのように，国がその勧告に従わないケースもあります。国は2019年5月に，泉佐野市が「ふるさと納税」により多額の寄付を集める一方で返礼品の多くが地場産品ではないことを理由として，「ふるさと納税制度」から除外（不指定）しました。泉佐野市はこれを不服として，国地方係争処理委員会に審査の申出を行い，同委員会は国に対して当該除外に係る再検討を勧告しましたが，国はその判断を変えませんでした。そこで泉佐野市は，当該除外の取消しを求めて大阪高等裁判所に出訴しました。大阪高裁判決では泉佐野市の請求は棄却されましたが，最高裁判所は，新制度の施行前は返礼品について法令上の規制は存在せず，過度な返礼品を自粛するようにという総務大臣からの技術的な助言にとどまっていたにもかかわらず，新たな「ふるさと納税制度」に係る基準等を定めた「告示」の中で，総務大臣の助言に従わなかったことを不利益な取り扱い（不指定）の理由として定めた側面が否定できないとして，当該告示に基づく不指定は違法であるとの判断を示しました（最判2020（令和2）年6月30日）。

公の施設の意義

公立の小中学校や図書館のほか公民館や水道事業施設など，公の施設は私たちの身近なところに多く存在していますが，そもそも公の施設にはどのような存在理由があるのでしょうか。

地方自治法は，「普通地方公共団体は，住民の福祉を増進する目的をもつてその利用に供するための施設（これを公の施設という。）を設けるものとする」（244条１項）と定めています。日本国憲法は，地方公共団体の事務処理や財産管理について定めていますので，「公の施設」の管理も地方公共団体の重要な役割です。

地方公共団体が住民の福祉の増進のために設けている**公の施設**は，児童福祉施設，医療関係施設や水道事業施設などにみられるように，憲法25条等の保障する国民の生存権ないし社会権を保障する場としての機能を果たしているものが少なくありません。そうであるならば，公の施設を財政的理由で無くしてしまったり，その管理を安易に民間の手に委ねてよいと直ちにいうことはできないでしょう。私たちは住民自治の視点に立って，公の施設のあり方について考えていかなければなりません。

5　地方政治への住民参加

住民と議会・行政

国政において，選挙民は首相を直接選べませんし，議員をリコールすることもできません。また，議員は免責特権を有しています（第２部第１章53頁参照）。つまり国政においては，一旦議員を選べば次の選挙まで議員に任せるしかありません。これに対し，地方自治において住民は，首長や議員を直接選挙し，リコールすることもできます。また，議会に条例の制定を求めたり，廃止を要求したりすることができます。さらに，事務監査請求や住民監査請求ができますし，監査結果に不服があれば住民訴訟を提起することができます（資料５-１，５-２参照）。これらは住民自治に基づく制度ということができます。これらの制度について，少し詳しくみていきましょう。

住民とは

日本国憲法が定める「地方自治の本旨」は，住民自治と団体自治から構成されますが，住民自治はその根幹をなすものといえます。その意味からも，住民は地方公共団体の人的構成要素であり，地方自治の主体といえます。ところで，住民とは一体誰のことをいうのでしょうか。地方自治法は「市町村の区域内に住所を有する者は，当該市町村及びこれを包括する都道府県の住民とする」（10条１項）と定めています。つまり，地方自治法のもとでは，市町村の区域内に住所を有していれば，自然人

資料５－１　住民の直接請求制度

請求内容	必要署名数	請求先	効果
条例の制定・改廃（自治74①）	有権者の1/50以上	普通地方公共団体の長	普通地方公共団体の長は20日以内に意見をつけて議会に付議（自治74③）
事務監査請求（自治75①）	有権者の1/50以上	普通地方公共団体の監査委員	監査の実施・監査結果の報告等（自治75③）
議会の解散請求（自治76①）	有権者の1/3以上	選挙管理委員会	選挙人の投票により過半数の同意で議会は解散（自治78）
議員・長の解職請求（自治80①・81①）	有権者の1/3以上	選挙管理委員会	選挙人の投票により過半数の同意で職を失う（自治83）
主要公務員（副知事等）の解職請求（自治86①）	有権者の1/3以上	普通地方公共団体の長	議会に付議し，2/3以上の出席で，その3/4以上の同意で職を失う（自治87①）

出典：筆者作成

資料５－２　選挙民と議会・行政との関係

	国	地方
選挙民と議会との関係	自由委任 免責特権あり	条例の制定・改廃請求権 議会の解散請求権 議員の解職請求権 免責特権なし
選挙民と行政との関係	請願権のみ	長・主要公務員の解職請求権 事務監査請求権 住民監査請求・住民訴訟

出典：筆者作成

であるか法人であるかにかかわらず，また，日本人であるか外国人であるかにかかわらず，当該市町村の住民となります。他方，たとえば住民投票（後述）について見た場合，ある市の住民投票条例では，住民投票の投票権を有する者について，日本国籍を有し，当該市の住民基本台帳に３か月以上記録されている18歳以上の者と定めているように，外国人や法人には住民投票の投票権が認められておらず，地方自治法における「住民」と住民投票条例における「住民＝投票資格者」の扱いについての相違がみられます。

住民が地方政治に直接参加できる制度

日本国憲法が定める「地方自治の本旨」に基づいて，地方自治法は，住民が地方政治の主体となって地方政治に直接参加できる方法として，地方公共団体や地方議会に対する直接請求の制度を定めています。

住民投票とは

直接民主主義的な制度として，直接請求のほかに住民投票の制度があります。**住民投票**には大きく分けて３種類あります。１つ目は，日本国憲法95条に基づいて一の地方公共団体にのみ適用される特別法（広島平和記念都市建設法や長崎国際文化都市建設法など）を制定する際に行われる住民投票です。２つ目は，法律に基づく住民投票です。たとえば，地方自治法が定める直接請求（議会の解散請求，議員および長の解職請求）における住民投票や，市町村の合併の特例に関する法律に基づく住民投票のほか，大都市地域における特別区の設置に関する法律に基づく大阪市の大阪都構想をめぐる住民投票などがあります。３つ目は，条例（住民投票条例）などを根拠として，地域の政策課題について住民が意思を表示するために行う住民投票です。たとえば，住民投票条例による住民投票は，新潟県巻町の原子力発電所建設をめぐる住民投票，愛知県小牧市のいわゆるツタヤ図書館建設計画をめぐる住民投票のほか，沖縄県のアメリカ軍普天間飛行場の辺野古移設計画をめぐる住民投票など，全国各地で行われるようになっています。

資料５－３　愛媛県玉串料訴訟（最大判1997（平成９）年４月２日）

この事件は，愛媛県知事や同県職員が靖國神社と愛媛県護國神社に奉納する玉串料・献灯料・供物料を県の公金から支出したのに対し，愛媛県の住民らが，本件公金支出は政教分離原則（憲法20条３項）に違反する違法な支出であるとして損害賠償代位請求の住民訴訟を提起した事件です。最高裁は，県が玉串料等を靖國神社や護國神社に奉納したことは，「その目的が宗教的意義を持つことを免れず，その効果が特定の宗教に対する援助，助長，促進になると認めるべきであり，これによってもたらされる県と靖國神社等とのかかわり合いが我が国の社会的・文化的諸条件に照らし相当とされる限度を超えるものであって，憲法20条３項の禁止する宗教的活動に当たると解するのが相当である。そうすると，本件支出は，同項の禁止する宗教的活動を行うためにしたものとして，違法というべきである」と判示しました。この事件は，形式的には玉串料等の奉納が違法な公金支出に当たるが否かが争われたものですが，実質的には公金支出に係る政教分離原則の問題が論点となっており，住民訴訟が憲法訴訟的機能を果たした１つの事例といえます。

ところで，３つ目の住民投票にはどのような意義があるのでしょうか。この住民投票の結果に法的拘束力はありませんが，実際には首長の政策に少なからず影響を与えると考えられます。また，その結果が国の地方に対する政策決定に影響を与える可能性もあるでしょう。したがってこの住民投票については，その結果に法的拘束力がないものの，住民の政治的な意思を表明する１つの有効な手段であり，地方政治に一定の範囲で影響を与えうるものといえます。

住民監査請求と住民訴訟

地方公共団体がお金をムダ使いしているとか，お金の使い方がおかしいとか思ったとき，私たちにはそれを正すための手段はあるのでしょうか。実は，地方公共団体の違法な公金支出については，住民であれば１人でも，監査委員に対し，地方公共団体に財産的損害を与えた職員等の行為について監査を求めることができます。これを**住民監査請求**といいます。住民監査請求の対象は，事務監査請求とは異なり，違法な公金の支出などのように財務会計上の行為に限定されますが，監査結果または監査に基づく措置に不満があれば，さらに裁判所に訴えを提起することができます。この訴えのことを**住民訴訟**（90-91頁を参照）と呼んでいます。

このように，住民が監査請求をしたり，住民訴訟を提起するのは，住民自らの権利を行使し，住民全体の利益を図るためです。したがって，住民監査請求や住民訴訟は，住民自治を保障する制度であるということができます。

発展学習

- アメリカで行政委員会制度が発生した社会的背景と日本に導入された理由や，行政委員会制度の特色について調べてみましょう。
- 沖縄の基地問題に関し，「一の地方公共団体にのみ適用される特別法」に係る住民投票が行われない理由について考えてみましょう。
- 住民訴訟の対象はいわゆる「財務会計上の行為」に限定されていますが，この住民訴訟が憲法訴訟的機能を果たした裁判例について調べてみましょう。

第6章　裁判所

この前「サイト料金の未納があります！　このままでは裁判になります」ってメールが来て，びっくりして電話をかけたんだ。そうしたら，コンビニマネーを買って支払うと裁判にならないと言われたから，２万円分コンビニで買って送ったんだよ。

２万円も支払ったんだ!!　まぁ裁判って，逮捕されて刑務所に行くのは怖いから，２万円で行かなくていいんなら安いもんだ。

あっ！　またメールが来たぞ。何々「裁判を取り下げるために10万円……」うわ～!!取り下げるのにお金がいるなんて……それも10万円も……お金ないよ。利用した覚えがないのにどうすればいいんだろう。裁判って何なんだ？？

10万も！　裁判といわれると逮捕されるみたいで怖いものと思っているけど本当はどうなんだろうね？？

「裁判にする」という言葉をよく聞きますが，裁判とはどのようなものなのでしょうか。お金を支払うのを忘れていて裁判になる場合と，法律に反することをして警察に逮捕されて裁判になるのとでは何が違うのかについて，司法権とは何か，裁判の役割とは何か考えてみましょう。

Point

- 司法権とはどういうものでしょうか。司法権の独立はなぜ必要なのでしょうか。
- 裁判を受ける権利とはどのようなものなのでしょうか。
- 事件に適用する法律が憲法に違反していたら裁判所はどうすればいいのでしょうか。

1 司法権

裁判は身近なもの

私たちは日ごろ「裁判」という言葉をよく聞きますが，裁判とはどんなものでしょうか。モモが慌てて電話をかけると，「未納のサイト料金を払わないと裁判する」と言われ，本当は利用していないのに怖くなって2万円を電子マネーで支払ってしまいました。本当に支払う必要があったのでしょうか。この事件は，サイト料金を請求するサイト運営会社とモモとの私人間における「お金の支払いがないVS. 利用した覚えがない」という紛争です。裁判をするためには，サイト運営会社が，利用したサイト料金の明細等証拠書類を揃えて裁判所に訴えを起こす必要があります。裁判所は，モモが支払いを求められたサイト料金について法律を適用して審理し，「支払わないといけない」または，「支払う必要はない」という判断をすることとなります。このような裁判を**民事訴訟**といい，手続きを定めた民事訴訟法という法律に従って行われます。

ところで，キビは「(警察に) 逮捕されて刑務所に行く」と言っていました。これは，警察官が法律に違反している (犯罪者) と思われる人を逮捕する手続きのことです。憲法31条は，誰であろうと法律が定めた手続きがとられないと，自由を奪われたり，刑罰を科せられたりすることはないことを定めています。つまり，私たちはすぐに身柄を拘束されて罰が与えられるということはありません。モモに罰を与えるためには，検察官が裁判所に起訴する手続きが必要です。裁判所は，起訴されたモモが，サイト会社を騙すような詐欺行為をしているか否か法律を適用して審理し，「罪を犯していない」または「罪を犯しているので罰を与える」という判断と，有罪ならどのような量刑にするかを決めます。このような裁判を**刑事訴訟**といい，刑事訴訟法に従って行われます。ただし，刑事裁判を提起することができるのは，検察官だけですから，サイト業者が「裁判にするぞ」「お金を払え」というのは，民事訴訟ということになります。ちなみに，民事事件の場合は，訴訟を提起した人を「原告」，訴訟を起こされた人を「被告」と呼びます。民事裁判を起こされて訴状をみると「被告」の欄に名前が書かれているので，ビックリしますが単なる呼称ですから気にすることはありません。

私たちは一人ひとり顔が違うように，考え方や生き方が違います。毎日生活する中で，考え方の違いから喧嘩になったり，お金の貸し借りでトラブルになったりすることもあります。また，人の物を盗ったり，人を傷つけたりするような犯罪もあります。このように社会にはいろいろな〈もめごと〉という紛争が存在しています。こうした紛争の当事者となったとき，私たちの権利を保障してくれる裁判という手続きを選択できるということはとても重要なことです。憲法32条は，誰でも，裁判所で**裁判を受ける権利**があると定めています。ただし，それは権利・義務に関する紛争です。

なお，殺されたから殺しかえす，お金を貸したのに返してくれないから勝手に相手の財産となるものを持って帰るなど実力で相手に復讐をしたり，権利回復を実現したりすることを**自力救済**といいます。自力救済は，権利義務の確定に確実性や公平性を欠いて，相互に自己の正当性を主張し，自救行為が果てしなく続くおそれがあるので望ましくありません。

そこで，社会における紛争を，国家が法を適用して解決することにしており，それを司法といいます。

司法権とは

司法権とは何でしょうか。形式的意味では，国家機関の中で裁判所に属する国家作用を指します。憲法を確認すると，憲法76条1項で「すべて司法権は，最高裁判所及び法律の定めるところにより設置する下級裁判所に属する」と定めています。ここでいわれている**司法権**は，実質的な意味で捉えた，具体的な争いについて法を適用して解決する国家作用と考えられています。司法の概念は①「**具体的な争訟**」が存在すること，②**適正手続き**の要請に則った特別の手続きに従うこと，③独立して裁判がなされること，④正しい法の適用を保障する作用であることの4つの要素で構成されています。

裁判所とは

モモのように覚えのない請求があった場合は，すぐに支払わないで弁護士や行政機関の窓口に相談することが重要です。モモは消費生活センターに相談をしたところ，自ら裁判所に，覚えのない請求で支払った2万円の返金を求めたり，支払い義務がないことを確定する訴えを起こすことも可能であるという助言を得てどうするべきか考えているようです。憲法は紛争を解決する司法権を裁判所に与えていますので，自らの債務がないことを裁判所で確認することで，紛争を解決することができます。このように裁判とは紛争を解決することが本来の任務とされています。したがって,「具体的な争訟」が裁判所に与えられた司法の概念の中核といわれます。この「具体的な争訟」とは，裁判所法3条1項に書かれている「法律上の争訟」と同様のこととされ，それが成立するためには,「**事件性の要件**」と「**終局性の要件**」の2つの要件を満たすことが求められます。

「事件性の要件」とは，当事者間において，具体的な権利・義務関係や法律関係の紛争が発生しているということです。また,「終局性の要件」とは，法を適用することで紛争が解決できるということです。過去こうした「事件性の要件」や「終局性の要件」が問題となった事件として，復興支援の名目で制定されたイラク特別措置法による自衛隊のイラク派遣が，憲法9条に違反するとして差止め訴訟を提起された事件があります。この控訴審である名古屋高裁は，イラクにおける航空自衛隊の活動は憲法9条に反するとした（第1部第4章43頁参照）ものの，憲法9条違反によって①個人の生命・自由が侵害されまたは侵害の危機にさらされた場合，②現実の戦争等による被害や恐怖にさらされる場合，③9条に違反する戦争への加担・協力を強制された場合には具体的権利性を認めることができ，司法的救済を求めることができるが，本件派遣は控訴人に向けられたものではなく，事実行為の違法確認を求めるもので不適法として，訴えを棄却しました（名古屋高判2008（平成20）年4月17日)。**イラク派遣訴訟**は，後に述べる「違憲立法審査権」を司法＝裁判所に求める訴訟です。しかし，違憲立法審査権も司法権の発動と無関係に行えないというのが裁判所および学説の通説です。つまり，自分の直接の利害と無関係に抽象的に違憲審査を求めることは認められていません。これが憲法裁判所をもつ国との違いです。したがって，名古屋高裁は，①②③のどれかの要件を満たす人が当事者なら，司法権が発動でき「終局的に」判決が下せるのだが，といっているのだと思われます。

では,「具体的な争訟」の要件が満たされないと，裁判所に判断を求めることができないのでしょうか。たとえば，居住している地方公共団体が，公の土地を特定の宗教団体に無償で貸していたとしたらどうでしょう。直接住民に損害はありませんが，つまり当事者間に具体的な権利義務関係等が発生している訳ではありませんが，その行為が憲法20条の政教分離に反する可能性があります。それはおかしいと皆さんが思ったら，地方公共団体の行為について違法性を裁判所で問うために訴訟を提起することができます。これは，**住民訴訟**といい**客観訴訟**の1つです（85頁資料5－3，86頁参照）。このような客観訴訟は「事件性」の要件を欠くので，司法の対象とすべきではないという意見がある一方で，立法府が裁判所にその判断を任せたのだから「事件性」の要件にこだわるべきではないという意見もありますが，双方とも極端というべきでしょう。裁判所の仕事は，司法権を行使することですが，その司法権の核となる「具体的な争訟」を要件とするものだけではなく，司法権を行使する機関としての基本的な機能に反しない限度で，その周辺領域にある法政策的に決定される客観訴訟や裁判所がなすにふさわしい仕事として認められている**非訟事件**の領域も含まれると考えられます。司法権は，裁判によって法の支配を実現するという役割を担い，そのことにより憲法が保障する個人の人権が実現されると考えられます。

裁判所の仕組み

最高裁判所は，憲法によって設置されている最高の司法機関で終審の裁判所です。最高裁判所長官1人と14人の裁判官で構成されており，最高裁判所長官は，内閣の指名に基づいて天皇によって任命されます（憲法6条2項）。最高裁判所の裁判官は，**国民審査**に服することが憲法79条2項で定められています。国民審査は，すでに任命されている最高裁判所の裁判官が，その職責にふさわしいかどうかについて国民が審査する制度で，たとえ内閣に選任されたとしても内閣からの独立の正統性を保障するもので，国民主権の観点から重要な意義をもつ仕組みです。

最高裁判所には，上告等の一般裁判権，法律・命令・規則または処分の合憲性の審査権，最高裁判所の規則制定権（憲法77条），下級裁判所の裁判官指名権（憲法80条1項）等の権能があります。判例変更や憲法判断を含むような重要事件は，15人の裁判官全員で構成する大法廷で審理されます。

では，最高裁判所以外にどのような裁判所があるのでしょうか。最高裁判所のほかの裁判所を下級裁判所と呼んで，法律によって決まると憲法は述べています。その法律とは裁判所法で，同法は下級裁判所を，高等裁判所，地方裁判所，家庭裁判所，簡易裁判所の4種類で構成しています。それ以外の裁判所はないのでしょうか。大日本帝国憲法下では，**行政裁判所**や皇室裁判所，軍法会議などが設置されていました。しかし，こうした裁判所では国民の権利が充分に保障されなかった反省を踏まえ，憲法76条2項は，法の下の平等と裁判を受ける権利の保障を図るために**特別裁判所**の設置を禁止し，「行政機関は，終審

資料6－1　裁判所の配置

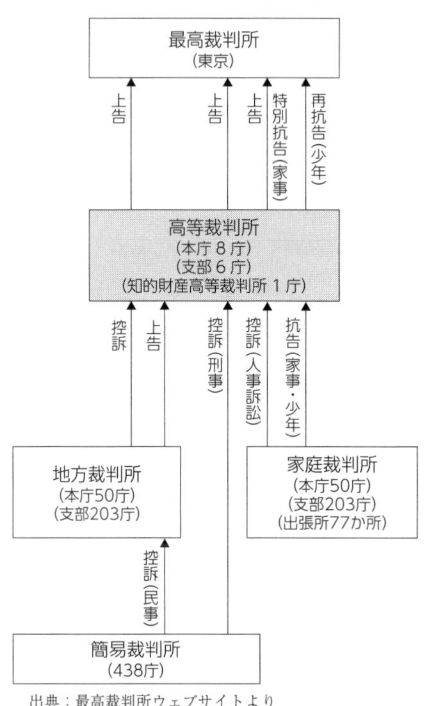

出典：最高裁判所ウェブサイトより

として裁判を行ふことができない」と定めています。ここでいわれている「特別裁判所」とは，**通常裁判所**の組織系列にない裁判所のことを指します。

モモの裁判は，10万円のサイト料金をサイト事業者が請求するものですから，サイト事業者から簡易裁判所に提起される民事事件ということになります。簡易裁判所には，身近な民事紛争を話し合いで解決する民事調停制度があります。調停制度は，裁判官と２人以上の民事調停委員が，当事者双方の言い分を十分聴いて合意を目指し，合意するとその内容の調停調書が作成され，調書は裁判の確定判決と同じ効力をもつというものです。

また，2009年５月21日より裁判員という形で国民が司法に参加する**裁判員制度**が始まりました。裁判員裁判は，地方裁判所に設けられ，求刑が死刑を含む比較的重大な刑事事件を審理します。有罪・無罪の判断を行い，有罪の場合には刑の量定も行います。より詳しくは，コラム③で確認しましょう。

三審制

納得できない判決が出たとき，もう何もいえないのでしょうか。裁判が慎重にかつ公平に審理される仕組みはどのようになっているのでしょうか。モモの場合は，簡易裁判所で審理され，もし覚えのないサイト料金の支払いを命じる判決が言い渡されたとしても，上級裁判所に不服を申し立てることができます。これを「控訴」といい，控訴審裁判所は，通常は高等裁判所になりますが，第１審裁判所が簡易裁判所の場合には，地方裁判所が控訴裁判所になります。控訴裁判所の判決に不服がある場合は，再度上級裁判所に不服を申立てることができ，これを「上告」といいます。このように３回裁判所で判断を仰ぐことができることを**三審制**といいます。三審制は裁判所法によって定められているもので，憲法によって定められたものではありません。

裁判官の中立・公正

紛争を解決する裁判官がえこひいきをしたらどうでしょうか。私たちは安心して裁判官に紛争解決を任すことができませんね。公平な裁判には何が必要でしょうか。

憲法76条3項は，「すべて裁判官は，その良心に従ひ独立してその職権を行ひ，この憲法及び法律にのみ拘束される」と規定しています。では「良心」とは，どのような「良心」でしょうか。個人的な心情は排除して，憲法や法に基づいて紛争を解決するという一貫した姿勢で対応するということが裁判官の「良心」で，客観的良心といわれています。憲法19条が保障している主観的・個人的良心とはちょっと違います。

また，裁判官が独立して職権を行使するためには，司法府の外部からも内部からも不当な干渉を受けないということが必要です。しかし，過去外部からの干渉として，国会が国政調査権の行使によって事件へ不当な干渉を行い**三権分立**が問題となった**浦和事件**（1949（昭和24）年，66頁資料3－2参照）や，内部からの不当な干渉として，**平賀書簡事件**（1969（昭和44）年）がありました。平賀書簡事件とは，札幌地方裁判所において長沼ナイキ基地訴訟の担当裁判長であった福島重雄裁判官に，事件を担当していない平賀健太札幌地方裁判所所長が，一先輩としてのアドバイスという断りを入れながらも，「裁判所も農林大臣の裁量によるこの判断を尊重すべきものである」と書かれた手紙を送り，これを福島裁判官が公表したというもので，たとえ先輩からのアドバイスという親切心であっても，裁判官の独立を侵害するとされ問題となった事件でした。また，公正に行われているかチェックする仕組みとして憲法82条1項の「**裁判の公開**」があります。私たちが裁判を傍聴することで，間接的ではあるけれど裁判の公正をチェックすることになります。

2　違憲審査制度

違憲審査制度

国民が安全な社会で安心して生活できるように，様々な法律等が制定され，紛争が起こった場合は，裁判所で法律を適用して紛争を解決します。しかし，国民を守るはずの法律等が，反対に，国民の自由を縛ったり，差別したり，権利を侵害したりした場合どうすればよいのでしょうか。

憲法98条１項は，「この憲法は，国の最高法規であつて，その条規に反する法律，命令，詔勅及び国務に関するその他の行為の全部又は一部は，その効力を有しない」と定めています。つまり，憲法に反する法律や命令や国家行為は無効になります。憲法の目的は，国民が人権を保障されるように国家権力をコントロールすることにありました。そこで，憲法81条は，「最高裁判所は，一切の法律，命令，規則又は処分が憲法に適合するかしないかを決定する権限を有する終審裁判所である」と，法律等が憲法に適合しているか審査する権限を裁判所に与えています。憲法に適合しているかチェックする権限のことを「**違憲立法審査権**」といいます。

では，違憲審査できるのは，最高裁判所だけでしょうか。条文をよく読んでみると，最高裁判所が「終審裁判所」となっていることから，下級裁判所も違憲審査権を行使する権限があると考えられます。多くの国民の同意を得て成立した法律が，少数の国民の人権を侵害したり，多数派に有利に民主過程を歪めたりする場合があります。法の支配によって正義を実現する裁判所だからこそ，こうした法律を匡す必要があります。違憲判断の方法は大別すると２つあります。１つは，法令そのものを違憲とする**法令違憲**の判決です。もう１つは，法令自体は合憲だけれども，当該事件の当事者に適用する限度において違憲であるとする**適用違憲**の判決です。現在まで法令違憲判決は12事例しかありませんが，適用違憲判決は13事例あります。裁判所がある事件で違憲とした**法律の効力**はどうなるのでしょうか。憲法違反と判断された法律を廃止することは「法律の効力をなくす」という立法行為になります。権力分立の観点から裁判所に立法行為は認められていないので，国会における法律の改正が必要となります。尊属殺重罰規定が違憲と判断されてから刑法200条が削除されるまで20年の月日を要するということもありました。

発展学習

- 裁判は公開が原則ですが，裁判傍聴をするとき傍聴席でメモを取ることができるか考えてみましょう。
- 裁判所以外で紛争を解決する裁判外紛争解決（ADR）制度が取り入れられた背景や仕組みについて調べてみましょう。

コラム③

裁判員制度

「裁判所は敷居が高く国民からかけ離れた場所」,「裁判は一生経験しないでいたい」このように思っている人が多くいるのではないしょうか。2001年6月12日公表された司法制度改革審議会意見書は,「法の精神,法の支配がこの国の血となり肉となる,すなわち,『この国』がよって立つべき,自由と公正を核とする法(秩序)が,あまねく国家,社会に浸透し,国民の日常生活において息づくようになるため」司法制度の仕組みを改革し,国民の理解を深めより確かな国民的基盤を構築することが重要であると力強く述べました。この意見書を踏まえ,2009年5月21日より国民が裁判員として司法に参加する裁判員制度が始まりました。司法の中核をなす訴訟手続に国民が参加し,司法の存在理由について国民の理解を得ることで,憲法が期待する司法の役割を果たすことが期待されています。

国民が司法に参加する制度としては,英米法系国の陪審制と大陸法系の参審制があります。たとえば,アメリカの陪審制は,選挙人名簿から事件ごとに無作為で抽出された12名の陪審員と1名の裁判官で裁判体が構成され,陪審員のみで有罪か無罪を決定し,有罪の場合には裁判官が量刑を決定する制度です。日本では,1923(大正12)年に陪審法が成立し,1928(昭和3)年から実施され1943(昭和18)年に停止されたという歴史があります。他方,ドイツの参審制は,市町村議会の同意を得て作成された候補者名簿から任期4年の2名の参審員が選ばれ,3名の裁判官と裁判体が構成されます。参審員は裁判官と一緒に評議をして有罪か無罪を決定し,有罪の場合は量刑も決めます。

日本の裁判員制度では,毎年,地方裁判所管内の市町村の選挙管理委員会がくじで選んで作成した名簿に基づき,翌年の裁判員候補者名簿が作成され,その名簿に基づいて事件ごとにランダムに裁判員候補者が選出されます。選任された裁判員は,地方裁判所で審理される,求刑が死刑も含む比較的重大な刑事事件を,有罪・無罪の判断を行い,有罪の場合には刑の量定も行います。

法の専門家でない者の関与は憲法80条に違反するのではないか等と争われた事件で最高裁は,「裁判員制度は,司法の国民的基盤の強化を目的とするもので」,「国民の視点や感覚と法曹の専門性とが常に交流することによって,相互の理解を深め，それぞれの長所が生かされるような刑事裁判の実現を目指すもの」で憲法に違反しないと判示しました（最大判2011（平成23）年11月16日）。

2019年5月に出された「裁判員制度10年の総括報告書」（http://www.saibanin.courts.go.jp/）によると2019年６月末現在選任された裁判員は６万9240人，補充裁判員は２万3533人に上り判決対象者は１万2034人でした。報告書は，裁判員制度施行10年の成果と課題を総括するために，実証的なデータや裁判員等経験者から得たアンケート回答を様々な観点から分析しています。「裁判員等経験者に対するアンケート調査結果報告書　令和４年度」（令和５年３月最高裁判所）によると，裁判員を務めた感想等について，裁判員に選ばれる前，『消極的な参加意向』が39.1％であったが，裁判員として裁判に参加した感想は，『よい経験』が96.3％となっています。裁判員として司法参加することで，自由と公正を核とする社会を構築する一員としての責任を自覚することとなったのではないでしょうか。

（ｉ）裁判員に選ばれる前の気持ち

問10　裁判員に選ばれる前，裁判員に選ばれることについてどう思っていましたか。

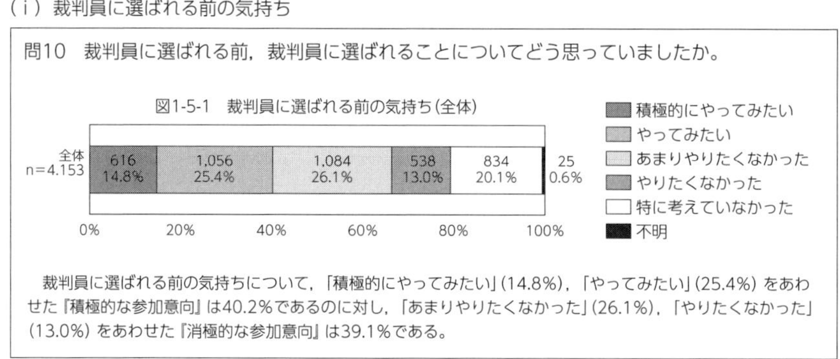

裁判員に選ばれる前の気持ちについて，「積極的にやってみたい」(14.8%)，「やってみたい」(25.4%) をあわせた『積極的な参加意向』は40.2%であるのに対し，「あまりやりたくなかった」(26.1%)，「やりたくなかった」(13.0%) をあわせた『消極的な参加意向』は39.1%である。

（ⅲ）裁判員として裁判に参加した感想

問12　裁判員として裁判に参加したことは，あなたにとってどのような経験であったと感じましたか。

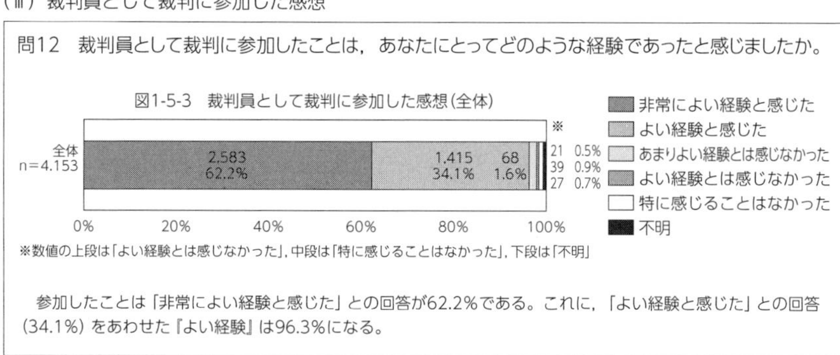

参加したことは「非常によい経験と感じた」との回答が62.2%である。これに，「よい経験と感じた」との回答(34.1%) をあわせた『よい経験』は96.3%になる。

出典：最高裁 HP　https://www.saibanin.courts.go.jp/vc-files/saibanin/2023/r4-a-1.pdf

第3部

身近な問題から考える人権

憲法はどのような権利をどのように守るのか

第１章　日本国憲法の定める人権の特徴

人権思想は西洋で生まれて，そして世界に広まっていったんだね。

日本も，そうした考え方を憲法に採り入れてきたのね。

もう，人権って言葉は日本にも広く浸透しているねぇ。

「人の悪口をいってはいけない。差別しちゃいけない。人権を守りましょう。」って，道徳教育で受けたなぁ。

そうねぇ。私たちの社会で使われるところの一般的な「人権」と，憲法で専門用語として使う「人権」とは，その内容は同じなのかな？

そもそも，憲法で使う人権の語だって，内容は変わってきているんじゃないの？

皆さんは，これまで社会科科目だけでなく，道徳教育でも人権について学習する機会があったかもしれません。一般用語としても「人権」は大変普及しています。もちろん，それらが大事であることを否定するつもりはありません。しかし，一方で，憲法で用いられるところの「人権」は，それが国家権力によって侵すことのできない権利（近代的意味の人権）であること，そうした内容こそを最も重要だと考えています。さらに，こうした憲法上用いられる「人権」についても，その内容が変わって（拡大して）きました。歴史を追って確認しましょう。

Point

- 人権保障の内容や保障のあり方は，どのように変化してきたのでしょうか。
- 大日本帝国憲法（明治憲法）と日本国憲法の人権保障はどのように異なっていますか。
- 憲法に書かれていない人権は，どのように保障される／されないのでしょうか。

1　第二次世界大戦後の人権思想

自然権の復権

第二次世界大戦（1939-1945年）の被害者総数は，軍人・民間人を合わせて5000万人とも8000万人ともされますが，いずれにしても甚大な被害であったことは間違いありません。こうした悲惨な戦争に人々が駆り立てられた背景には，ナチスが行ってきたような，個人より全体を重視する考え方，つまりファシズムの台頭が指摘されます。そこでは国家公認のイデオロギーが社会全体に強制されました。これを**全体主義**といいます。

日本も，「お国のため」という言葉に表されるような集団主義のもと，無謀な戦争に多くの国民が動員されました。そこで，戦後の占領軍の政策もあり，日本国憲法は，国民主権を中心とした統治機構制度の革新や平和主義の導入と同時に，**個人の尊重**を中核とする人権保障を採用しました。日本政府も，憲法教育また人権教育において，このような人権観の普及・啓蒙に努めてきました。

ところで，18世紀に登場した人権思想は，すべての人が生まれながらに有する権利（自然権）があるとの考え方でした（第１部第１章参照）。しかし，19世紀には，人権は憲法に明文で書かれた，実定化したものに留まるとする考え方が，有力となってきていました。この背景には，社会に合理主義的な考え方が広まったことや，議会制の進展によって人々の権利保障は議会を通じて実現すればよいという考え方があったことが指摘されています（「法律による保障」）。確かに，私たち国民が選挙によって選んだ代表者たちが，国民の自由や権利を不当に侵害するような法律を作るとは，到底考え難いでしょう。しかしながら，ナチスの蛮行は，議会が作る法律によっても行われたのです。たとえば，いわゆる「ニュルンベルク法」は，ユダヤ人の選挙権を剥奪し，ユダヤ人とドイツ人との婚姻を禁じるものでした。さらに，（法律によるものではありませんが）T4 作戦では，「生きるに値しない」とされた重度障害者などのガス殺が行

資料1－1　人権の類型化

人権の分類にはいくつかのものがあります。とりわけ，19世紀ドイツの公法学者であるゲオルグ・イェリネクのように，「国民と国家との関係」に着目して整理を行うことは，一般的に行われています。一例としては，次のような分類があります。まず，①国家からの介入に反対して個人の自由の保障を求める「消極的権利」があります。自由権（表現の自由や財産権など）が，この代表例です。逆に，②国民が国家に対して何らかの行為を求める「積極的権利」もあります。「貧困を解決してくれ」などと求める社会権（生存権や労働基本権など）が，これに当てはまります。最後に，③国民が国家の意思形成に参加していくといった能動的権利があります。参政権が一番分かりやすい例でしょう。なお，これらに分類されない人権一般の性質を含むものとして**包括的基本権**（幸福追求権，法の下の平等）があります。またここには

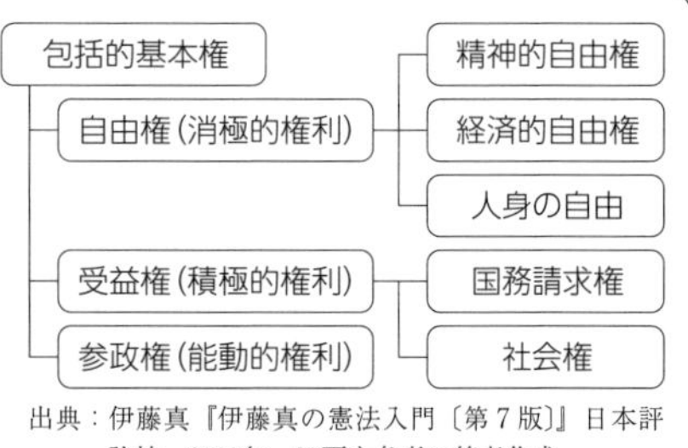

出典：伊藤真『伊藤真の憲法入門〔第7版〕』日本評論社，2022年，89頁を参考に筆者作成

適正手続きなど手続的権利が含まれていません。さらに，表現の自由をとっても，自由権的側面と同時に，受益権的側面，参政権的側面と複合的な性格を有しています。類型論の目的は，各種基本的人権の誕生と展開の歴史と特性を踏まえ，その保障の確実を期することにあると言えるでしょう（佐藤幸治『日本国憲法論〔第2版〕』成文堂，2020年，146頁以下参照）。

われ，これは後のアウシュヴィッツにおけるホロコースト（ユダヤ人の大量虐殺）へと繋がっていきました。

こうした経験から，戦後に至って，**自然権**的な人権思想が復権することとなりました。そこでは，法律によっても制限が許されない人権がある。立法にあたってはこのことを考慮せねばならず，仮に法律による人権侵害が行われるならば，裁判所によって法律の合憲性が審査される。そのような考え方・仕組みで人権を保障しようとする取り組みが，世界各国でみられるようになりました（「法律からの保障」）。

社会権保障と社会主義国家

憲法学の世界では，人権を国家との関係で類型化することが行われています。たとえば，自然権，社会権，参政権といった分類が一般的にみられます。第二次世界大戦後には，**社会権**の保障が憲法に書き込まれることも多くなりました。その歴史は，20世紀初頭のヴァイマル憲法（1919年）に遡るとされています（第1部第2章参照）。このヴァイマル憲法の成立には，**ロシア革命**（1917年）を経て社会主義国家であるソヴィエト連邦が誕生したこと，そこで社会主義的憲法が成立したことが影響を与えました。

新刊

フランス憲法と社会 2860円
小林真紀・蛯原健介・菅原 真 編著

平等原則解釈論の再構成と展開
●社会構造的差別の是正に向けて
髙橋正明 著 7700円

行政処分による消費者被害回復の理論
●EUデジタルプラットフォーム規制の考察と我が国の課題
宗田貴行 著 9020円

公共施設整備と法的救済 8140円
●ドイツにおける計画確定決定を争う訴訟に関する研究
湊 二郎 著

契約における「交渉力」格差の意義 6490円
●アメリカの非良心性法理からの示唆 柳 景子 著

次世代民事司法の理論と実務 12100円
●池田辰夫先生古稀祝賀論文集
藤本利一・仁木恒夫・西川佳代・安西明子・濵田雄久 編

省察 刑事訴訟法 内田博文・春日 勉・大場史朗 編
●歴史から学ぶ構造と本質 3520円

越境するデータと法 5940円
●サイバー捜査と個人情報保護を考える
指宿 信・板倉陽一郎 編

ベーシック国際取引法 3080円
多田 望・北坂尚洋 編

障害者権利条約の初回対日審査 4180円
●総括所見の分析 ［〈21世紀〉国際法の課題］
長瀬 修・川島 聡・石川 准 編

教育政策の形成過程 勝田美穂 著
●官邸主導体制の帰結 2000～2022年 4950円

オルバンのハンガリー 6380円
●ヨーロッパ価値共同体との相剋 山本 直 著

現代ロシア政治 ［地域研究のファーストステップ］
油本真理・溝口修平 編 2970円

保健医療福祉計画とは何か 3630円
●策定から評価まで 吉岡京子 編著

現代ヨーロッパの国際政治 3080円
●冷戦後の軌跡と新たな挑戦 広瀬佳一・小久保康之 編著

国家安全保障の脱構築 5280円
●安全保障を根本から考え直す 遠藤誠治 編

SDGsを問い直す 野田真里 編著
●ポスト／ウィズ・コロナと人間の安全保障 3520円

テロリズム研究の最前線 3740円
宮坂直史 編

平和理論入門 2970円
オリバー・リッチモンド 著／佐々木 寛 訳

多様化する現代の労働 5720円
●新しい労働論の構築に向けて 石井まこと・江原 慶 編著

―資格試験対応書籍―

ソーシャルワーク論 I
●基盤と専門職
木村容子・小原眞知子 編著 2860円

社会福祉士・精神保健福祉士養成課程の共通科目「ソーシャルワークの基盤と専門職」の基本テキスト。ジェネラリストソーシャルワークの視点から、体系的に理解できるよう構成。

ソーシャルワーク論 II
●理論と方法
小原眞知子・木村容子 編著 2970

社会福祉士養成課程の科目「ソーシャルワークの理論と方法」「ソーシャルワークの理論と方法（専門）」のテキスト。より深く詳細に学んでいき、示されたカリキュラムの体系的な理解を促す。

新刊

仕事と賃金のルール 石田光男 著
●「働き方改革」の社会的対話に向けて 2970円

ガールズ・アーバン・スタディーズ 3300円
●「女子」たちの遊ぶ・つながる・生き抜く
大貫恵佳・木村絵里子・田中大介・塚田修一・中西泰子 編著

「冒険・探検」というメディア [Social History of Japan 1]
●戦後日本の「アドベンチャー」はどう消費されたか
高井昌吏 著 3630円

無作為抽出ウェブ調査の挑戦 3960円
杉野 勇・平沢和司 編

教育の効果：フィードバック編 3850円
ジョン・ハッティ・シャーリー・クラーク 著／原田信之 監訳
宇都宮明子・冨士原紀絵・有馬実世・森 久佳 訳

改訂版

福祉に携わる人のための人権読本〔第2版〕
山本克司 著 2640円

スタディ憲法〔第2版〕 2750円
曽我部真裕・横山真紀 編

合格水準 教職のための憲法〔第2版〕
志田陽子 編著 2640円

エッセンス憲法〔新版〕 2750円
中村英樹・井上亜紀・相澤直子 編

数学嫌いのための社会統計学〔第3版〕
津島昌寛・山口 洋・田邊 浩 編 2970円

社会統計学の入門書として、「数学嫌い」の人でも取り組みやすいように、実際のデータを利用して、分析の手順を丁寧に説明する。社会調査士資格取得カリキュラムC・Dに対応。

改訂版

憲法〔第四版〕 3850円
加藤一彦 著

ベーシックテキスト憲法〔第4版〕
君塚正臣・森脇敦史 編 2860円

公務員をめざす人に贈る 行政法教科書〔第2版〕
板垣勝彦 著 2750円

行政法の基本〔第8版〕 2970円
●重要判例からのアプローチ
北村和生・佐伯彰洋・佐藤英世・高橋明男 著

新プリメール民法5 家族法〔第3版〕 [αブックス]
床谷文雄・神谷 遊・稲垣朋子・小川 惠・幡野弘樹 著 2750円

新ハイブリッド民法
1 民法総則〔第2版〕 3410円
小野秀誠・良永和隆・山田創一・中川敏宏・中村 肇 著
2 物権・担保物権法〔第2版〕 3300円
小山泰史・堀田親臣・工藤祐巌・澤野和博・藤井徳展・野田和裕 著

ユーリカ民法3 債権総論・契約総論〔第2版〕
田井義信 監修／上田誠一郎 編 3080円

18歳からはじめる民法〔第5版〕 [〈18歳から〉シリーズ]
潮見佳男・中田邦博・松岡久和 編 2420円

家族法〔第3版〕 2860円
中川 淳・小川富之 編

これからの消費者法〔第2版〕 2860円
●社会と未来をつなぐ消費者教育
谷本圭子・坂東俊矢・カライスコス アントニオス 著

ベーシックスタディ民事訴訟法〔第2版〕
越山和広 著 3300円

ハイブリッド刑法各論〔第3版〕
松宮孝明 編 3960円

刑事訴訟法の基本〔第2版〕 3520円
中川孝博 著

いまから始める地方自治〔改訂版〕
上田道明 編 2750円

社会を考え、変える

子どもの「貧困の経験」
●構造の中でのエージェンシーとライフチャンスの不平等

大澤真平 著
3960円

子どもは貧困による不利と困難をどのように認識し、主体的に対処していくのか。量的調査と8年の継続的インタビュー調査に基づいて、子どもの視点から「貧困の経験」を理解するとともに、貧困の継続性と世代的再生産を捉え、支援・政策のあり方を考える。

ひとり親家庭はなぜ困窮するのか
●戦後福祉法制から権利保障実現を考える

金川めぐみ 著　5280円

国会議事録にみる国家の家族観と「福祉の権利化」の2つの視点から変遷過程を考察し、政治哲学の人間像とケアの倫理を基に「公的ドゥーリア」の概念を提示、法政策のあり方を示唆する。

デンマーク発 高齢者ケアへの挑戦
●ケアの高度化と人財養成

汲田千賀子 編著
2530円

いま日本の高齢者介護の現場では人材不足が大きな問題となっており、それは介護の質的水準の低下に直結する。限られた人材で対応するには、ケアの高度化が必須となる。本書は一足早くケアの高度化を実現したデンマークの現場を知る著者が、その実際を詳解する。

社会主義的憲法には，国民（特に労働者）の休息，教育，社会保障に関する権利が書き込まれました。こうした権利は，資本主義国家においては，社会権として取り込まれました。一方で，ソヴィエト連邦では，かなり急進的な政策が採られていました。たとえば，ヨシフ・スターリン（1879-1953年）が権力を握った後の，**スターリン憲法**（1936年）では，資本主義そして私有財産制が否定され，経済活動の大部分を国家所有とする計画経済が行われました。また，自由主義国家が一般的に行っているような，人権の保障のために権力分立を行うことも，否定されました。ソヴィエト連邦では，国家権力の最高機関は最高会議（ソヴィエト）であるとされ，民主的独裁の名のもと，立法，行政および司法といった国家権力はソヴィエトのもとに，事実上はソヴィエト連邦共産党，そしてスターリン個人へと集中されました。そのため，政敵ばかりでなく一般の党員・民衆をも含む100万人超規模の政治的弾圧（大粛清：1937-1938年）が行われました。

権力の集中は官僚制の肥大化を招くこととなり，また，市場を無視した計画経済は行き詰まりを生じました。1980年代半ばからは，ミハイル・ゴルバチョフ（1931-2022年）による体制の立て直し・再構築（ペレストロイカ）も試みられましたが，結局1991年12月に，ソヴィエト連邦は崩壊しました。

人権の国際的保障

ファシズムやスターリニズムといった人権蹂躙の歴史は，改めて人権の重要性を人々に気づかせました。**世界人権宣言**（1948年）は，その前文において「人類社会のすべての構成員の固有の尊厳と平等で譲ることのできない権利とを承認することは，世界における自由，正義及び平和の基礎である」として，人権と平和への国際的取り組みの必要性を訴えています。

世界人権宣言は法的拘束力をもたないものです。つまり，これに従わないからといって何かのペナルティがあるものではありません。しかし，同宣言が目指した国際的人権保障の理想は，**国際人権規約**（1966年採択／1979年日本批准），女子に対するあらゆる形態の差別の撤廃に関する条約（女子差別撤廃条約：1981年発効／1985年日本批准）や児童の権利に関する条約（1990年発効／1994年日本批准）など，各種の条約として結実しています。これらの条約を批准した国は，条約の内容を実現するよう義務を負うことになります。

2　日本の憲法における人権(観)の変遷

明治憲法の人権観

それでは，私たちの国，日本の憲法における人権の扱いは，どのように変わっていったのでしょうか。これまで日本で成立した憲法には，戦前の大日本帝国憲法（明治憲法）と現行の日本国憲法との２つがあります。このうち，1890（明治23）年に施行された明治憲法は天皇を中心とする政治体制を採用し，その第２章では天皇の支配下にある人民（臣民）の権利を「臣民権利義務」の表題のもとに定めていました。

この表題については，伊藤博文と森有礼の間で論争がありました。明治憲法の成立にあたって，枢密院（天皇の諮問機関）で草案の審議が行われた際に，森が唱えたのが「臣民分際」論です。森は，臣民が天皇に対して負うのは「分際」（責任）のみであって権利ではないから，第２章の表題を修正すべきと主張しました。これに対して，伊藤は，憲法を創設するのは，第１に君主の権力を制限し，第２に**臣民の権利**を保護することにあるから，臣民の権利を列挙せずに責任ばかりを書くのであれば憲法を創る必要がないと，立憲主義の立場から反論しました。森は，臣民の財産・言論の自由は「人民ノ天然所持スル」ものであるから，憲法においてこれらの権利が生じると説くことはできない。第２章は「臣民」という表題にしてはどうか，と再反論しました。伊藤は，臣民はこの憲法の効力によって，法律に対して法律の範囲内で権利を有するものであり，「臣民」とだけ記して権利・義務を掲げないのであればこの第２章は必要ないと再度説得しました。ここでは，人権に関して，森が自然権的なイメージ（人には生まれながらに有する権利がある）を有していたのに対して，伊藤が法実証主義的な捉え方（実際に人が制定した法によってのみ権利が認められる）をしている点が特徴的です。

このように，憲法草案起草者であった伊藤博文には，権力を制限することで臣民（第１部第３章22頁参照）の権利を保障しようとする立憲主義的な志向がありました。この系譜に立つ美濃部達吉は国家を法人として捉え，天皇はその機関である（**天皇機関説**）とし，昭和天皇もそれを当然のものとして受け入れていたとされます。しかし天皇親政説に立つ軍部はこの考えを否定し（国体明徴運動），前述のとおり，日本は悲惨な戦争の歴史を刻むことになりました。

ポツダム宣言の要求

1945（昭和20）年８月のポツダム宣言受諾により，日本は連合国軍（実質的にはアメリカ軍）によって占領されました。さて，同宣言は全13条から成りますが，その10条は，「…〈略〉…日本国政府は，日本国国民の間に於ける民主主義的傾向の復活強化に対する一切の障礙を除去すべし。言論，宗教及思想の自由並に基本的人権の尊重は確立せらるべし。」としていました。

資料１－２　毎日新聞「憲法問題調査委員会試案」（1946年２月１日）

毎日新聞

憲法改正調査會の試案

立憲君主主義を確立

國民に勤勞の權利義務

出典：国立国会図書館ウェブサイト「日本国憲法の誕生」（https://www.ndl.go.jp/constitution）

連合国軍最高司令官総司令部（GHQ）のダグラス・マッカーサーは，1945年10月，日本政府へ憲法改正作業を指示します。この改正作業は秘密裏に進められました。しかし，1946年２月１日に突如「憲法問題調査委員会試案」がスクープされました。この試案は大日本帝国憲法（明治憲法）の修正に留まるものでした。

例として，**ポツダム宣言10条**が要求していた“言論の自由”をみてみましょう。明治憲法29条は，「日本臣民ハ法律ノ範囲内ニ於テ言論著作印行集会及結社ノ自由ヲ有ス」としていました。私たちの言論の自由は，国会（帝国議会）の作る法律によって封じることができたのです。たとえば，1939（昭和14）年の映画法は，映画を制作段階で検閲することで，軍国主義を否定する作品を取り締まるものでした（同法は1945年に廃止）。体制を自由に批判できる言論の自由がないことは，かつて日本が戦争に突き進んでいくことを止められなかった要因の１つと考えられます。しかし，スクープされた憲法問題調査委員会試案の29条は，「日本臣民は言論，著作，印行，集会及結社の自由を有す，公安を保持する為必要なる制限は法律の定むる所に依る」と，明治憲法とあまり代わり映えのしない文言でした。

この試案に不満を抱いたマッカーサーは，1946年２月３日，日本の憲法改正についての三原則（マッカーサー・ノート，34頁資料４－５）を，コートニー・ホイットニー民政局長に対して示しました。その内容は，①天皇は国家の首部にあるとすること（国家の首部→第１部第３章参照），②戦争を放棄することおよび

③封建制度を廃止することでした。これら3原則をふまえて，GHQ内部で憲法改正草案の作成が進められ，同年2月12日に改正案が完成，翌2月13日にマッカーサーの承認を得ました（マッカーサー草案）。

新憲法の誕生と「国民の権利及び義務」

日本政府はGHQとの折衝を重ねながら，憲法改正草案を作成しました。1946年3月6日に憲法改正案要綱が国民に示され，同年4月10日には衆議院の総選挙が行われました（女性の選挙権が初めて認められた選挙でした）。この選挙によって誕生した吉田茂内閣は，同年6月に大日本帝国憲法73条が定める改正手続に従って，憲法改正草案を帝国議会に提出しました。同草案は，衆議院と貴族院の審議過程で若干の修正を受けた上で可決され，日本国憲法として11月3日に公布されました（翌1947年5月3日施行）。なお，憲法成立（改正）過程においては，平和主義に関して重要な修正がなされています（第1部第4章参照）。

日本国憲法は，第3章を「国民の権利及び義務」としました。そこには，ポツダム宣言10条が求めた①表現の自由（21条）および②信教の自由（20条）だけでなく，③社会権（25条など）も書き込まれました。さらに，マッカーサー・メモ第2原則にあった④平和主義（前文，9条）も明文化されています。これらが，ルーズベルトの唱えた**4つの自由**と重なるものであることを確認してみてください（19頁，資料2-1）。アメリカの強い影響の下，日本は全体主義的な（ナチス的な）体制から福祉国家型の憲法体制を目指したことが分かるでしょう。

3　日本国憲法の人権観

国家や社会ではなく，個人を尊重する

明治憲法下の集団主義的な社会，そして戦争の経験を経て誕生した日本国憲法は，個人の尊重（13条）を最も重要な価値として掲げています。13条は，「すべて国民は，個人として尊重される。」と個人の尊重を謳う前段と，「生命，自由及び幸福追求に対する国民の権利については，公共の福祉に反しない限り，立法その他の国政の上で，最大の尊重を必要とする。」とする後段とから成っています。

この13条前段と後段との関係については，両者を一体のものとして捉える学説が多く見受けられます。前段の個人の尊重からは，国家には国民一人ひとりをかけがえのない存在として扱うことが要請されます。そのために，憲法には（信教の自由のような）個別的な人権が並んでいます。しかし，現に憲法に明文化されている人権だけでは，個人を尊重するためには十分ではないかもしれません。現代社会では，憲法が作られた当初には想定されていなかった重要な権利・自由（**新しい人権**）をも保障する必要があるでしょう。そうした人権は，前段の個人の尊重原理を受けて，後段が「生命，自由及び幸福追求に対する国民の権利」として保障するところの「幸福追求権」の一内容として，憲法上も保障されると考え，13条が新しい人権の根拠と位置づけます。判例も，裁判上の救済を受ける権利が13条から導き出されることを肯定しています（京都府学連事件：最大判1969（昭和44）年12月24日）。

それでは，具体的にはどのような人権が，13条を根拠に保障されるべきとされているのでしょうか。学説では，肖像権，プライバシー権，環境権，自己決定権など実に様々な権利が挙げられています。裁判所も，肖像権（前述の京都府学連事件および自動速度監視装置による写真撮影の合憲性：最判1986（昭和61）年２月14日）やプライバシー権の一内容としての情報コントロール権（江沢民講演会参加者名簿提出事件：最判2003（平成15）年９月12日）などについては肯定してきました。しかし，そのような権利が必要であるならば，国会が法律を創設すれば足りることですし，そもそも政策的・価値的判断は，本来は国会の役割であるといえます。ただし，国会がこの要請に応えることができないとき，例外的に裁判所が新しい人権を承認することはあります。このような役割分担をふまえ，裁判所は，13条から新しい人権を導き出すことについては，学説よりもかなり慎重な立場を採っています。

しかし，裁判を戦う過程がマス・メディアやSNS等で話題となれば，それは具体的な問題の所在を広く国民に知らせることになり，政策の当否に関する議論をも喚起するでしょう。ときにはこれが，政府や国会を動かすこともあります。このような機能を有する訴訟は，政策形成型訴訟と呼ばれます。

発展学習

- 人権が自然権的なものであるならば，他国で行われている人権侵害に対して私たちは何をすることができる／できないでしょうか。いわゆる「人道的介入」について，あなたはどう考えますか。
- 日本国憲法制定過程について，国立国会図書館のWebサイトで情報を調べてみましょう（https://www.ndl.go.jp/constitution/）。

第２章　国際化のなかの日本人，日本にいる外国人の権利

モモのジャケット，素敵だね。それ日本の縫製工場Ｑのラインで作っているらしいね。デザインも縫製も良いよね。

テレビで，Ｑではたくさんの外国人が働いているって話していたわ。技能実習生っていったっけ？　かなり低賃金で苦労しているようだったよ。

そうなの？　でも，少子高齢化の日本では，外国人をもっと受け入れても良いんじゃない？　メイド・イン・ジャパンを支えてもらわないと。

でも，文化や言葉が違う人を，そんなに簡単に受け入れて大丈夫？

そういえば，高校の同級生，留学生のＲ君は漢字に苦労していたなぁ。

外国人を受け入れることによって，モモやスセリが心配するような問題が，日本のみならず多くの国で生じています。これから日本が外国人と共生社会を築いていく上で，皆さんはこうした問題にどう向き合いますか。

Point

- 日本人であること，外国人であることは，何をもって決まるのでしょう。
- 日本国憲法上の人権は，外国人にも保障されますか。また，それはどのような範囲で保障されますか。
- 外国人であることを理由に，日本人と異なる取扱いをすることは許されるでしょうか。

1　国籍をめぐる問題

日本国憲法の人権って誰がもつの？

日本国憲法の人権規定は誰に対して保障されているのでしょうか。日本国憲法第３章の標題は「国民の権利及び義務」です。また，憲法11条は「国民は，すべての基本的人権の享有を妨げられない。この憲法が国民に保障する基本的人権は，…〈略〉…現在及び将来の国民に与へられる。」としています。そのほか，12条や13条にも日本国憲法が「国民」に人権を保障していることを示す記述があります。

この「国民」の範囲について，憲法10条は「日本国民たる要件は，法律でこれを定める。」としています。具体的には，国籍法にルールが置かれています。国籍取得のルールは各国で異なり，大きくは，子が出生した国の国籍を獲得する方法（**出生地主義**）と父母の国籍を継受する方法（**血統主義**）に分かれます。日本も採用している血統主義では，片方の親のみが日本国籍を有する場合に問題が複雑になります。

国籍法をめぐる判例

かつて，国籍法は，日本人父と外国人母との間の非嫡出子（婚姻外の関係で生まれた子）について，子が出生前に認知（胎児認知）を受けた場合には日本国籍の取得を認めつつ（２条１号），一方で，非嫡出子が出生後に国籍を取得するには日本人父の（出生後）認知だけでは足りず父母の婚姻も必要であるとしていました（３条１項）。同法３条１項の規定については，日本国籍の父とフィリピン国籍の母との間に出生した子が，日本国籍を求めて争ったケースがあります（最大判2008（平成20）年６月４日）。

最高裁判所は，憲法10条の規定は，国籍取得の要件をどのように定めるかについて，「立法府の裁量判断にゆだねる趣旨」のものだとしました。しかし，その「法律の要件によって生じた区別」については，そのような区別をすることの「立法目的に合理的な根拠が認められない場合，又はその具体的な区別と上記の立法目的との間に合理的関連性が認められない場合には」，その区別は，「合理的な理由のない差別」として憲法14条１項に違反するとしました（第３部第10章も参照）。最高裁判所は，日本国籍が「我が国の構成員としての資格」であることなどを考慮して，「慎重に検討」を行いました。そして，国籍法３条１項については，制定当時の状況下では「相応の理由」があったとはいえ，現在の「我が国を取り巻く国内的，国際的な社会環境の変化に照らしてみると」，同条項の父母に婚姻を課する部分については「立法目的との合理的関連性の認められる範囲を」超えており，この区別を生じさせている部分は憲法14条に違反するとして，一部無効の判決を下しました。判決を受けて国籍法は改正され，現在は，認知がされていることのみで国籍取得が可能になっています。

また，**国籍法12条**は，「国外で生まれた重国籍となった子」について，「国内で生まれて重国籍となった子」とは異なり，戸籍法の定めるところにより出生後３か月以内に父母等から「日本の国籍を留保する意思を表示しなければ，その出生の時にさかのぼつて日本の国籍を失う。」として取扱いに差を設けています（国籍留保制度）。同条に関して，日本国籍の父とフィリピン国籍の母との間に出生した子が，フィリピン国籍は取得したものの，期間内に父母が国籍留保の届出をしなかったために日本国籍を失ったという状況で，日本国籍を有することを確認する訴えを起こした事例があります（最判2015（平成27）年３月10日）。

原告の子らは，国籍法12条の取扱いの差（区別）は，憲法14条に照らして違憲であると主張しました。最高裁判所は，国籍法の立法目的とその要件との関係を審査しました。まず，立法目的については，「実体を伴わない形骸化した日本国籍の発生をできる限り防止する」等の目的を確認し，そこに「合理的な根拠がある」としました。そして，上記区別が設けられていることについては，現行法上も国籍留保の意思表示の方法や期間に配慮がなされていること，さらに，期間内に意思表示がなされなかった場合にも，（2022（令和４）年の成年年齢引き下げ前の）「同法17条１項及び３項において，日本に住所があれば20歳に達するまで法務大臣に対する届出により日本国籍を取得することができるものとされていることをも併せ考慮すれば」，立法目的との関連においてこの区別は「不合理なものとはいえず，立法府の合理的な裁量判断の範囲を超えるものということはできない」としました。

外国人も日本国憲法の人権を享有できる？

日本国籍を有さない外国人には，日本国憲法上，人権は保障されないのでしょうか。

かつては，外国人には日本国憲法の人権保障は及ばないと解する学説がありました。一方，憲法には「国民」ではなく「何人も」という文言を用いて，自由や権利を保障することを述べている条文があります。たとえば，憲法18条は「何人も，いかなる奴隷的拘束も受けない。」としています。それゆえ，こうした人権規定については外国人にも適用できると唱える論者もありました。

一方で，人権には（国家の存在を前提とする**社会権**などの後国家的権利ばかりでなく），**自由権**のように人が生まれながらにもっていると考えられている前国家的権利が含まれます。また，日本国憲法は**国際協調主義**を採用し，98条でも「日本国が締結した条約及び確立された国際法規は，これを誠実に遵守する」としています。さらに，現代において，人権の国際化が進展していることは，前章で確認したとおりです（第3部第1章参照）。

マクリーン事件

外国人には，日本国憲法上の人権保障がどこまで及ぶのでしょうか。在留期間の更新不許可が争われた事件（**マクリーン事件**：最大判1978（昭和53）年10月4日）をみてみましょう。

アメリカ国籍を有するマクリーン氏は，語学教師として勤務するために入国が認められました。彼は，日本に滞在中に，ベトナム戦争反対等のデモに参加していました。1960（昭和35）年5月，マクリーン氏は在留期間の更新を申請しましたが，法務大臣は，上記政治的デモへの参加などを理由に，出入国管理令（現行の出入国管理及び難民認定法）21条3項に基づいて「更新を認めるに足りる相当の理由」があるとはいえないとして，出国準備期間（120日）を超える在留期間について更新を不許可としました。マクリーン氏は，この処分の取消しを求めて裁判を起こしました。最高裁判所は，「憲法上，外国人は，わが国に入国する自由を保障されているものでないことはもちろん」，在留の権利を保障されているものでもないとしました。その上で，最高裁判所は，「憲法第三章の諸規定による基本的人権の保障は，権利の性質上日本国民のみをその対象としていると解されるものを除き，わが国に在留する外国人に対しても等しく及ぶものと解すべき」との判断も示しました。最高裁の判断のうち前者（在留権についての判断）に対しては学説からは批判もみられますが，後者（権利の性質についての判断）については，学説でも同様の捉え方が通説となっています。

2　入国・在留に関する問題

出入国管理

グローバル化が進んだ今日においても，外国人が自由に入国・滞在することを認める国はありません。各国は，旅券（パスポート）や査証（ビザ）等によって，出入国管理を行っています。国際法上，外国人の入国は国家の主権に属することとされ，誰を入国させるのかは，国家の自由裁量によると解されています。通説・判例も，外国人には入国の自由が認められないとしています（最大判1957（昭和32）年6月19日）。

外国人の多くは，永住許可をもたない一時的滞在者です。彼／彼女らは，在留資格に応じた範囲で，在留期間内に限って，日本で活動を行うことができます。先にマクリーン事件で確認したとおり，最高裁判所は，日本国憲法上，外国人の**在留権**を否定しています。しかし，日本人の配偶者となっていたり（一般の永住者），過去の歴史的経緯によって日本に居を構えている定住外国人（特別永住者）については，無闇にその在留資格を奪うことは許されないでしょう。

再入国の権利はあるか？

外国人には，一時的に外国へ渡航して，再度日本に入国する権利があるでしょうか。日本人と婚姻したアメリカ国籍女性，森川キャサリン氏は，当時の外国人登録法（現在は廃止）に従って登録を行ってきましたが，1982（昭和57）年に登録証明書の交付の際に**指紋押捺**を拒否しました。同年，彼女は韓国旅行を計画し，再入国の許可申請を行いました。しかし，法務大臣がこれを不許可としたため，処分の取消し等を訴えました（森川キャサリン事件：最判1992（平成4）年11月16日）。

最高裁判所は，過去の判例を引いて「我が国に在留する外国人は，憲法上，外国へ一時旅行する自由を保障されているものでない」ことにより，再入国の自由も保障されないとしました。このケースでは，森川氏が日本人と婚姻し長期滞在していた定住外国人であるところ，そうした個別的な事情を最高裁判所が考慮しなかった点などに，学説から批判があります。

3　政治に関わる問題

外国人は選挙に行けるの？

国の政治のあり方については，その国の国民が決定すべきだと考えられます。したがって，国政選挙については，参政権は国民のみに認められるとする考え方が，通説・判例の立場です。なお，地方自治体レベルで外国人（特に定住外国人）にも参政権を認めるかについては議論があります（第2部第1章参照）。

外国人は公務員になれるの？

憲法は外国人が公務員になることを，明示的に禁じてはいません。公務員には，国会議員や自治体の長など政策立案に関与する職もあれば，専門的・技術的な職もあります。前者に関する事柄，たとえば，選挙に出馬するという被選挙権は，参政権の一種と見ることもできます。そうすれば，外国人の被選挙権が制限されることには理由があるでしょう。一方で，後者の公務員になる権利（**公務就任権**）についてはどうでしょうか。

日本政府は，「公務員に関する当然の法理として，公権力の行使または国家意思の形成への参画に携わる公務員」を日本国民に限るとの公定解釈を示していました（1953（昭和28）年3月25日法制局一発第29号）。しかし，現在は，自治体などで働く外国人は相当数に上っています。

昇任試験に国籍要件をつけてもいいの？

そうした中で，東京都で技術系の職員（保健婦）として勤務していた在日韓国人2世（特別永住者）が，都の管理職への昇任試験に国籍要件があることが，憲法14条1項，22条1項に違反すると訴えた事件があります（最大判2005（平成17）年1月26日）。このケースでは，都が，「公権力の行使に当たる行為を行い，若しくは普通地方公共団体の重要な施策に関する決定を行い，又はこれらに参画することを職務とする」地方公務員（公権力行使等地方公務員）とそのような業務には当たらない管理職について，国籍要件を課した一体的な昇任試験制度を運用していたことが問題となりました。最高裁判所は，このような試験制度を都が構築した上で，国籍要件を課すことは「合理的な理由に基づいて…〈略〉…区別するもので」あるから憲法に違反せず，「この理は，前記の特別永住者についても異なるものではない」としました。この判例に対しては，特別永住者への配慮を欠き，制度を優先しているとの批判があります。

4　社会権の保障

学説の対立と判例

社会権は（自由権と異なり）国家の存在を前提とする権利です。その保障は，各人の所属するそれぞれの国によって行われるべきとの考え方が，通説・判例の立場でした（**塩見訴訟**：最判1989（平成元）年3月2日）。しかし，外国人（とりわけ定住外国人）も日本社会の一員と捉えるべきとの考え方から，国籍に関係なく保障を及ぼすべきとする学説も有力です。

ただし，通説・判例の立場も，社会権を立法政策として実現することを禁止していると考えるわけではありません。そればかりか，歴史的経緯から日本に在住する在日韓国人などに対しては，むしろ（財政事情などの問題はあるが）「できるかぎり，日本国民と同じ扱いをすることが憲法の趣旨に合致する」とまでいわれています。日本政府も，国際人権規約や難民条約に対応するために，社会保障関係の法令にあった国籍条項を原則撤廃しました。したがって，「今日では特にこの問題を論ずる実益は無くなっている。」と評する学説もあります。

メイド・イン・ジャパンを支える外国人　現代日本では，少子高齢化や過疎化による労働力の不足を，多くの外国人労働者によって補っています。そうした外国人労働者の中には，技能実習生として来日した者も少なくありません。技能実習制度は，1993（平成5）年にスタートしました。その目的について，外国人の技能実習の適正な実施及び技能実習生の保護に関する法律（技能実習法）1条は，「人材育成を通じた開発途上地域等への技能，技術又は知識…〈略〉…の移転による国際協力を推進すること」としています。また同法は，技能実習が「技能等の適正な修得，習熟又は熟達のために整備され，かつ，技能実習生が技能実習に専念できるようにその保護を図る体制が確立された環境で行わなければならないこと」（3条1項）および「労働力の需給の調整の手段として行われてはならないこと」（3条2項）を定めています。

しかし，この理念は十分に生かされていません。たとえば，技能実習中は実習先を原則変更できないため，実習生が劣悪な環境を強いられたり，そこから失踪したりといったトラブルが数多く報告されています。2024（令和6）年4月16日には，技能実習制度を廃止し「育成就労」を新設する法案が，衆議院本会議で審議入りしました。新制度には，就労状況の改善が期待されています。今後も，日本の労働力不足は続くことが予想されます。日本が外国（人）から選ばれる国であり続けるか。新制度の行方に注目が集まっています。

発展学習

- 外国人労働者の受け入れについては，様々な見解があります。この問題について調べて，友人や家族と話し合ってみましょう。
- 生活保護法が，生活保護受給権者の範囲を日本国籍保有者としていることについて，最高裁は合憲としています（最判2001（平成13）年9月25日）。実際には外国人にも生活保護の給付は行われていますが，それはどのような仕組みで行われていますか。そこに問題はあるのでしょうか。

第3章　良心をもつ自由，貫く権利

あなた良心をもってる？

なに突然。良心って何？　人に迷惑をかけないことかな。

そうじゃないと思うな。法律によっても侵してはいけないとされているものでしょ。

日の丸・君が代に反対して立たない先生がいるらしいけど，それも良心かな。

生徒にも思想・良心の自由って許されるのかな。

日本国憲法19条は，「思想及び良心の自由は，これを侵してはならない」。20条1項1文は，「信教の自由は，何人に対してもこれを保障する。」と規定しています。思想，良心，信教とは何を指すのでしょうか。この自由をめぐってどのような争いがあるのでしょうか。

Point

- 謝罪広告の強制は，憲法19条に反するでしょうか。謝罪広告事件で最高裁判事のなかでも思想・良心の自由の理解が分かれました。どういった意見があるのでしょうか。
- 日の丸・君が代に反対する意見は憲法19条で保護されるでしょうか。学校の行事で起立斉唱しない先生を処分することは違憲でしょうか。
- 自己の宗教的信条に反するという理由で，必修科目である剣道の履修を拒否した生徒を学校は卒業させなければならないでしょうか。

1　良心とは何か

謝罪広告事件

知事選挙に立候補したＹ候補者は対立候補Ｘを，賄賂を貰っていると批判しました。これに対しＸはＹを名誉毀損で訴え，慰謝料と謝罪広告を要求しました。これに対し原審はＸ勝訴とし，Ｙに以下の謝罪文を新聞紙上に掲載するように命じました。

> Ｘ殿……同紙上に私は同じく「公開状」と題しその文中に「……Ｘ君がこの斡旋に奔走して八百万円のそでの下をもらつた事実は打ち消すことが出来ない」……と記載いたしましたが右放送及び記事は真実に相違して居り，貴下の名誉を傷け御迷惑をおかけいたしました。ここに陳謝の意を表します。　　　Ｙ

これに対し，Ｙはこうした謝罪文の掲載を強制することはＹの思想・良心を侵害し，憲法19条に反するとして上告しました。

多数意見は，単に事態の真相を告白し陳謝の意を表明するに止まる程度のことは19条に反しないとしました。つまり，形式的に謝ることは思想・良心の自由とは関係がないと判断したわけです。では，良心の自由とは何なのか，判事たちの見解が分かれました。代表的な意見を掲げます。

栗山補足意見：英語のフリーダム・オブ・コンシヤンスの邦訳であつて……**信仰選択の自由**の意味である。
田中補足意見：コンシアンス等の外国語は……今日においてはこれは宗教上の信仰に限らずひろく**世界観や主義や思想や主張**をもつことにも推及されている。
藤田反対意見：事物に関する**是非弁別**の内心的自由のみならず，かかる是非弁別の判断に関する事項を外部に表現するの自由並びに表現せざるの自由をも包含する。（最大判1956（昭和31）年７月４日）。

さて，どう考えるべきでしょう。**コンシャンス**（conscience）は，ラテン語のconscientiaに由来します。「ともに知っている」ということです。Ａが同一の事項をＢ，Ｃとともに知っている場合，ＡはＢ，Ｃの面前においてその事項に反することを主張できないでしょう。もし，そうすればＡはＢ，Ｃから不誠実な人間とみなされ心が疼くことでしょう。人間の心に宿るこの誠実でありたいという希求が「良心」の本来の意味とされます。そしてキリスト教諸国においては，これが信仰と同一のものとして意識されるようになります。神から誠実な人間とみなされたいとする心が良心と考えられるようになったからです。栗山意見はその意味で正当です。しかし，19条が「思想及び良心」と規定し，20条で「信教の自由」を保障していることなども考えれば，19条の意味としては田中意見が正当かと思われます。藤田意見のいう「**是非弁別の内心の自由**」とは，事実が正しいかどうかを判断する自由という意味です。「X は汚職した」という事実を Y が信じたいという自由です。思うことは自由でしょうが，それが名誉毀損等に当たる場合，それを公に表現する権利はないというべきでしょう。

憲法学説でも人権とは**人格の核心部分**に関することだとする意見からすると，本件謝罪広告は，基本的に思想・良心の自由に関係しないと理解されています。ただ，人格の核心部分と表層部分の区別は困難なこともありますし，また，謝罪文言がないと救済の意味をもたないのかについても疑問があり，他の国も参考に，このような疑問を抱かせない救済方法を案出すべきではないかとの意見が有力です。

2　良心を貫く権利は認められるか

日の丸・君が代事件

君が代に反対する音楽の教師が，入学式にそのピアノ伴奏を行うことを内容とする校長の職務命令に従わなかったため懲戒処分を受けた事件がありました。こうした教師の考えや行動は，思想・良心の自由として保護されるべきでしょうか。

このことが争われた裁判で，東京地裁（2006（平成18）年9月21日）は，「我が国において，日の丸，君が代は，明治時代以降，第二次世界大戦終了までの間，皇国思想や軍国主義思想の精神的支柱として用いられてきたことがあることは否定し難い歴史的事実であり，……このため，国民の間には，公立学校の入学式，卒業式等の式典において，国旗掲揚，国歌斉唱をすることに反対する者も少なからずおり……，このような世界観，主義，主張を持つ者の思想・良心の自由も，他者の権利を侵害するなど公共の福祉に反しない限り，憲法上，保護に値する権利というべきである」とし，この教師のピアノ演奏がなくても式典を行うことができたのだから，敢えてピアノ教師の思想・良心を制約した命令は違憲・違法だと判示しました。

なお同種の事件で，下級審の判断が分かれていましたが，最高裁の多数意見は（最判2007（平成19）年2月27日）以下の理由で合憲としました。つまり，(1)国歌斉唱の際のピアノ伴奏を拒否することは，一般的には，上記の歴史観ないし世界観と不可分に結び付くものということはできず，(2)他方において，入学式の国歌斉唱の際に「君が代」のピアノ伴奏をするという行為自体は，上記伴奏を行う教諭等が特定の思想を有するということを外部に表明する行為であると評価することは困難であるとの理由です。

これに対して**藤田宙靖反対意見**は，このピアノ教師の「思想及び良心」には，上記世界観に加えて，「『君が代』の斉唱をめぐり，学校の入学式のような公的儀式の場で，公的機関が，参加者にその意思に反してでも一律に行動すべく強制することに対する否定的評価」といった側面が含まれている可能性があり，後者の側面こそが本件では重要ではないかと述べ注目されました。

しかし非起立非斉唱の教師が再雇用されなかったことの損害賠償を求めた裁判で，最高裁第2小法廷は，起立斉唱行為が特定の思想を表明する行為として「外部から認識されるものと評価することは困難」でありその制限は間接強制に当たり，藤田意見のいう側面も「個人の歴史観ないし世界観との関係における間接的な制約の有無に包摂される」とした上で，非起立非斉唱行為が社会一般の規範等と抵触する場合，職務命令による制限が「必要かつ合理的なものである場合には，……上記の間接的な制約も許容され得る」と述べ，合憲としました（最判2011（平成23）年5月30日）。

なお，このような職務命令違反で公立学校の教職員などを停職や減給，戒告とした東京都の**懲戒処分**を争った裁判で，最高裁（最判2012（平成24）年1月16日）は，不起立行為等は「個人の歴史観ないし世界観等に起因するもの」であり，「積極的な妨害等の作為ではなく，物理的に式次第の遂行を妨げるものではない」し，「式典の進行に具体的にどの程度の支障や混乱をもたらしたかは客観的な評価の困難な事柄である」から，不起立行為等に対する懲戒において戒告を超えてより重い減給以上の処分には事案の性質等を踏まえた慎重な考慮が必要であるとの判断を示しています。

剣道実技不受講事件

エホバの証人である市立高専の生徒Pが，その教義に従い，格技である剣道の実技に参加することは自己の

資料3－1　部分社会論

社会には様々な団体があり，そこにはそれぞれのルールがあります。団体からすればその団体の自治は尊重されるべきだと主張したいでしょうし，人権を侵害されたと主張する人は裁判を受ける権利を主張するでしょう。この問題に裁判所がどこまでかかわるべきかについて形成された法理を部分社会論といいます（田中耕太郎の部分社会論についてはコラム⑤参照）。

最高裁は，村会議員出席停止事件において，「けだし，自律的な法規範をもつ社会ないしは団体に在つては，当該規範の実現を内部規律の問題として自治的措置に任せ，必ずしも，裁判にまつを適当としないものがある」と述べ，こうした団体内部の紛争に裁判所は関わるべきではない（最大判1960（昭和35）年10月19日）としました。

しかし除名について団体の自治に任せるかについては裁判官でも意見が分かれていました。これに一定の決着をつけたのが富山大学単位不認定等違法確認請求事件最高裁大法廷判決です。最高裁は次のように判示しました（1977（昭和52）年３月15日）。

「一般市民社会の中にあつてこれとは別個に自律的な法規範を有する特殊な部分社会における法律上の係争のごときは，それが一般市民法秩序と直接の関係を有しない内部的な問題にとどまる限り，その自主的，自律的な解決に委ねるのを適当とし，裁判所の司法審査の対象にはならない」と。

つまり「一般市民社会と直接の関係」があれば司法審査の対象とするとしたわけです。除名や退学はその成員を部分社会から追放する処分なので，一般市民社会と直接の関係があるとされます。そして司法審査の対象とした上で，社会観念に照らして審査するという社会観念審査が行われていました。

本章で取り上げたエホバの証人剣道受講拒否事件は公立学校の事件です。ここでは，裁量濫用統制論が採用されたと言われます。しかしこの事件では退学が争われているので，部分社会論をとって司法審査の対象としたともいえるでしょう。その上で，公立学校であること，生徒の教育権を奪う処分であること，信教の自由の問題も関係することに鑑みて，社会観念審査という曖昧な基準ではなく，校長の判断過程を精査することで裁量濫用統制を行ったと思われます。

ところで，村議会も富山大学も，結社ではありません。エホバのこの事件は公立高校が舞台です。団体内部の問題といっても，サークルなど身近なものから，国会や地方議会，国立大学法人，私立大学，私立学校，宗教団体，政党など様々な種類があり，憲法上の位置づけも多様です。学説は，団体といっても色んな種類があり，団体の目的・性質，憲法上の根拠の相違に即し，かつ，紛争で争われている権利等を考慮に入れて個別具体的に検討すべきであると指摘しています。

宗教的信条と根本的に相いれないとの信念の下に，剣道実技への参加を拒否し，授業見学のうえレポート等を提出しました。しかし体育担当教員はこの代替措置を拒否しました。その結果，それが必修単位であったため退学処分となった生徒がその処分の取消を求めたのがこの事件です。

最高裁（最判1996（平成８）年３月８日）は，「退学処分を行うかどうかの判断は，校長の合理的な教育的裁量にゆだねられるべきもの」であるが，退学処分については特別な配慮が必要であると述べた上で，校長の処分の判断過程でどこに裁量の濫用があったかの検討を行いました。この問題では特定の信仰をもつことあるいはもたないことを直接強制されたわけではありません。しかし今日こうした直接的強制はまれです。問題はむしろこのように一般に正当とされるルールの要請する行為が，特定の信仰をもつ者にとって自己の信仰に反するがゆえに受け入れがたいとき，20条の定める信教の自由からその義務を免除しなければならないのか，逆に政教分離原則からみてその免除が許されるのかが問題となります。

良心的兵役拒否が争われた事件でのドイツ憲法連邦裁判所の表現を借りれば，「広義の宗教的見解に起因するいかなる行為も保護されるわけでは」ないが，「内面の苦しみなしには思いとどまることのできない強制的な行為規範」がその主張者に存在するかどうかが問題だ，ということになります。

最高裁判決の表現によれば，剣道実技への参加を拒否する理由が，「信仰の核心部分と密接に関連する真摯なもの」かどうかです。そして最高裁は，Ｐの拒否理由はそれに当たると認定しました。

本件各処分は，その内容それ自体においてＰが信仰上の教義に反することを目的としたものではなく，被上告人の信教の自由を直接的に制約するものとはいえません。他方，Ｐは，最高裁の認定によれば，他の科目では成績優秀であったにもかかわらず，信仰上の理由による剣道実技の履修拒否の結果として，原級留置，退学という事態に追い込まれました。こうした場合，Ｐの信仰が真摯なものであったならば，学校は代替措置を採るべきだったと判決は述べています。

なお，学校側は，代替措置を採ることは憲法20条３項の**政教分離**に違反するとも主張しました。しかし最高裁は，こうした代替措置は，「その目的において宗教的意義を有し，特定の宗教を援助，助長，促進する効果を有するものということはできず，他の宗教者又は無宗教者に圧迫，干渉を加える効果があるともいえない」として，その主張を退けました。

この理論を**目的・効果論**といいます。これは，**津地鎮祭訴訟**で示された基準です。この事件で最高裁（最大判1977（昭和52）年７月13日）は，厳格な政教分離を貫くことは「実際上不可能に近」く，「かえつて社会生活の各方面に不合理な事態を生」じる。したがって宗教とのかかわり合いすべてが許されない訳ではなく，許されないのは，「わが国の社会的・文化的諸条件に照らし相当とされる限度を超えるもの」であるとし，目的・効果論はこの判断基準として示されました。なお**愛媛玉串料訴訟**では，この基準により，愛媛県の靖国神社への玉串料等の奉納は違憲とされました（第2部第5章資料5－3参照）。

囚われの聴衆

内心の自由への侵害としては，まず第1にそれを直接侵害することが想定されますが，日本で直接的内心侵害は今日まれになっているといえます。しかし侵害行為は直接的なもののみではなく様々な形態をとります。第2類型として，内心を理由とする不利益処分が挙げられるでしょう。上記2事件はこうした問題です。麹町中学校内申書事件もこのことを争いました（第3部第12章参照）。第3類型として**内心の告白の強制**，第4類型に**内心の操作**があります。この内心の操作が行われる危険性が高い場所として，軍隊，病院，刑務所，学校などが挙げられます。こうした場所に収容されている人々を**囚**（とら）**われの聴衆**といいます。

学校についてみると，ある程度の知識，思想を教えることは避けて通れません。ではどうしたらその弊害を軽減できるのでしょうか。そのためには，旭川学テ最高裁判決が述べるように，親，教師にも教育の自由がある程度認められる必要があります（第3部第12章参照）。日の丸・君が代事件で争われたのはまさにこの点であると述べたのが藤田反対意見だったわけです。さらに，生徒に表現の自由を認めるのも大切です。**ティンカー事件**ではこのことが争われました。（第3部第12章参照）。

発展学習

- ドイツでは，公立学校の教室に十字架が掛けられているのが政教分離に反するかが争われました。憲法裁判所はどう判断したでしょう。
- フランスは，厳格な政教分離（ライシテ）をとる国として有名です。そのフランスで，いわゆるブルカ禁止法が制定されました。これは，ライシテを理由に正統化できるでしょうか。調べてみましょう。

第４章　表現の自由と書かれない権利

この間家族でレストラン OKYA ～ MA に行ったけど，値段が高いだけでちっとも美味しくなかったんだ。もう二度と行かない。

あそこはあまりいい噂きかないよね。

そうだ。SNS に書き込もう！「レストラン OKYA ～ MA。高いだけで美味しくなかった！」これでよし。お店の人，僕の書き込みを見て反省するかな。

モモは甘いな～。僕がもっとみんなが行かないように書いてやるよ。「レストラン OKYA ～ MA はいま話題になっている詐欺集団のチェーン店で，そこで食べるとその資金の一部は詐欺集団に流れこむ。」このくらい書くと皆も行かなくなって，高いお金を払って嫌な思いをする人もいなくなるだろう。

今ネットでの書き込みが様々なトラブルを引き起こしています。確かに，憲法21条は，表現の自由を保障しています。では，どのような表現をしてもよいのでしょうか。どのような表現が法的に問題になるのでしょうか。

Point

- 表現の自由はなぜ厚く保障されているのでしょう。その表現の自由が制約される場合はどのような場合でしょうか。
- 名誉やプライバシーを侵害したとしても書いてよい場合とはどのような場合でしょうか。ヘイトスピーチは取り締まるべきでしょうか。
- インターネットに書かれるとどのような被害が予想されますか。インターネットに悪口を書かれた場合，どのような対抗手段があるのでしょうか。

1　表現の自由と名誉，プライバシー

名誉毀損表現

ここではまず，モモとキビの書き込みが法的に問題になるか，から考えます。法的に問題になるとは，刑法が禁止している行為（＝**構成要件**）を犯し犯罪になる，あるいは犯罪ではないが損害を与えた相手から損害賠償を請求されるおそれがあることをいいます。

モモの表現は法的に問題になるでしょうか。書かれた店はお客が減って損害を受けるかもしれません。店からすればこのような表現は取り締まって欲しいですよね。その場合モモを，名誉毀損で警察に訴える，あるいは民法709条の不法行為で裁判所に損害賠償を求めることが考えられます。**名誉**とは，社会的な評判・名声・信用など社会がその人に与える評価です。**名誉毀損罪**については刑法230条（巻末資料）をみてください。「高いだけで美味しくない」との表現は，これに該当するでしょうか。この表現は，お店の名誉（＝評判）を傷つけるかもしれませんが，しかし，「事実を摘示」しているとはいえません。モモの感想を述べているだけです。このように意見や感想を述べることは名誉毀損罪にはなりません。ただ，公正さを欠く論評の場合，民事の不法行為責任が成立する可能性はあります（最判1989（平成元）年12月21日）。

ではキビの表現はどうでしょうか。ここには，キビの意見というより事実または事実らしいことが書いてあります。「公然と」とは，不特定または多人数が認識できる状態にすることとされます。とすればキビがSNSに書き込んだ事実は，「公然と事実を摘示し，人の名誉を毀損」しているとされ，名誉毀損として法的に責任を問われる可能性があります。

では，この書かれた事実が本当のことだったらどうでしょう。刑法には，「その事実の有無にかかわらず」と書いてあります。本当のことを書いてもという意味です。であれば名誉毀損罪になりそうですね。しかし，**報道の自由**はどうでしょうか。新聞などには政治家の悪行など書いてありますね。これはなぜ書けるのでしょう。刑法230条の２（巻末資料）をみてください。この規定の意味について最高裁は，「人格権としての個人の名誉の保護と，憲法21条による正当な言論の保障との調和」を図るため（最大判1969（昭和44）年６月25日）と説明しています。つまり憲法が保障する表現の自由でも，他の人権（ここでは憲法13条の保障する人格権＝名誉やプライバシーを保障する権利）を侵害するとき

は，その人権との調整が必要になります。そして表現の自由もその限りで制約されることになります。この調整の原理や公益のことを日本国憲法は「**公共の福祉**」（コラム④参照）と表現していますが，憲法21条と13条との調整原理が，刑法230条の2だよといっているわけです。

そしてこの規定は，公共の利害に関する事実に関し，公益を図る目的なら，真実であることの証明があったときは，これを罰しないといっています。

では，キビの書いた事実は，「**公共の利害に関する事実**」でしょうか。これに該当するかどうかは，「誰にも関係のある可能性があるか否か」がポイントです。レストランは，誰でも入る可能性がありますね。また，犯罪に関する事実も同条2項は，「公共の利害に関する事実とみなす」といっています。したがって，キビの書いたことが本当のことであれば，「公共の利害に関する事実」に関する表現なので「これを罰しない」となります。民事の責任も問われません。ところでキビが報道等でこの事実を本当のことと信じて書いたけれど，後に本当ではなかったことが明らかになったとき，キビは罰せられるでしょうか。これについて最高裁は，「真実であると誤信し，……相当の理由があるときは」名誉毀損罪は成立しないとしています（最大判1969（昭和44）年6月25日）。表現の自由をそれだけ重視しているわけです。

プライバシーと表現の自由

さて今度は，スセリがSNSにモモの住所と学校からの帰り道を書き込みました。書いていることは真実で，また名誉も毀損していません。これは問題ないでしょうか。

こうした個人情報を**プライバシー**といいます。プライバシーを勝手に書くことは名誉毀損罪などの犯罪にはなりませんが，民事の損害賠償などの対象となります。プライバシー事件のリーディング・ケースとなったモデル小説「**宴**（うたげ）**のあと**」（三島由紀夫・作）**事件**において，東京地裁は，「プライバシー権は私生活をみだりに公開されない法的保障ないし権利として理解されるから，その侵害に対しては侵害行為の差し止めや精神的苦痛に因る損害賠償（ばいしょう）請求権が認められる。」（1964（昭和39）年9月28日）とし損害賠償を命じました。その後東京地裁は，プライバシーの侵害に対し法的な救済が与えられるための要件を，①私生活上の事実または私生活上の事実らしく受け取られるおそれのあることがらであること，②一般の人々に未だ知られていないことがらであること，③一般人の感受性を基準にして当該私人の立場に立った場合公開を欲しないであろうと認められることがらであること，換言すれば一般人の感覚を基準として公開されることによって心理的な負担，不安を覚えるであろうと認められることがらであること，④公開によって当該私人が実際に不快，不安の念を覚えたこと（1995（平成7）年4月14日），の4要件に整理しています。

また，モデル小説「**石に泳ぐ魚**」（柳美里・作）はプライバシーを侵害したとして出版差止めになりました（最判2002（平成14）年9月24日）。プライバシーの権利は憲法13条から導かれますが，これには**肖像権**も入ります。人の顔写真を撮って勝手にSNSなどにアップすることは肖像権の侵害になります。

しかし週刊誌などには，タレントの写真やプライバシーが載っていますね。これはどうなっているのでしょうか。

刑法230条の2の第2項，第3項をみてください。犯罪行為に関する事実，公務員または公選による公務員の候補者に関する事実については「公共の利害に関する事実」とみなすとあります。前者は公正な裁判のため，後者は国民が主権者であることを保障するため，彼らのプライバシーより表現の自由に重きが置かれています。これに加えて，大企業の社長や宗教的指導者など，その人の社会的活動の性質，社会への影響力のいかんによって「公共の利害に関する事実」に当たる場合がある（最判1981（昭和56）年4月16日）とされます。こういう人を**公人**と呼びますが，タレントもこれに当たるかどうかが問題となります。「公共の利害に関する事実」となるからといって嘘のことを書いてはいけないのはもちろんです。なお，タレントの写真は芸能活動に関することであればアップも許されますが，それとは無関係の私生活の写真を勝手に載せることは本来許されません。

ネット表現への対抗手段

ところでネットに自分のプライバシーや名誉毀損表現が掲載された場合，どういう対抗手段があるでしょうか。もちろん，書いた相手を警察に訴えたり，裁判所に削除や損害賠償を求めたりすることができます。しかし1回ネットに載ると，書いた人の手を離れて世界中に拡散されていきます。それがネット社会の怖いところですが，どうしたらよいのでしょう。考えられるのは，プロバイダーにその表現の削除を求めたり，検索サイトにその表現が検索できないよう求めたりすることです。最高裁は，この「**忘れられる権利**」が争われた裁判で，「当該事実を公表されない法的利益と当該URL等情報を検索結果として提供する理由に関する諸事情を比較衡量して判断すべきもの」とした上で，「当該事実を公表されない法的利益が優越することが明らかな場合」に削除が認められるとしました（最決2017（平成29）年1月31日）。

なお近年，SNSによる誹謗（ひぼう）中傷が苛烈化しています。シェアハウスで生活する男女6人の恋愛模様を観察する番組テラハウスに出演していた女性プロレスラーが，ネットでの誹謗中傷に曝され自殺した**木村はなさん事件**は有名です。こうした書き込みは，プライバシー侵害や名誉毀損罪では対応できないものもあり，刑法でいえば「事実を摘示しなくても，公然と人を侮辱」するという侮辱罪（231条）が使えないかが問題となります。しかし侮辱罪の罰則は「拘留（30日未満）か科料（1万円未満）」であり，現実には抑止効果はありませんでした。そこでこの事件を契機に罰則が「1年以下の懲役・禁錮か30万円以下の罰金」に引き上げられ公訴時効も3年に延長されました（2022年より）。

ただこの改正に対しては，公共の利害に関する場合の特例の適用がないことから，政治家に対してバカとか言っても処罰されるのか？という懸念があります。日弁連は，こうした誹謗中傷は被害者の自尊感情を傷つけることを目的としており，侮辱罪というよりむしろ脅迫罪・強要罪（刑法222，223条）やストーカー行為等の規制に関する法律が対象とする犯罪に類似したものではないかと指摘しています。こうした指摘もあり，改正法には3年後に外部有識者を交えて検証する付則が追加されました。

ところでネット上で誹謗中傷した人を訴えたくても裁判手続きは複雑で大変です。そこでインターネット上で誹謗中傷の投稿をした人を特定しやすくするための**プロバイダー責任制限法**が改正されました（2021年）。これにより開示請求を求める裁判は1回ですみ，現在は1年ほどかかる開示の手続きが数カ月から半年ぐらいに短くなると期待されています。

ヘイトスピーチ

また近年，特定の民族や在日の人を対象としたヘイトスピーチも問題になっています。特定の個人への攻撃ではないので名誉毀損罪の対象にはなりません。ではヘイトスピーチも法律で犯罪と定めるべきでしょうか。こうした言論を取り締まると表現の自由が萎縮（いしゅく）する可能性があります。他方，その集団に属する人は社会的に疎外される危険がありその被害は甚大です。この調整は難しいですが2016年に**ヘイトスピーチ解消法**が成立しました。本法では，「本邦外出身者を地域社会から排除することを煽動する不当な差別的言動を」ヘイトスピーチと呼んで，その解消のために国や地方自治体は啓蒙活動等に取り組まなければならないとしています。こうした言論は犯罪ではありませんが，その発言が合理的理由を欠き社会的に許容しうる範囲を超えて他人の権利または法益を侵害した場合損害賠償が認められたり（大阪高判2014（平成26）年7月8日），宣伝カー等でその地域を威圧して廻る活動には差し止めが認められたり（横浜地決2016（平成28）年6月2日）しています。

また2019年12月，川崎市では，**「川崎市差別のない人権尊重のまちづくり条例」**を制定しました。市内の公共の場でヘイトスピーチをしたり，させたりすることを禁じたうえで，市長による2回にわたる勧告や命令に従わず，同一理由による3回目のヘイトスピーチが認められれば，最高50万円の罰金が科せられるというものです。勧告や命令にあたっては，市長が有識者らでつくる審査会に意見を聴くなど，表現の自由に配慮しつつ罰金を全国で初めて導入する例として注目されています。

2　表現の自由の優越的地位

ところで表現の自由は厚く保護されるべきとされますが，なぜでしょうか。かつては**思想の自由市場**という考え方が唱えられ，様々な思想・表現が保障されることにより，人類は真理にたどりつけるとされました。しかし先にみたような表現を保護したからといってそうなるとは考えられません。そこで現在，**表現の自由**は，①個人の自己実現と②自己統治に不可欠だからだと説明されています。つまり，①個人は，他者とのコミュニケーションを通じて自己自身や自己を取り巻く環境について理解を深め，その過程のなかで自己を自律的に規定し，規定した自己を実現していこうとする存在であり，②民主的な共同決定への参加は表現の自由なくして実効性をもちえないから，とされます。

さらにマス・メディアにもこの自由が保障されるのは，ある意見によれば③個人の自律的な生き方を実質化する生活の基本となる情報の提供や，多元的な思想や生き方を相互に許容する寛容な社会を再生産する機能があるからだとされます。すなわち国民の**知る権利**に答えているからだとされます（次章参照）。

表現の自由のこの優越的地位から，この自由を他の人権以上に強固に保障することが求められ，表現の自由に対する畏縮（いしゅく）効果を可能な限り除去する努力

資料4－1　違憲審査基準

	立法目的	達成手段	挙証責任
厳格審査基準	必要不可欠	必要最小限	合憲と主張する側
中間審査基準	重要	実質的な関連	合憲と主張する側
合理性の基準	正当	合理的な関連	違憲と主張する側

出典：高橋和之『立憲主義と日本国憲法〔第5版〕』有斐閣，2020年，139頁以下を参考に筆者作成

が行われます。具体的には，表現の自由への制約が正当化されるには，**厳格審査基準**を満たしていることが必要だとされます。厳格審査基準とは，制約を課す法律の目的が，政府にとって必要不可欠な利益といえるか，その手段が目的にとって必要最小限といえるかによって判断しようというものです。

事前抑制と事後抑制

事前抑制とは，表現行為が行われる前にそれを制限・禁止することで，検閲や許可制がそれに当たります。事前抑制は原則禁止され厳格審査基準を満たした場合に認められます。他方，先にみたようにプライバシー侵害表現には差止めが認められています。なお名誉毀損表現の差止めが争われた**北方ジャーナル事件**では，差止め処分が認められるのは，表現内容が真実でないか公益目的でないことが明白で，重大にして回復困難な損害を被るおそれがあるときに限られる（最大判1986（昭和61）年6月11日）との判断が示されています。

内容規制と内容中立規制

内容規制とは，表現の内容に着目した規制で厳格な審査基準が用いられ，内容中立規制とは，表現の手段・方法等を規制する場合で中間審査基準が用いられるとされます。**中間審査基準**とは，制限目的が重要であるか，手段が目的と実質的関連があるか（＝手段が必要かつ合理的な措置であるか）で判断するものです。

内容規制についていえば，政治的表現については「見解規制」と「主題規制」があるとされます。特定の立場・見解・観点のみを禁止するのは「**見解規制**」で，きわめて厳格な審査基準が用いられます。他方，選挙に関する表現など特定の主題につき，その主題を内容とする表現を公的討論から全面的に排除するのは「**主題規制**」で，厳格な審査基準が用いられます。

たとえば，金沢市が市庁舎前広場を「護憲集会」に使うことを許可しなかったり，さいたま市が，慣例を破り，協力団体である俳句会が秀句とした「梅雨空に『九条守れ』の女性デモ」を公民館の広報誌に掲載することを拒否したり

するという事件が起こっています。これらは行政が政治的に中立の立場で表現の自由を保障しなければならないという原則を歪めていますが，憲法問題について議論することを排除する趣旨なら主題規制，「憲法を守れ」という主張を排除する趣旨なら見解規制となります。

後者の事件につき，東京高裁（2018（平成30）年5月18日）は，「公民館の職員らが，第1審原告の思想や信条を理由として，本件俳句を本件たよりに掲載しないという不公正な取扱いをしたことにより，第1審原告は，人格的利益を違法に侵害されたということができる」とし国賠法上違法としました。この判断はさいたま市の措置を見解規制と理解しています。

低価値表現

他方，同じ内容規制でも，営利的表現やわいせつ表現，煽動的表現などは低価値表現とされ，中間審査基準が適用されます。

わいせつ表現を例にとれば，規制の正当性は以下の6要件で判断されます。①叙述の程度・手法，②全体に占める比重，③思想等と性的表現との関連性，④文書の構成や展開，⑤芸術性・思想性等による性的刺激の緩和の程度，⑥これらの観点から当該文書を全体として読者の好色的興味に訴えるものと認められるか否かです（最判1980（昭和55）年11月28日）。このうち，①②が重要でこれにより⑥を判断します。③④⑤は**違法性阻却（そきゃく）事由**（通例であれば違法とされる行為についてその違法性を否定することができる条件）といえるでしょう。

ただ，わいせつ表現については何のために取り締まるのかということが問題です。青少年保護や見たくない人の権利の保障ということが目的なら公共の場ではもっと厳しく取り締まり，他方，個人の楽しみであればもっと規制を緩和してもよいのではということが議論されています。

発展学習

- 試験中，モモがカンニングしていると思ったキビが，SNSにモモがカンニングしていると書き込みました。この表現は法的に問題になるでしょうか。
- 公立小学校において，生徒に順位をつけるのはおかしいと考えた教師らは通知表に5段階評価を書かずに生徒に渡しました。これに怒った父兄らが，教師の氏名と「教師としての能力自体が疑われる」「お粗末教育」などと書いたチラシ5000枚を市の繁華街で配布しました。これに対して批判された教師らは名誉毀損で父兄らを訴えました。訴えは認められるでしょうか。

コラム④
公共の福祉

日本国憲法における人権の観念は，憲法11条に最もよく具体化されているといわれます。その憲法11条は，「国民は，すべての基本的人権の享有を妨げられない。この憲法が国民に保障する基本的人権は，侵すことのできない永久の権利として，現在及び将来の国民に与へられる。」としています。すなわち，日本国憲法における人権とは，人間であればそれだけで（固有性），身分や性による差別なく（普遍性），とりわけ公権力によって侵されることがない（不可侵性）ものと考えられます。

それでは，人権はいついかなるときにも無制限に保障すべきものなのでしょうか。この疑問に対しては，日本国憲法の中にヒントがあります。憲法12条は，「この憲法が国民に保障する自由及び権利」について「国民は，…〈略〉…常に公共の福祉のためにこれを利用する責任を負ふ」としています。また，憲法13条は，「生命，自由及び幸福追求に対する国民の権利」について，「公共の福祉に反しない限り」尊重される必要があるとしています。つまり，日本国憲法は，憲法上の自由や権利が「公共の福祉」によって制約される可能性があることを予定しているわけです（22条・29条も参照）。

そこで，問題になるのが，「公共の福祉」の捉え方です。個人の自由を最大化することを良しとする論者であっても，他人に迷惑をかけてまで何でも好きにして構わないとは考えません。やはり，この社会の中で共同生活を営む限り，私たちが一定程度の制約を受けることは避けられないでしょう。ただし，それゆえに「公共の福祉」を，社会のためになる，国のためになるといった抽象的な「公益」であると考えてしまうのは危険です。そうすれば，「公共の福祉」の名の下に，容易に私たちの自由は制約されてしまうでしょう。日本国憲法が，第二次世界大戦後に個人主義（13条）を，最も重要な基本原理として採用した経緯を考えれば，そうした解釈をとることは適切ではありません（第3部第1章参照）。したがって，「公共の福祉」には，個人主義を基調としつつ解釈を及ぼす必要があります。

それでは，どのように「公共の福祉」を解釈すべきか。「公共の福祉」の文言は，人権の総則的規定である憲法12条および13条と，経済的自由に関する憲法22条および29条に登場しますが，これらはどういった法的意味をもち／もたず，どのような関係を有しているのか。学説には様々な見解があります。長らく通説とされてきたのは，「公共の福祉」を人権相互の矛盾・衝突を調整するための実質的公平の原理と捉える学説でした（一元的内在制約説）。重要なのは，人権相互の調整原理と捉える点です。たとえば，あなたが平穏な生活を望んでいるとしても，近隣の工場が24時間絶え間なく騒音を出していたらどうでしょうか。もちろん，工場主にも経済活動を行う自由はあります，一方，あなたの平穏な生活もまた，重要な個人的価値を有するものでしょう。こうした対立する個人間の人権を調整すべく，「公共の福祉」の原理によって，人権の制約が行われる（具体的には，「騒音規制法」や各種条例によって騒音レベルに限度が設けられます）。概ねこのように理解するわけです。

人権を制限できるのは人権だけ，国家や社会ではないというこの考え方は，「公共の福祉」の不用意な濫用を防ぐことが期待され，長年支持を集めてきました。しかし，近年はこの学説に対して，批判も唱えられています。それは，「公共の福祉」を人権相互の調整原理と捉えるという，この学説の基本的な構想に対するものです。

人権を制限できるのは人権だけと捉えるならば，そのような（対抗する）人権が想定できない場合には，規制を行うことができないことになるのでしょうか。たとえば，動物の愛護及び管理に関する法律（動物愛護管理法）44条は，「愛護動物をみだりに殺し，又は傷つけた者は，５年以下の懲役又は500万円以下の罰金に処する。」とします。愛護動物それ自体には人権はありません。それでは，どのような人権間の衝突がここにはあるのでしょうか。テクニカルに回答することも可能でしょう。しかし，ここでは，人権間の調整などではなく，「人と動物の共生する社会の実現」（同法１条）のために，愛玩動物の取扱いに規制が及ぼされていると考える方が自然とも考えられます。ほかにも，環境問題やわいせつ規制など，具体的な他人の（衝突する）人権が想定しにくい規制事例があります。そこで，人権とはいえなくとも「重大な公益」であれば，人権制約が可能という主張がなされています。もちろん，ここで想定されている「重大な公益」は戦前のようなものであってはなりません。具体的な規制が行われる際には，その目的や手段について精査を要することが説かれています。

第5章　知る権利とマス・メディアの自由

ウチの県の新型コロナウイルスの感染状況は今どうなっているんだろう？

今日，6時から知事が記者会見するって，ニュースでいってたよ。

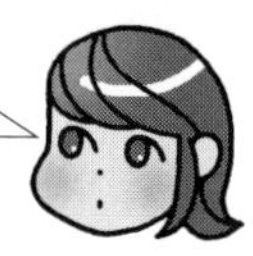

今どうなっているか，これからどのような対応していくとか……知りたいよね。

その対応によっては，今度，モモと企画しているイベントが開催できるのか心配だ。知事に聞いたら教えてくれるかな。

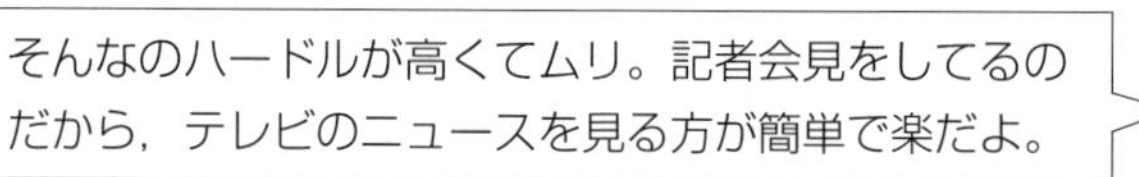

開催基準とか公表して欲しいんだ。オレたちには，知る権利があるわけだし。

マス・メディアがもっと突っ込んで取材，報道してくれたらいいんだけど。それが記者たちに求められていることなんだから。

今，国民の知る権利を巡って，様々な問題が起こっています。知る権利とマス・メディアとの関係，国家情報，特に機密情報の情報公開，さらに，高度情報化時代を迎えて監視社会におけるプライバシーや個人情報保護との関係が問題となっています。

Point

- 新聞社やテレビ局のようなマス・メディアにも，表現活動をするための取材の自由や報道の自由が憲法上保障されているのでしょうか。
- 高度に情報通信技術の発達した現代社会では，プライバシーや個人情報との間でどのような問題が生じているのでしょうか。
- マス・メディアで批判された人に，そのマス・メディアを使って反論する権利が認められるでしょうか。

1　知る権利とマス・メディアの自由

知る権利

キビたちは「知る権利」で県から情報を得られないかと考えています。そもそも知る権利は憲法で保護されているのでしょうか。憲法21条をみてみましょう。

表現の自由（憲法21条）は，個人の自律およびそれに基づく人格的な発展とともに，集団的決定を必要とする民主的政治過程を維持するため必要不可欠だといわれています。ところで近代憲法は，発信者と受信者が相互に入れ替わることのできる平等な関係のコミュニケーションを想定していました。そのため，表現の自由として発信する自由を保障すれば，受信する自由も同時に保障されると考えられました。ところが，マス・メディアが発達した社会になると，社会に向けた発信をマス・メディアが独占し，発信者と受信者の役割が分離，固定化してしまいました。その結果，相互の間に利害対立が生じ，国民の側からみれば，情報を受取る場面は知る権利の問題，情報を発信する場面はメディアへのアクセスの問題となりました。また情報にアクセスする権利は政府

資料5－1　表現の自由とメディアの発達

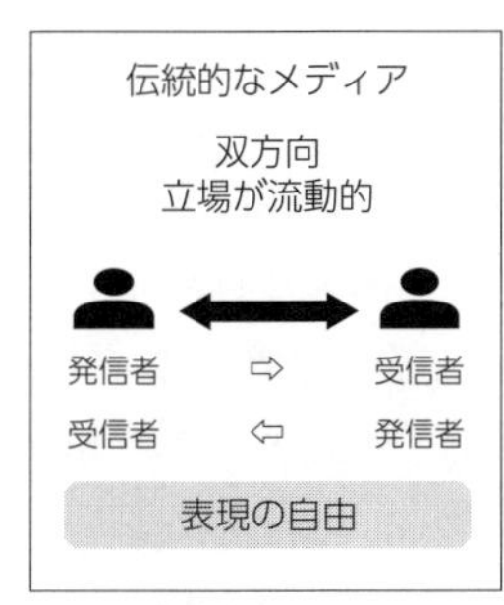

出典：筆者作成

資料５－２　表現の自由の意義（レペタ事件最高裁判決）

憲法21条１項の規定は，表現の自由を保障している。そうして，各人が自由にさまざまな意見，知識，情報に接し，これを摂取する機会をもつことは，その者が個人として自己の思想及び人格を形成，発展させ，社会生活の中にこれを反映させていく上において欠くことのできないものであり，民主主義社会における思想及び情報の自由な伝達，交流の確保という基本的原理を真に実効あるものたらしめるためにも必要であって，このような情報等に接し，これを摂取する自由は，右規定の趣旨，目的から，いわばその派生原理として当然に導かれるところである（最大判1989（平成元）年３月８日）。

に対しても主張され，政府が保有する情報の開示を求める権利（政府情報開示請求権）をも含むと解されています。ただ知る権利は憲法で保障されているとはいえても，基本的には抽象的な権利であるにとどまり，法律による制度化をまって具体的な権利となると考えられています。なお高度情報化社会では，インターネットを始め様々なメディアが存在し（多元性），個人が容易にいつでも，どこでも不特定多数の人々と情報の送受信ができる（偏在性）ようになりました。表現の自由に関するこれまでの理論に加え，新たな理論が必要とされる場面が出てくるかもしれません（資料５－１参照）。

情報等にアクセスする自由は，「個人として自己の思想及び人格を形成，発展させ，社会生活の中にこれを反映させ」るために必要不可欠であるうえ，「民主主義社会における思想及び情報の自由な伝達，交流の確保という基本的原理を真に実効あるものたらしめるためにも必要」です。この自由の側面は憲法21条の「趣旨，目的から，いわばその派生原理として当然に導かれ」（レペタ事件（最大判1989（平成元）年３月８日）：資料５－２参照），今日重要性を増しています。

マス・メディアの自由

モモが記者会見をニュースで知ったように，私たちは自己実現や自己統治に不可欠な情報の多くをマス・メディアから得ています。今日，マス・メディアは，国民に代わって特に自己統治・政治参加に必要な政府の保有する情報を政府に要求し，国民に提供しようとしています。このため，マス・メディアと国民が連帯して国家と向き合う局面では，**報道の自由**が国民の知る権利に奉仕するものとして尊重されるのです。

知る権利と政府保有情報の開示

知る権利は，国民に情報を発信するマス・メディアの自由を導くだけでなく，国民が積極的に政府の保有する情報の開示を求める権利も内容とします。では，キビは，知る権利を根拠に直接国や地方公共団体に情報開示を請求できるでしょうか。しかし，国や地方公共団体がその請求に応じるためには，知る権利を具体化したルールが必要です。そこで，知る権利を具体化し手続きなどを規定する「行政機関の保有する情報の公開に関する法律」（情報公開法，地方公共団体は情報公開条例）が定められました。

したがって，キビは情報公開条例に従って手続きをすれば県の保有している情報を開示してもらえることになります。

国家秘密

では，キビは何でも知りたいことを開示してもらえるでしょうか。国民主権からすると，本来国の保有するすべての情報は国民の財産ともいうべきものです。しかしながら，その中には個人のプライバシー，国の安全上の情報，入札や試験の情報など一定期間国民に公開すべきでない「国家の秘密」も含まれます。国家公務員法は，国家公務員の職務上知ることができた秘密（国家秘密）を守る義務とその違反に対する罰則（守秘義務，100条1項・109条12号），および記者などが国家公務員に職務上知り得た秘密の漏洩を「そそのかし」た場合の罰則を定めています（111条）。とはいっても，行政が単に「秘密」と指定した情報がすべて「国家秘密」になったら困ります。この点，新聞記者が外務省職員に情報を漏洩させた**外務省秘密電文漏洩事件**（最決1978（昭和53）年5月31日）で最高裁は，「国家公務員法109条12号，100条1項にいう秘密とは，非公知の事実であつて，実質的にもそれを秘密として保護するに値すると認められるものをいい，その判定は司法判断に服する」と述べて，行政が秘密と指定した「形式秘」ではなく，「実質秘」を守秘義務の対象としました。

特定秘密保護法

国家秘密の中でも防衛，外交，スパイ，テロリズム対策など国の安全保障のためには諸外国との情報の交換・共有が重要であり，その秘密の保護が特に求められるものがあります。しかし，これまでは守秘義務を中心とした体制しかありませんでした。そこで，これらの特定の秘密をより効果的に保護する体制を確立するため，2013年に特定秘密の保護に関する法律（**特定秘密保護法**）が制定されました。この法律は，大臣などの行政の長が，防衛等の4事項に関する秘密のうち，我が国の安全保障上「特に秘匿することが必要であるもの」を「特定秘密」に指定すると定め（3条1項），特定秘密を取扱う業務の従事者がその業務により知ることができ

資料5－3　特定秘密保護法の適正確保の制度

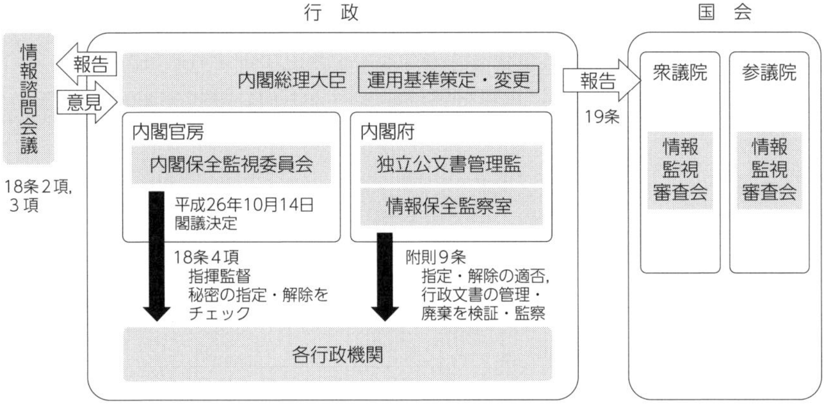

行　政
国　会
情報諮問会議
報告
意見
18条2項,
3項
内閣総理大臣　運用基準策定・変更
内閣官房
内閣保全監視委員会
平成26年10月14日
閣議決定
18条4項
指揮監督
秘密の指定・解除を
チェック
内閣府
独立公文書管理監
情報保全監察室
附則9条
指定・解除の適否,
行政文書の管理・
廃棄を検証・監察
各行政機関
報告
19条
衆議院
情報
監視
審査会
参議院
情報
監視
審査会

出典：筆者作成

た特定秘密を漏らした場合（23条）や，それ以外の者がその漏洩を共謀し，教唆し，または煽動した場合を罰すると定めています（25条）。他方22条で，これらの罰則によって取材活動を不当に制限しないよう，「報道又は取材の自由に十分配慮」する解釈運用が定められています（なお46頁資料4－14も参照してください）。

国民の知る権利の観点からすると，国民が知るべき情報を不当に特定秘密として秘匿させない適正確保の制度が有効に働くかが問題です。秘匿されるべき秘密は，ここでも「実質秘」であるべきです。特定秘密に関しては，それが濫用されないよう，内閣保全監視委員会や独立公文書管理監など行政内部に設置された組織に加え，国会による運用の統制の制度があります（資料5－3参照）。

なお，2024年に「重要経済安保情報の保護及び活用に関する法律」（重要経済安保情報保護法）が制定されました。この法律は，重要経済基盤情報のうち特に秘匿が必要な情報を政府が指定し，適正評価された者が取扱うことができることとし，罰則をもって指定情報の漏洩を防止する内容となっています。特に，この法律には，特定秘密保護法のような適正範囲を確保する制度がないので恣意的な運用によって知る権利等に悪影響が及ぶことが危惧されます。

2　国民とマス・メディアの利害対立

マス・メディアとの関係

国民とマス・メディアとの利害対立の局面をみてみましょう。

正確な報道には取材が必要なので，「報道のための**取材の自由**も，憲法21条の精神に照らし，十分尊重に値いする」といわれます（博多駅事件：最大決1969（昭和44）年11月26日）。では，報道機関が取材した資料を証拠として裁判所に提出させるのはどうでしょうか。最高裁は，公正な刑事裁判実現のための証拠の必要性と報道機関の取材の自由が妨げられる程度および影響の度合いを比較衡量して，公正な裁判の実現のために，「取材の自由がある程度の制約を蒙ることとなつてもやむを得ない」と述べて，取材した資料を裁判所に提出するよう命じました（前掲博多駅事件）。その後，捜査機関によるテレビ局の取材テープの差押えも問題となりましたが，裁判所は博多駅事件を前提にそれを認めました（TBS ビデオテープ差押事件：最決1990（平成２）年７月９日）。さらに，取材源の開示についてはどうでしょうか。もし，報道機関が取材源を公開すると，情報提供者との信頼関係を失ってそれ以降情報提供者に協力してもらえなくなる恐れがあります。しかし，最高裁は，刑事手続きでは業務上の秘密に関する証言拒否権を定める刑事訴訟法149条の類推適用を否定して取材源の開示拒否を認めませんでした（石井記者事件：最大判1952（昭和27）年８月６日）。他方，民事事件では報道機関の取材源を民事訴訟法197条１項３号の「職業の秘密」に当たるとして取材源の証言許否を認めました（NHK 記者事件：最決2006（平成18）年10月３日）。

プライバシー権

では，他人のプライバシーに興味をもっている人たちの知る権利に応えるためなら，マス・メディアは他人のプライバシーさえ報道する自由があるといってもよいでしょうか。この点については，第３部第４章で説明しています。そこで紹介した「宴のあと」事件当時，プライバシーは，そっとしておいてもらう権利として主張されました。しかし，プライバシー権はその後，自己情報コントロール権として主張され始めます。たとえば，大学が警察の要請に応じて参加者の同意を得ずに**江沢民主席講演会参加者名簿の写しを提出**した事件で，最高裁は，名簿の情報を無断で第三者に提供するのはプライバシーの侵害だとしました（最判2003（平成15）年

9月12日）。

高度情報化社会と個人情報保護

情報通信技術の発達に伴って政府も民間企業も個人情報を容易に収集・蓄積・活用することが可能となりました。ところが，断片的に収集された情報でも現代の情報処理技術によれば私生活の全貌の把握が可能なので，知らない間にプライバシーが侵害されたり（監視社会），自己に不利益な情報が流布したりしていないかとの不安が社会の中で高まってきました。

こうした問題意識を背景に，情報公開法の制定（1999年）に対応して，2003年に個人情報の保護に関する法律（**個人情報保護法**），2005年に行政機関の保有する個人情報保護法が制定されました（なお，2023年のデジタル社会形成整備法の施行に伴い廃止，個人情報保護法に統合。所管を個人情報保護委員会に一元化）。これらの法律は，個人情報の保護のための手続等を具体化するものです。その意義について，イラク派遣の反対運動に対する自衛隊による諜報活動に関する事件で裁判所は，「自己の個人情報を正当な目的や必要性によらず収集あるいは保有されないという意味での自己の個人情報をコントロールする権利」（**自己情報コントロール権**）がこの法律によって確立したことを認めました（仙台高判2016（平成28）年2月2日）。この権利の内容はプライバシー権より広く，①無断収集の制限，②目的外収集・利用の禁止，③自己情報の閲覧・訂正・使用停止の請求を認めることなどを含むとされています。ただし，住民基本台帳ネットワークシステムによる個人情報の管理等についていえば，最高裁は，セキュリティ制度によって個人情報が第三者に開示等される具体的危険が認められないとして，プライバシー権の侵害を否定しました（最判2008（平成20）年3月6日）。

アクセス権

もし，モモやキビらの実施したイベントが，マス・メディアから感染拡大防止に協力的でないと批判・攻撃された場合，どのようにすれば世の中の人に自分たちの意見を知ってもらえるでしょうか。X（旧ツイッター）で発信することなどが考えられますが，相当多数のフォロワーを有していない限り，マス・メディアに対抗するのは難しいでしょう。そこで，自分の意見をマス・メディアで報道してもらうことを**アクセス権**として認めるべきだという主張があります。このことが争われたサンケイ新聞意見広告訴訟で最高裁は，自由民主党がサンケイ新聞に掲載した共産党を批判する意見広告に対して共産党が反論文の無料掲載を求めたことについて法律の規定もなく，また憲法21条から直接導くこともできないとして，反論文掲載請求権を認めませんでした（最判1987（昭和62）年4月24日）。

では，法律で反論権を定めることは可能でしょうか。名誉毀損表現に対する場合ならば日本でも認められています（民法723条）。ただし，その表現が公共の利害に関し，「憲法21条1項の趣旨に照らし……特に保護されるべき」ときは，名誉毀損に対する救済は認められません（「北方ジャーナル」事件：最大判1986（昭和61）年6月11日参照）。フランスでは古くから一定の場合に反論の掲載を請求できることを法律で定めています。他方，アメリカ連邦最高裁は，公職候補者への新聞による批判・攻撃に対し候補者に反論を認めるフロリダ州法を違憲としています（マイアミ・ヘラルド出版社事件，1974年）。日本では，放送に関しては放送法で反論権が認められる場合があるとする見解も有力です。しかし，最高裁は，放送法4条1項（現在9条1項）について，放送事業者に対する公法上の義務を課した規定であって，被害者に対して訂正放送等を求める私法上の請求権を付与する趣旨の規定ではないとしています（NHK「生活ほっとモーニング」事件：最判2004（平成16）年11月25日）。

結局，モモたちは，マス・メディアの彼らに対する批判が名誉毀損とならない限り，自分たちの使えるメディアで意見を発して対抗するしかありません。

放送法

ところで，テレビ局が県とグルになって県に有利な情報しか流さず，モモたちに必要な情報を流さないようにすることも報道の自由で許されるでしょうか。

現在，多くの国民がマス・メディアから情報を得ているので，そのようなことが行われると国民の知る権利の相当な部分が実質的に奪われてしまいます。このような場合，国民は国家に要請してマス・メディアを法律で規制すべきでしょうか。

この問題は本来，メディアの多元性を確保し，報道の自由に基づく競争に委ねるべきところです。ところが，印刷メディアには国家の介入が原則的に否定されるのに対し，放送メディアに関しては**放送法**4条1項で，政治的公平性，真実性および問題の多面的な放送が求められています。その理由は，放送メディアに①放送用電波の有限性，②映像の強い衝撃力があるとされ，電波法4条で無線放送局の開設が免許制とされていることから，放送法4条1項は正当だと考えられています。では，この規定を利用して，公正さが疑われる放送メディアに制裁を加えるべきでしょうか。しかしそれをすれば，逆に，政府・与党に不利な情報が政治的公平性に反すると規制されて，この場合もモモたちの知る権利が奪われるおそれがあります。

そこで，最近の技術的発展により電波の有限性は解消されたとして，先の放送法の正当化理由を疑問視する見解が有力になっています。（松井茂記『マス・メディア法入門〔第5版〕』日本評論社，2013年）。なお，最高裁は**NHK受信料訴訟**において，公共放送事業と民間放送事業の二本立ての体制が「国民の知る権利を実質的に充足」すると述べています（最大判2017（平成29）年12月6日参照）。

仮にこうした印刷メディアと報道メディア，さらに公共放送と民間放送という多元的制度の創出によって放送に対するある程度の制約が正当化されるとしても，放送法は倫理的・訓示的規定と解し，報道の編集はそれぞれの機関の自主性に委ねるべきだと思われます。しかし，2010年の放送法改正で，総務大臣への業務停止命令権限の付与（174条）など直接的な規制が定められ，放送の自由が侵害される危険性がさらに高まっていることが懸念されます。

発展学習

● フェイクニュースや偽情報への対策を目的として，一定の場合に，グーグル，アップル，メタ，アマゾンなど情報通信の基盤となる企業に対し，送信防止措置を命じたり違法なコンテンツを削除する義務を課したりすることは憲法上許されるでしょうか。

第6章　営業の自由と消費者の権利

この前，風邪をひいて薬が欲しかったんだけど，高熱で薬局まで行けなくて，ネットで注文しようと思ったんだけど，効果がある薬は買えなかったんだ。

大変だったね。ネットで注文できると便利なのに。私，薬剤師になって人の役にたつ仕事をするのが夢だけど，国家試験があって難しいらしいわ。どうして資格がいるのかしら？

薬は製薬会社が製造しているから，誰が売ってもいいんじゃないかな？　なんで国家資格をもった人しか販売できないんだ？

国家資格それなんだ？　誰でも自由に仕事を選べるって学んだだろう。

薬を間違えて飲むと命にかかわるから…

私たちは，誰でも毎日生活するうえで必要なモノやサービスを購入する消費者です。モノやサービスを提供してくれる人は，事業者，製造業者，生産者（以下，「事業者等」）であり，私的自治の原則のもとで，消費者には事業者等から様々なモノやサービスの提供がされています。事業者等で働いている人は，そこから収入を得て生活の糧にしています。憲法22条１項は職業選択の自由を保障しているからといって，自由にどんな職業にでも就けるのでしょうか。

Point

● 憲法22条１項が保障する職業選択の自由とは，どのような自由を保障しているのでしょうか。

- 営業活動の自由を規制する法律の違憲性は，どのような違憲審査基準を用いて判断しますか。
- 営業の自由と消費者の権利はどのような関係にありますか。

1　営業の自由

職業選択の自由とは

スセリは薬剤師になるのが夢だといっていますが，皆さんは小学生の頃，将来何になりたいか，どのような職業に就きたいか，作文に書いた経験はありませんか。大学を選ぶ時も，将来，どのような職業に就くか考えて選んだのではないでしょうか。皆さん自身がやりたいと考えている仕事を，「この仕事をしなさい，その仕事をしてはいけません」などと一方的にいわれたくはないですね。そこで，日本国憲法は，**職業選択の自由**を憲法22条1項で保障すると謳っています。

職業とは，人が生活を維持していくために必要なお金を得る手段として大切なものですが，それだけではありません。仕事を通して社会に貢献することで生きがいを感じたり，自分自身の人格を形成したりするという自己実現という精神的な側面もあります。最高裁は薬事法距離制限事件（最大判1975（昭和50）年4月30日）で，職業は「各人が自己のもつ個性を全うすべき場として，個人の人格的価値とも不可分の関連を有する」ものでもあると判示しています。

仕事をすることは，生きていくうえでとても大切なことだから，職業選択の自由が保障されているのですね。では，モモがいっていたように，薬をネットで販売するなど仕事の内容（営業）を自由に決めることも職業選択の自由に含まれているのでしょうか。憲法に営業の自由を保障する規定はありませんが，最高裁判所は**小売市場距離制限事件**（最大判1972（昭和47）年11月22日）において，職業選択の自由は「いわゆる営業の自由を保障する趣旨を包含しているものと解すべき」であると示し，**営業の自由**（**職業遂行の自由**）も含まれると判示しました。つまり，職業選択の自由には，営利を目的として行う自主的活動である営業の自由も含まれるということになります。

経済的自由権に対する規制

薬剤師になるためには国家試験に合格する必要があるように，職業選択の自由があるといっても様々な規制があります。国鉄が民営化されて6つのJRになったり，日本電信電話公社が

NTT になったりしたのは，1980年代から始まった規制緩和政策によるものでした。今でも，職業が規制される主な事例として以下のものがあります。

①　反社会的職業の禁止　　「管理売春」などは，著しく反社会性を帯びた職業として売春防止法で禁止されていることを，皆さんよく知っていると思います。この職業選択の自由の制限は，「人の尊厳を保ち，性道徳を維持し，社会を健全ならしめるために必要」（最判1961（昭和36）年７月14日）なこととして自由を制限しても憲法に違反しないといわれています。

②　国の独占事業　　紙幣の印刷や宝くじ販売などは，国の財政収入を確保して国民に均等なサービスを提供することなどを理由として，国が独占してその事業を行います。かつては，電信電話事業，たばこ事業，郵便事業などが国家独占事業とされていましたが，現在は民営化が図られ市場競争が導入されることとなりました。

③　公益事業の特許制　　電気・ガス・鉄道などは，毎日の生活に必要な公益事業であることを理由として，営業の権利を国家に認定してもらうことで初めて事業を行うことができるものです。

④　資格制　　職業を行う者に高度な専門性や公共性が求められるような場合には，特別な資格の取得が求められ，免許制度や資格試験制度が採用されています。たとえば，薬剤師，医師，看護師，弁護士や公認会計士などがあります。

⑤　営業許可制　　薬局，公衆浴場，質屋や旅館などは，自由に任せていると国民の生命・安全などに影響を及ぼす場合があるので，一定の要件を満たした場合に個別に営業を許可する制度です。

⑥　届出制　　理容業やクリーニング業などを行う場合，行政機関に届出が必要な制度です。

規制についての違憲審査

上記の規制は，職業選択の自由を制約しているのですが，憲法22条１項に違反しないのでしょうか。職業選択の自由のような経済的自由を規制するのと，表現の自由のような精神的自由を規制するのとでは規制の程度は異なると考えられています。

営業許可規制によって，自分が希望する場所で営業ができないことは，職業選択の自由を制限しており違憲であると訴えた小売市場距離制限事件があります。この事件では，小売商が過当競争によって互いに倒産しないように，新たに営業をはじめる場合は，既存の店舗から一定の距離がないと営業許可を出さないという距離の制限を設けていることの合憲性が争われました。最高裁は，個人の精神的自由等に関する規制と異なることを強調しつつ，「国家は，積極的に国民経済の健全な発達と国民生活の安定を期し，もって社会経済全体の均衡の取れた調和的発展を図るために，立法により，個人の経済活動に対し，一定の規制措置を講ずることも，それが右目的達成のために必要かつ合理的な範囲にとどまる限り，許される」として合憲であると示しました。これは，経済的自由に対する規制の合憲性は，精神的自由を規制する場合と比べて，より緩やかな基準で審査されるという考え方（**二重の基準**）を採用したと理解されています。

では，経済的自由に対する規制の審査基準は，同じでよいのでしょうか。市場における弱者を保護するための規制のような，社会・経済政策上の「**積極目的規制**」である小売市場距離制限事件（前掲）で最高裁は，一定の規制措置をする場合，その具体的措置が「著しく不合理であることの明白である場合に限って」違憲となすべきとしました。つまり規制の目的が積極的目的の場合は，規制の手段が著しく不合理であることが明白である場合に限って違憲とする**明白性の原則**を採用しました。

同様に距離制限が問題となった薬事法距離制限事件（前掲）で最高裁は，まず一般的に許可制は，「狭義における職業の選択の自由そのものに制約を課すもので，職業の自由に対する強力な制限」であるとの認識を示しました。その上で，「経営の保護というような社会政策的ないし経済政策的目的」ではなく（つまり積極目的ではなく），「主として国民の生命及び健康に対する危険の防止という消極的，警察的目的」の場合には，合憲というためには「原則として，重要な公共の利益のために必要かつ合理的な措置であること」が求められるとしました。その点で，許可条件としての距離制限は，「必要かつ合理的な規制」とはいえず違憲であると判示しました。

このように，最高裁は，職業選択の自由の規制についての審査基準として，規制の目的が積極目的規制の場合には，著しく不合理であることが明白である場合に限って違憲となる明白性の原則を採用し，**消極目的規制**の場合は，積極目的規制の場合よりも厳格に，規制の目的が重要なものであり，手段が立法目的との関連で「より制限的でないもの」であることを要求する**中間審査基準**

(126頁資料4－1参照）を採用しています。このような，職業選択の自由に対する規制の合憲性についての判断基準を**規制目的二分論**といいます。

最高裁が採用してきたこのような規制目的二分論について，最近学説からは，①経済規制を二分することが可能か，②積極目的の審査の厳格度を緩和する理由が明確でない，③消極目的の場合の方が，自己の自由が制限されることに納得しやすいことが多いので，積極目的の場合こそ厳格に審査して欲しいといった異論が呈されています。こうして最近の学説では，積極目的の場合に，すべての利害関係者が平等に立法過程における競争に参加しているか疑問があり，消費者の利益などは立法過程において十分に考慮されないことが多いので，裁判所は規制が消費者の利益を不当に害することがないか厳格に審査すべきであるとの見解，さらに，「消極・積極という区別が規制を受ける人権の性格の違いに基づく区別ではなく，規制する側の理由（悪くすれば，都合）に基づく区別であり，しかも，具体的な立法目的の緊要度とは関係のない区別」（高橋和之『立憲主義と日本国憲法〔第5版〕』有斐閣，2020年，283頁）であるので，積極目的だからとして一律に審査の厳格度を緩和するのではなく，中間審査基準を出発点として，具体的事例における積極目的の内容に応じて厳格度を緩和するべきであるとの見解が有力に主張されています。

2　消費者の権利と営業の自由

消費者と営業の自由

モモやスセリがいっているように，薬を販売する人の自由を規制することは，薬を利用する消費者の自由も規制することとなります。営業の自由と深く関係する消費者の権利が憲法上どのように考えられるか検討してみましょう。

事業者からモノやサービスを購入する人である**消費者**は，**私的自治**のもとで**契約自由の原則**に基づいて自由に商品やサービスを買うことができることが大切です。事業者がネットで薬を販売すれば，消費者はいつでも欲しい時に必要な薬を購入でき便利ですが，なぜ薬をネットで売る自由を規制するのでしょうか。

薬は，人の生命や健康に直接作用するので，誰でも自由に販売するということはとても危険なことです。消費者は，自分が服用する薬が①安全で，②どのような効果や副作用があるか知ったうえで，③自分の体調に応じて選ぶことが

資料6－1　医薬品の分類と販売方法

<table>
<tr><td colspan="2">医療用医薬品</td><td>医師の処方箋により薬剤師が調剤</td><td>・対面販売</td><td>薬剤師</td></tr>
<tr><td rowspan="4">一般医薬品</td><td>要指導医薬品</td><td>医療用医薬品から移行して使用実績が少なくリスクが確定していない「スイッチ直後品目」と「劇薬」</td><td>・対面販売</td><td>薬剤師</td></tr>
<tr><td>第1類医薬品</td><td>副作用等により日常生活に支障をきたす程度の健康被害を生ずるおそれがある医薬品であり，その使用に関し特に注意が必要なもの</td><td rowspan="3">・対面販売
・ネット販売可</td><td>薬剤師</td></tr>
<tr><td>第2類医薬品</td><td>副作用等により日常生活に支障をきたす程度の健康被害が生ずるおそれがある医薬品</td><td rowspan="2">薬剤師・登録販売者</td></tr>
<tr><td>第3類医薬品</td><td>第1類，第2類以外のもの</td></tr>
</table>

出典：厚生労働省ウェブサイトより筆者作成

できて，④薬を飲んで体調に異変が起きたなら申し出ることができ，⑤副作用によって障害がおきたなら補償されなければなりません。しかし，消費者と事業者の間には薬についての情報の質や量，交渉力に格差があります。そこで，消費者は，国家に対して，薬の製造者や販売者に対する規制を求めます。薬の規制については，日本国憲法25条で生存権が保障され，国の社会的使命が明示されたことを受け，1948年旧薬事法が制定されました。その後，1960年健康保険制度発足に伴う改正など薬事法関連の規制改革が行われ，2006年新薬事法施行に伴い薬事法施行規則が改正（2009年）されました。この改正により，第3類医薬品に限り郵便等による販売ができるようになり，第1類医薬品および第2類医薬品は店舗で薬剤師等の専門家との対面でなければならない規定が設けられました。この施行規則について医薬品のネット販売業者が，この規定は広範に過ぎ，薬事法の委任の範囲外で違法であると争った事案があります。最高裁は，郵便等による販売の規制は「郵便等販売をその事業の柱としてきた者の職業活動の自由を相当程度制約するものであることが明らかである」（最判2013（平成25）年1月11日）として薬事法施行規則の規定を無効と判示しました。この判決後，2014（平成26）年6月12日薬事法が改正されて（改正後の名称：医薬品，医療機器等の品質，有効性及び安全性の確保等に関する法律），医薬品販売について，原則要指導医薬品以外はネット販売が可能となりました。

消費者の権利を保障する法律

消費者としての利益を具体的に**消費者の権利**として提示したのが，アメリカのケネディ大統領でした。ジョン・F・ケネディ（1917-1963年）大統領は，1962年「消費者の利益の保護に関する連邦議会への特別教書」において，①安全である権利，②知らされる権利，③選ぶ権利，④意見が反映される権利の4つを消費者の権利として掲げ，後に，ジェラルド・R・フォード（1913-2006年）大統領により消費者教育を受ける権利が追加されました。国家はこれらの権利を保護するために法律で事業者等の営業活動を規制することになりますが，事業者にも営業の自由が保障されているので，この2つのバランスをどのように図っていくかが問題となります。

日本では，1968年国民の消費生活の安定および向上を確保することを目的とした消費者保護基本法が制定されました。同法は，消費者を保護の客体として捉え，様々な規制によって営業活動を制約しました。1980年代に入ると規制緩和，自己責任という主張が強くなり，消費者は商品やサービスを選択する機会が広がった反面，選択した商品等に責任をもつという自己責任が強調され，事前規制から事後救済制度の法整備が求められました。

1994年7月に制定された製造物責任法は，過失責任から無過失責任へと商品の安全についての責任を製造者側に転換するものでした。同法制定に大きな影響を与えたのがカラーテレビの発火事件（大阪地判1994（平成6）年3月29日）で，消費者の責任に帰しえない被害の発生でした。この法律により，消費者（被害を受けた人）は販売者ばかりでなく生産者に対しても裁判を提起することが容易になり，消費者は，裁判において生産者等と対等な権利の主体として位置づけられました。2000年代に入り，消費者の自律を支援する社会の変化に呼応して，行政のパラダイム（価値規範）転換が起こりました。つまり，事業者の保護育成と消費者保護を目的とした行政から，消費者の権利を保護し，権利の実現を支援する「保護から自立へ」の消費者行政へと転換が図られました。消費者保護基本法は「保護」の文字が消えた**消費者基本法**に改正（2004年）され，消費者と事業者の間に格差があることを明記した上で，消費者の権利の尊重と自立の支援を謳い，その政策を運用する主体として2009年9月には**消費者庁**・消費者委員会が創設されました。

憲法と消費者の権利

消費者基本法2条で示された基本理念は，消費者政策の方向性を示すもので，消費者に個別具体的な権利を与えたものではありませんが，消費者の①安全の確保，②選択の機会の確保，③必要な情報の提供，④教育の機会の確保，⑤意見の反映，⑥消費者被害の救済という6つの消費者の権利として掲げられました。これらは憲法上どのように位置づけることができるか検討しましょう。

①安全の確保，②選択の機会の確保，③必要な情報の提供は，国家に積極的な保護政策を請求する権利です。これらの権利は，憲法25条の生存権として保障される権利として考えられます。さらに，消費者が自由に商品を選択できるように支援することは，消費者が自らの生活の在り方を決定する権利に基づくものでもあり，憲法13条の自己決定権を保障するものといえます。④すべての消費者が発達段階に応じた**消費者教育**を受ける機会が確保されることは，憲法26条で保障された権利といえます。さらに，2012年に制定された消費者教育の推進に関する法律は，消費者教育とは，「消費者が主体的に消費者市民社会の形成に参画することの重要性について理解及び関心を深めるための教育」と定義しており，「人格の完成を目指し，平和で民主的な国家及び社会の形成者」を定める教育基本法１条を消費者という側面に応用したものといえ，⑤消費者の意見の反映と相まって，主権者としての地位を定める憲法１条，自律した存在を保障する憲法13条に由来するものとなっています。⑥消費者被害の救済権利とは，被害に遭ったときには早急に救済されることを求める権利で，そのために裁判外紛争解決手続きの利用促進に関する法律（ADR 法）等，消費者被害の救済制度が構築されました。この権利は，憲法31条の適正手続きの保障から導き出される権利といえましょう。

消費者は，営業の自由が保障されている事業者等から，商品やサービスを購入しなければ生きていけない存在であるがゆえ，消費者の権利は，憲法13条に基づく消費者の人権として保障されることが必要だと思われます。

発展学習

- 職業を規制することの合憲性について，どのような規制が合憲と考えられるか，規制の目的と手段について整理してみましょう。
- 消費者の権利を守る行政の仕組みについて調べてみましょう。

第７章　働く人の権利

OKYA ～マートでバイトしてるけれど，仕事がきついのに時給がよそより安いんだ。

「時給上げてよ。」って，はっきりいえばいいじゃん。

そんなの無理だよ。オレ一人で店長にそんな話したって，いうこと聞いてくれないよ。

それなら，バイトのみんなが団結して店長と交渉するしかないんじゃない。それができないのなら，そんな店なんかさっさと辞めて，よそでバイトしたらどう？

実はもう「辞めたい。」といったんだ。そうしたら，店長が「すぐには辞められないことになっている。」っていうんだよ。

学生のアルバイトも正社員と同じように交渉や辞める自由があるの？

今，過労死や非正規雇用の問題，さらに労働力不足への対応のため，「働き方改革」が進められています。この問題の根本原因の１つとして，労働者と使用者との間に実質的な力の格差が存在していることが挙げられます。憲法は，労働者の自立的な生活を保障するため，最低限の労働条件を法律で定める方法と労働者に団結することを保障して労働者と使用者が自主的に解決する方法を定めました。それらがどのような役割を果たしているかみていきましょう。

Point

- 勤労の権利や労働基本権は，何を保障するものなのでしょうか。
- 働き方改革は何を目指しているのでしょうか。
- 女性や非正規労働者は，どのような問題を抱えているでしょうか。

1　労働者と企業

職業選択の自由と社会権

どんな仕事に就くかについて，日本国憲法は22条1項で「何人も，公共の福祉に反しないかぎり，……職業選択の自由を有する」と定めています。最高裁は，職業の意義を「各人が自己のもつ個性を全うすべき場として個人の人格的価値とも不可分の関連を有する」と述べています（薬事法距離制限事件：最大判1975（昭和50）年4月30日，第6章第1節参照）。

自分の生活の糧は自分が働いて確保するという自立が社会の基本原則です。そのため，勤労の権利（27条1項）が保障されています。しかし，かつて私的自治の下で形式的な平等を貫いて契約当事者に労働条件の決定を委ねた結果，使用者より立場の弱い労働者は劣悪な労働条件で働くか失業しか選べず，大勢の人が生活に困りました。それに対する多くの労働者の戦いの結果（17頁参照），国家が後見的に介入して個人の自立を保障する生活の確保に配慮するべきであるという考え方（**積極国家**）が支配的となりました。この考え方から日本国憲法は，契約自由の原則を制限し労働条件に関する基準を法律で定めることとしました（労働条件法定主義，27条2項）。さらに，労働基本権（28条）を保障し，市場経済の中で労働者と使用者とができる限り対等な地位となるよう私的自治のルールを修正しました

勤労の権利

失業した場合，勤労の権利は，どのように守られるでしょうか。**勤労の権利**（憲法27条）は，職業選択の自由（憲法22条）と別に定められていることを考えると，国家から干渉されずに働くことができる自由権的側面だけでなく，むしろ一種の社会権として，国に①勤労の機会を提供する政策を推進するとともに，②失業した者に対して生活の配慮をする責務を負わせたものと解されます。①のために職業安定法，雇用対策法などが制定され，②のために雇用保険法などが制定されています。これらの法律による職業紹介や職業訓練などの求職活動の支援や，失業等給付が受

けられます。さらに，失業対策として暫定的な労働の場を提供してくれることもあります。なお学生バイトのキビは，これらの法律の所定の資格を通常満たさないので，受給できないでしょう。

辞職の自由と解雇の自由

キビは，自由にアルバイトを辞めることができるでしょうか。労働者は，いつでも労働契約の解約の申入れをすることができます（辞職の自由）。それは，意に沿わない労働に労働者をいつまでも縛り付けるのは労働者の尊厳を損ねるからです（憲法18条・22条，労働基準法（以下，「労基法」）５条）。ただし，所定の時期までに解約の申入れをする必要があります（民法626条～628条）。他方で，使用者にも経済活動の自由（憲法22条・29条）の一環として「解雇の自由」が認められます。しかし，使用者の都合だけで解雇されると，労働者は大きな影響を被ります。この点，裁判所は，ユニオンショップ協定（使用者が労働組合に加入しない，またはしていない労働者を解雇する義務を負う労働協約）を締結している会社が労働組合の除名に基づいて行った解雇で，その除名が無効なとき，「客観的に合理的な理由」を欠くので解雇権の濫用として無効であると判示しました（日本食塩製造事件：最判1975（昭和50）年４月25日）。現在，この解雇権の濫用の法理は労働契約法16条に「解雇は，客観的に合理的な理由を欠き，社会通念上相当であると認められない場合は，その権利を濫用したものとして，無効とする」と明文化されています。

結局，店長が「すぐには辞められないことになっている。」といっているのは，キビの解約の申入れから所定の期間が経過しないと雇用契約が終了しない（民法627条）からでしょう。さらにその期間経過後も OKYA ～マートが雇用契約の継続を強要すると，それが無効であるうえ罰則を科される恐れがあります（労基法５条・117条）。

採用の自由と制限

そもそもキビの賃金に対する不満は，採用時に賃金と業務内容を本人に十分知らせていなかったことが原因だと思われます。労働契約を結ぶ際，使用者には契約の自由が保障されるので採用の自由があります。他方，国は労働者を保護するため，労働者に対して労働条件を明示し（職業安定法５条の３），業務内容を平易な言葉で的確に示すことを使用者や求人メディア等に義務付け（職業安定法42条・５条の４），また，性別を選択基準とすることを禁止（雇用の分野における男女の均等な機会及び待遇の確保等に関する法律（以下,「男女雇用機会均等法」）5条）して，採用の自由を制限しています。ところで，思想・信条を選択基準とすることはどうでしょうか。労働者が採用時に思想・信条を隠していたことを理由に本採用を拒否したことの有効性が争われた**三菱樹脂事件**で最高裁は，労基法3条の信条による差別的取扱いの制限は採用時には適用されず，私的自治の問題としました。そのうえで，社会的許容性の限度を超える侵害があったかどうかを調べるよう差し戻しました（最大判1973（昭和48）年12月12日，第1部第1章「憲法の私人間効力」参照）。現在では，職業安定法5条の5により社会的差別の原因となるおそれのある個人情報の収集は原則として禁止されており，そのうえで，労働者の適正と能力のみによる合理的な基準に基づく公正な採用選考が求められています（平成11年労働省告示141号）。

ところで，特定の政治的または宗教的主義主張等と不可分に結びついた事業経営を行ういわゆる**傾向企業**（傾向事業）の場合，使用者はその思想（傾向）に反する労働者を解雇できないのか問題となります。大阪地裁は日中旅行社事件で,「その事業が特定のイデオロギーと本質的に不可分であり，その承認，支持を存立の条件とし，しかも労働者に対してそのイデオロギーの承認，支持を求めることが事業の本質からみて客観的に妥当である場合に限つて」解雇が認められるとしました。ただし，憲法14条，労基法3条の例外であることから，個別の雇用契約だけでなく労働協約か少なくとも就業規則中の労働条件を定めた部分にその資格要件を明記しなければならないと限定しました（大阪地判1969（昭和44）年12月26日）。

労働条件法定主義

キビがいう「きつい仕事」や「時給が安い」ことに問題はないでしょうか。使用者が立場の弱い労働者に劣悪な労働条件を押しつけないよう，労基法や最低賃金法が定められています。これを労働条件法定主義（27条2項）といいます。たとえ当事者が合意しても，法律の基準に反する契約は許されません。もし，キビの時給が最低賃金より安い場合はその部分が無効となります（最低賃金法4条2項）。

賃金格差

近年の経済改革や1999年，2003年の労働者派遣法改正による労働者派遣対象事業の拡大を機に，事業者が景気調整や人件費削減のために正規労働者を減らし，非正規労働者（期限付き，パートタイム，派遣労働のいずれかの要素を1つ以上含む労働契約を締結している労働者）を増加させました。このような背景から非正規労働者と正規労働者の間の労働条件（特に賃金）に著しい格差があり社会問題となっています。同一労働・同一賃金の原則の観点から，非正規労働者と正規労働者の間の賃金の格差がこの原則に反しないか問題となります。

現在，労働者がそれぞれの事情に応じた多様な働き方を選択できるよう**働き方改革**が進められています。それは労働時間法制の見直し（働きすぎを防ぐことで，労働者の健康を守り，多様な「ワーク・ライフ・バランス」の実現を目指すこと，詳細は次項「労働時間」参照）と雇用形態に関わらない公正な待遇の保障（同一企業内における正規労働者と非正規労働者の間にある不合理な待遇の差をなくし，どのような雇用形態を選択しても「納得」できるようにすること）を柱としています。その一環で，2018年に短時間労働者の雇用管理の改善等に関する法律（パートタイム労働法）が，短時間労働者及び有期雇用労働者の雇用管理の改善等に関する法律（パートタイム・有期雇用労働法）に改正・改称されました。同法は，基本給，賞与その他の待遇のそれぞれについて，短時間・有期雇用労働者と通常の労働者との間において，待遇の性質および目的に照らして職務の内容，配置変更の範囲などの適切と認められる事情を考慮しても，なお不合理と認められるものを禁止しています（8条）。格差が「不合理」と判断された場合，その「不合理」とされた労働契約の部分が無効となり，不法行為責任が生じます。

そうすると，キビは，アルバイトという契約形態が違うだけで実質的に正規社員と同じ仕事をしているにもかかわらず，適切と認められる事情を考慮してもなお待遇に「不合理」な格差があるのであれば，労働契約のその部分が無効となりOKYA～マートに損害賠償を請求できる可能性があります。

労働時間

キビが「仕事がきつい」というのは長時間労働の側面もあるでしょう。労働時間は，原則1日8時間，1週間につき40時間と上限が定められています（法定労働時間，労基法32条）。使用者が労働者を法定労働時間を超えて労働させたり休日労働させたりするには，通常の賃金にプラスして割増賃金を払わなくてはなりません（労基法37条）。これを支払わないで残業させること，または残業をしても使用者に申告しないことをいわゆるサービス残業といいます。使用者が故意に同条に違反する行為を行った場合には，懲役刑，罰金刑が課されます（労基法119条1号）。さらにまた，残業させるには，事業場ごとに労働者の過半数で組織される労働組合または労働者の過半数の代表と書面による労働時間の延長または休日労働に関する労使協定（三六協定）を締結し，行政官庁に届出なければなりません（労基法36条）。しかし，かつて三六協定で定めた上限には強制力がありませんでした。そのため，近年，恒常的な長時間労働や強い心理的負荷による過労死や過労自殺の増加が問題となっています（厚生労働省『令和４年版過労死等防止白書』）。そこで，働き方改革の労働時間法制の見直しの一環として，時間外労働の上限を原則として１月に45時間，年間360時間を上限とし，特別協定を設ける場合には１月に100時間未満，年間720時間以内などと定められました（労基法36条４項から６項，2018年改正）。そして，たとえ協定に従った時間外または休日労働であっても，１月に100時間を超える場合など，法定の条件に違反した場合には罰則を科すという改正が行われました（労基法119条１号）。

2　労働組合と労働者

労働基本権

法定された労働条件は最低基準ですので，それ以上の条件を求める場合，私的自治の原則の下で労働者と使用者の間で決定することになります。この場合，労働者が自らの利益を守るには，スセリのいうように団結して労働条件の基準を申し合わせ，使用者に対しそれを要求することが考えられます。かつて，このような行為は，使用者の契約の自由や営業の自由の侵害になるとして法的責任が問われました（第１部第２章参照）。これでは労働者が使用者と対等の立場で交渉ができないので，日本国憲法は28条で**労働基本権**（団結権，団体交渉権，争議権）を定めました。これにより，労働組合の団体交渉その他の行為であって，労働組合を組織し労働者の地位の向上や労働条件を交渉する目的で行った行為は，憲法上の権利に基づく正当な行為として罪を問われず（労働組合法１条２項，以下，「労組法」），生じた損害の賠償も請求されないことになりました（労組法８条）。

では，労働基本権の内容を順にみてみましょう。まず，**団結権**とは，労働者が労働条件の維持・改善のために使用者と対等の立場で交渉できるよう，労働組合を結成する権利です。労働組合の活動は自主的なものでなければならず，国家や使用者の介入が禁止されます。使用者は，労働者が労働組合を結成したことを理由に不利益な扱いをすることも禁止されます（**不当労働行為**，労組法７条・27条）。次に，**団体交渉権**とは，個々の労働者に代わって労働組合が使用者と労働条件を交渉する権利です。使用者は労働組合の交渉を拒むことはできません（労組法７条２号）。労働組合と使用者との合意は労働協約と呼ばれ，個々の労働契約のそれに反する部分は無効となります（労組法16条）。最後に，**争議権**は，憲法28条の「その他の団体行動をする権利」で保障され，組合員に有利な条件を引出すために組合側が闘争する権利です。その主な方法は，主張を貫徹するために団結して就労を拒否するストライキ（同盟罷業）をしたり，作業を継続しながらも作業を量的質的に低下させる怠業をしたりすることなどです。争議行為や組合活動が刑事・民事責任を免責されたり，不利益扱いから法的に保護されたりするためには，その目的・手段が「正当なもの」でなければなりません（労組法１条２項・８条）。目的の点では，団体交渉事項ではない「政治目的」（政治スト）が問題となります。最高裁は，「政治的目的のために行なわれたような場合……憲法28条に保障された争議行為としての正当性の限界をこえる」（全逓東京中郵事件：最大判1966（昭和41）年10月26日）とこれを否定しました。しかし，労働条件の改善に法改正が必要となることもあるので，すべての政治ストを不正とはいいきれないという学説の批判があります。また，方法の点では，労務の完全または不完全な提供の停止という消極的態様に留まる限り原則として正当性が認められますが，機械・製品の破壊など積極的手段を用いることや暴力の行使は法秩序の基本原則に反し正当性が認められません（労組法１条２項）。

バイトであってもキビも労働者である以上，雇用形態に関わりなく労働組合を組織しまたは既存の組合に加入して，団体交渉や団体行動を行うことが認められます。

女性労働問題

女性労働者は，憲法14条１項によって法の下の平等が保障された後も，賃金を除き（労基法４条参照）依然として差別的な待遇を受けてきました。かつては，女性社員が結婚すると退職しなければならないという結婚退職制や，男性社員より女性社員の定年年齢を低く定める若年退職制がありました。日産自動車事件で最高裁は，「専ら女子であることのみを理由として差別した」ことを認定し，労働者と会社との私人間の問題なので憲法14条１項を直接適用せずに，「民法90条の規定により無効」と判決しました（最判1981（昭和56）年３月24日）。その後，1985年の女性差別撤廃条約の批准に伴う男女雇用機会均等法の制定によって，募集，採用，配置，

資料7－1　女性労働者，非正規労働者，男女別非正規労働者割合

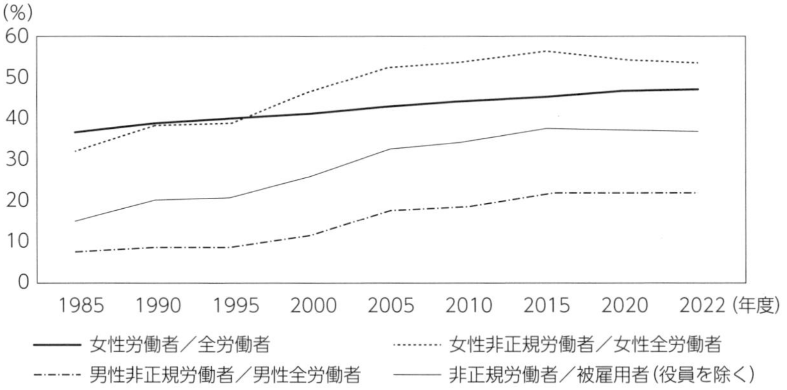

(%)
60 50 40 30 20 10 0
1985 1990 1995 2000 2005 2010 2015 2020 2022 (年度)

—— 女性労働者／全労働者
……… 女性非正規労働者／女性全労働者
-・-・- 男性非正規労働者／男性全労働者
—— 非正規労働者／被雇用者(役員を除く)

※非正規労働者：「パート・アルバイト」「派遣社員」「契約社員・嘱託」のいずれかの契約内容を含む契約内容を含む被雇用者。

出典：総務省労働力調査（詳細集計）の長期時系列データを使用して筆者が作成。なお，2001年以前とそれ以降とで調査方法が異なることに注意。

昇進について差別が禁止されました。しかし，多くの企業が概ね性別で総合職と一般職に振り分ける管理の仕方（コース別雇用管理制度）を導入した結果，昇進・昇格に間接的な差別が残りました。そこで，2006年に労働者の募集，採用，昇進，職種の変更などをする際に，「合理的な理由」なく厚生労働省が定める間接差別となるおそれのある措置（労働者の身長，体重または体力を要件とすることなど）を講じることを禁止する改正が行われました（男女雇用機会均等法7条)。ただ，これで男女差別がなくなったかというと，妊娠出産を諦めた女性を男性と同等に扱いましょうといっているだけで根本的解決にならないという批判があります。さらに，最近，妊娠・出産・育児休業等を理由とした不利益な取扱い（マタニティ・ハラスメント）が社会問題となっています。女性労働者が妊娠，出産，産前産後の休業を取得したことなどで解雇などの不利益な取扱いをすることは禁止されています（男女雇用機会均等法9条3項，育児休業，介護休業等育児又は家族介護を行う労働者の福祉に関する法律（育児・介護休業法）10条)。

期限付き雇用と雇い止め

総務省の労働力調査（基本集計2022年度平均結果）によれば，全労働者の37.0%（5,709万人中2,111万人）が**非正規労働者**です（資料7－1参照)。非正規雇用に含まれる**期限付き雇用**は，本来建設工事など一定の期限がある業務のための雇用形態です。正規労働者は「客観的に合理的な理由」がなければ解雇できません（労働契約法16条）が，期限付き雇用は「契約期間の満了」により雇用が終了します。そこで，使用者は，景気調整や経費節減のために，容易に雇用を終了できる期限付きで必要人数の一定割合を雇用しているのです。期限のない業務に期限付きで雇用した場合，通常，契約の更新が繰り返されます。ところが，契約更新を重ねて期間の定めのない契約と同様の状態となっているにもかかわらず，「契約期間の満了」を理由に契約を終了する実質的な解雇（雇止め）が，解雇権の濫用ではないとされ問題になりました（東芝柳町工場事件：最判1974（昭和49）年７月22日，日立メディコ事件：最判1986（昭和61）年12月４日）。この問題の解消のため，労働契約法が2012年に改正され，期限付き雇用が同じ職場で更新されて通算５年を超えたとき，労働者の申込みで期間の定めのない雇用に転換されることになりました（無期転換ルールまたは５年転換ルール，18条）。しかし，このルールの適用を回避するためにより早期に雇止めが行われ，同一雇用主との契約期間が以前より短くなるという弊害が生じています。

フリーランスの労働問題　雇用関係によらない働き方は，かつて俳優や楽団員について問題が取り上げられてきました。故ジャニー喜多川氏によるタレントらへの性加害事件は，雇用関係がないため労働契約法制による保護が与えられないことが被害の拡大を防止できなかった原因の一つといえます。近年，多様な働き方の一つとしてフリーランス・個人事業主に注目が集まっています。これに関して，2023年に特定受託事業者に係る取引の適正化等に関する法律（フリーランス新法）が制定され，契約内容の書面公布など下請法同様の規制やハラスメント防止措置義務など労働者類似の保護が与えられることになりました。

発展学習

- 会社が就業規則で副業，懸賞論文への投稿および講演を事前の許可制とすることに法的問題はないでしょうか。
- 新型コロナウイルスにより業績が悪化したため賃金の減額が行われた際，正規社員と契約社員は同率で減額したが，パート社員は勤務実績としたため無給あるいは無給に近い場合，合理的な取扱いといえるか考えてみましょう。

第8章　困らないための権利，差別されている人たちへの配慮

就職したら労働者の権利が保障されるのは分かったけれど，失業したとき，病気になったとき，定年後どうなるのか，不安だなぁ。

年金があるよ。20歳になったら国民年金の保険料を納めるか，猶予してもらう手続きをしなくちゃいけないんだよ。

年金額なんかが見直しされているでしょ。保険料を納めても将来十分な年金をもらえるかどうか心配だわ。

年金で生活できなければ憲法25条違反で裁判所に訴えられるかな？

自分の将来の年金も心配だけど，今現在，世の中の困っている人たちに国が何とかしてあげられないのかを考えるのも大切だよね。

同和問題のようにその人たちを優遇したら，平等に反することになるのかな？

憲法25条の定める「社会福祉，社会保障及び公衆衛生の向上及び増進」を具体化するためにどのような法整備が行われているかをみてみましょう。それらの法律が不十分だった場合，裁判所はそれを違憲審査できるのでしょうか。また，日本において，差別などでどのような人々が困っているかをみてみましょう。それらの困っている人々に，積極的格差是正措置（アファーマティブ・アクション）を求める憲法上の権利があるか考えてみましょう。

Point

- 憲法25条は，同じ社会権でも労働基本権と比べて何が違うのでしょうか。
- 憲法25条2項が保障する社会保障制度の目的や機能はどのようなものでしょうか。
- 差別的取扱いを受けた少数者集団に対して積極的に格差是正措置をとることは，法の下の平等に反するでしょうか。

1　困らないための権利

憲法25条の意義

労働基本権のところでのべたように（第3部第7章参照），国は，経済活動の自由を中心としつつ，経済的弱者である労働者が強者である使用者と可能な限り対等な地位に立てるよう私的自治のルールを修正して，勤労の権利（憲法27条）と労働基本権（憲法28条）とを保障しました。ところが，私的自治のルールを修正しても，病気などで失業してしまえば生活に困窮します。そこで，そのような場合に自立した生活の再構築を国が支援できるよう私的自治のルールの修正を補完するものとして**生存権**（憲法25条）が定められました。

社会保障制度

25条は，2項で社会保障制度について定めています。社会保障制度の目的や機能はどのようなものでしょうか。社会保障の目的は，キビがいうように病気やけが，失業などで生活の安定が損なわれた場合に，法律に基づく公的な仕組みによって国民が健やかで安心できる生活を保障することです。資料8-1を見てください。日本の社会保障制度は社会保険，社会福祉，公的扶助，公衆衛生の4つの柱からなっています。社会保険は，国民全員を被保険者として（国民皆保険・皆年金）病気，けが，出産，死亡，失業になった場合に給付を行います。社会福祉制度は，高齢，障がい，児童などのハンディキャップの克服のための支援を行います。公的扶助とは，困窮に陥った者に対する統一的な扶助制度で生活保護法によって定められています。公衆衛生は，国民が健康に生活できるよう様々な予防・衛生の取り組みを行います。このように法律に基づく公的制度によって，すべての国民が文化的社会生活を営むことができるようにしています。しかし，実際食べることすら困っても生活保護を申請しない人が大勢います。保護の申請権は法律で認められた権利なので，福祉事務所などに相談しましょう。

資料８－１　日本の社会保障制度

	制度の趣旨	主な制度	財　源
社会保険	人生の様々なリスクに備えて人々が予め保険料を出し合い，実際にリスクに遭遇した人に，必要なお金やサービスを支給する	医療保険 年金保険 労働保険（雇用保険・労災保険） 介護保険	保険料（加入者や事業主） 公費（税金） 一部負担金（利用者）
社会福祉	子どもへの保育や，障がい者等への福祉サービスなどを社会的に提供することにより，生活の安定や自己実現を支援する	保育・児童福祉 障害者福祉 高齢者福祉	公費（税金） 応能負担（利用者）
公的扶助	利用できる資産，能力その他あらゆるものを活用しても，なお生活に困窮する方に対し，必要な保護を行うとともに，自立を助長する	生活保護制度 　医療扶助 　生活扶助など	公費（税金）
公衆衛生	国民が健康的な生活を送れるようにするため，保健事業を行う	感染症対策などの保健指導 生活衛生関係営業施設の衛生管理指導 大気汚染・水質汚濁対策など	公費（税金）

出典：厚生労働省『平成24年版厚生労働白書』から筆者が作成

社会保障の機能には，主に①生活の安定を図り，安心をもたらす生活安定・向上機能，②高所得者から徴収した税金を低所得者へ生活保護制度で再分配して，社会全体で低所得者の生活を支える所得再分配機能，③雇用保険制度で失業者の家計を下支えし，さらに個人消費の減少による景気の落ち込みを抑制して，経済変動の国民生活への影響を緩和し，経済成長を支えるという経済安定機能があります。

この社会保障制度は，「自立した個人」を「連帯」して支えるという社会連帯の理念（「共生」）によると考えられました。しかし「自立した個人」を強調しすぎると，社会連帯の名の下に安易に個人に犠牲を強いる危険があります。したがって社会保障制度について，生存権を保障し自律的生を追求する人格的利益のために必要な条件整備と捉え直すべきでしょう。国民は一定の限度で財政負担をしなければなりませんが，メンバー間の不公平を緩和したり，どこまで社会が生活リスクの負担を分担したりするのかについて自由な議論を行い連帯のルールを設定することが必要です。日本の社会保障制度は，このようにして自助・共助・公助のバランスを考慮しつつ設定されたルールで構築されているとされます（厚生労働省『平成24年版厚生労働白書』）。

生存権の法的性格

では，これらの法律に不備があったりした場合，憲法25条との関係はどうなるのでしょうか。

「闇米」（戦後の食糧難の時期に食糧管理法（以下，「食管法」）に反して取引された米）の取引を処罰する食管法の合憲性が争われた食管法事件（最大判1948（昭和23）年９月29日）で最高裁は，憲法25条の趣旨について，個々の国民に対して具体的な権利を直接保障するものではないと判示しました。この点に着目して学説は，25条はプログラム規定であり，政治的義務以上のものは定めていないと解してきました。しかし判決は同時に，国家は，社会福祉や社会保障などを通じて国民全体の生活水準を向上させる責務を負っているとも述べており，25条は主観的権利を直接には保障しないが，客観的効力を有していると述べたと解されます。

つまり，国家は，25条を法律によって具体化する義務があるという考え方です。そこでこの考えを発展させて，国が25条を具体化する立法をしない場合に立法不作為の違憲確認判決を求めうるという具体的権利説が主張されました。

しかし最高裁は，仕送りの存在を理由に生活保護の扶助額を減額する変更処分の合憲性が争われた**朝日訴訟**（最大判1967（昭和42）年５月24日），および児童扶養手当と公的年金との併給禁止を定めた児童手当法の合憲性が争われた**堀木訴訟**（最大判1982（昭和57）年７月７日）で，具体的権利は25条の趣旨を実現する法律によって国民に与えられると判示し，その具体化については幅広い裁量が認められるとしました。そして裁判所は，「明白性の原則」という緩やかな違憲判断基準を用いて，立法および行政に幅広い裁量を認めてきました。

しかし，生存権が弱者の自立を助成するための最低限保障であることに鑑みれば，「明白性の原則」ではなく，ある程度厳格に審査する必要があるのではないかと議論されています。

憲法25条の全体構造

上記２判決は，生活保護をめぐる裁判でした。では，先に見た社会福祉などの立法，行政の不備についてはどのように考えたらよいのでしょうか。憲法25条２項は，「国は，すべての生活部面について，社会福祉，社会保障及び公衆衛生の向上及び増進に努めなければならない」と定めています。この点，２項は国に防貧政策の努力義務を課したもの，１項は２項の努力にもかかわらず貧困に陥った者を救貧する責任を国に課したものと解する考え方があります（前掲堀木訴訟の控訴審判決（大阪高判1975（昭和50）年11月10日）参照）。しかし，この考え方は，１項を生活保護法による救済に限定し，他の施策をすべて防貧施策として緩やかに審査するものです。生活保護法も含めた社会保障関連法全体が最低保障の役割を果たせているかについて通常の中間審査基準（第３部第４章資料４－１参照）で判断するべきでしょう。

なお近年，生存権には，自由権的側面（国家に対して侵害行為を控えることを求めること）と社会権的側面（国家に保障を請求すること）があることが指摘されており，食管法事件の場合は前者に当たるのでより厳格な基準を適用すべきではなかったかと議論されています。

不利益変更の場合　もし，年金受給中に支給額の減額などの不利益変更が行われたら，憲法25条で争えるでしょうか。

老齢年金支給額の減額改訂について最高裁は，立法府に広範な裁量権を認め，「著しく合理性を欠」く不合理な制約ではないとしました（最判2023（令和５）年12月15日）。しかし，判例に対し広範な裁量を認めずにより厳密に解釈すべきとの学説からの批判があります。他方，生活保護水準を引き下げるには相当の「正当化理由」が必要です（生活保護法56条）。それは，「最低限の生活」保障という同法が保障する憲法25条の自由権的側面への制約には裁量が制限されるからだと解されます。名古屋高裁は，2013～15年の生活保護費の基準額引下げについて「判断の過程及び手続」を「客観的数値などとの合理的関連性や専門的知見との整合性」から審査して「著しく合理性を欠き，裁量権を逸脱している」と判断しました（名古屋高判2023（令和５）年11月30日）。

2　差別されている人たちへの配慮

次に，日本の中で困っている人々への配慮を考えていきます。日本には，アイヌの人々，女性（第３部第10章参照）やLGBTQ，同和地域関係者，帰化人，非嫡出子など様々な人々が差別などで苦しんでいます。これらの人々への差別は，通常憲法14条の列挙する人種，性別，社会的身分または門地による別異扱いにあたり，もし差別の理由がこれらの事項によるものであることが明らかであれば，それは合理的な理由がない限り許されません。では，彼（女）らを積極的に救済することは逆差別となるのでしょうか。本章では，日本における深刻な問題であった部落差別（同和問題）に焦点を当てて考えてみます。

部落差別（同和問題）

部落差別（**同和問題**）とは，「日本社会の歴史的発展の過程において形成された身分階層構造に基づく差別により，日本国民の一部の集団が経済的・社会的・文化的に低位の状態におかれ，現代社会においても，なおいちじるしく基本的人権を侵害され，とくに，近代社会の原理として何人にも保障されている市民的権利と自由を完全に保障されていないという，もっとも深刻にして重大な社会問題」とされています（「同和対策審議会答申」1965年8月11日）。というのも部落差別（同和問題）は，同和地区出身者であるという地域差別により職業選択の自由（憲法22条1項），婚姻の自由（憲法24条），教育を受ける権利（憲法26条）などの人権がその人々に完全には保障されていないからです。1871年の太政官布告（解放令）によって身分制度が廃止され，被差別部落の人々も法律上平等になりました。後は私人間の権利侵害の問題なので，権利行使の場面で個別に対処すれば解決できるはずでした。ところが，問題は解決せず戦後も同和対策関連事業が行われるまで根本的な対策が実施されないまま放置されてきました。

もともと同和地区は封建社会の身分制度のもとに一定地域に定住することにより形成された集落に過ぎませんでしたが，差別の結果，近代の発展から取り残され「同和地区住民は，封建時代とあまり変わらない悲惨な状態の下に絶望的な生活」を余儀なくされていました（前掲同和対策審議会答申）。この答申を受け，国は，「同和地区住民」という社会から差別された集団に「健康で文化的な生活環境」を保障する必要を認め，国の責務として「同和地区なるがゆえに解決されず取り残されている環境そのもの」を改善するため，事業対象地区を「同和地区」と称して特別対策を行いました。この行政用語から部落差別が同和問題と呼ばれるようになりました。

同和対策事業

このように「同和地区」だけに優先的に事業を行うことは，その他の地域住民との間で不平等ではないかが問題となります。

それにはまず，憲法14条1項がどのような「平等」を保障しているのか考える必要があります。同項には，すべて国民は「法の下に平等」で社会的身分や門地などによって，「政治的，経済的又は社会的関係において，差別されない」

と定められています。近代憲法は封建的身分から国民を開放し，国民に自由と平等を保障しました。機会が平等に与えられていれば，そこで自己の能力を活かして自由に行動した結果がたとえ他の人と異なったとしても，誰もそれを不平等だと思わないでしょう。ところが，部落差別（同和問題）のように法的に平等とされていても現実社会で不合理な差別の状態に置かれることは，平等な機会が保障されているといえません。14条1項の「平等」は，実質的な機会の平等を保障しています。たとえば，産休について男女を別異に扱うことが認められるように，実質的平等を保障するためであれば形式的な別異扱いも許されると考えられます。

実質的不平等の状態に対して，国はそれを解消するための積極的な措置をとることができます。この社会的に差別された人々を優遇する措置を**アファーマティブ・アクション**（affirmative action：積極的格差是正措置）と呼びます。「同和地区」のように，他の地区と客観的に生活環境などに格差が存在する場合，健康で文化的生活環境（憲法25条）を他の地区と同じように保障する（憲法14条）ため，積極的にその格差を是正することは国の責務だといえます。

では，同和地区関係者は，14条を根拠に国に健康で文化的生活環境の保障を求める権利が認められるでしょうか。このアファーマティブ・アクションが他者の権利との間に相対的な格差を生じさせている障害を除去するという消極的な措置ではなく，国家による積極的な是正措置をとるという構造をもつこと，また憲法は個人の人権の保障を原則としますがこれは集団に対する権利の側面をもつことから，14条のみでは是正措置を求めることはできないと解されます。そのため，国は，14条を具体化する同和対策事業特別措置法などの法律を制定し，1969年から2002年3月末まで関連事業を実施したのです。地域の環境改善と地域福祉のため，セツルメント事業の拠点施設（隣保館）や教育集会所の設置，住環境の整備のため公営住宅（改良住宅）の建設・貸付け，地域内の道路や点在していた墓地を整備，地域産業を支援するための共同作業場整備などの事業が行われました。同和地区に存在する格差の実態を把握したうえで，格差是正のために必要とされたこれらの事業が行われ，その完了により特別対策は終了しました。

窓口一本化問題

同和対策事業の遂行において問題となった事件をみてみましょう。

資料8－2　アファーマティブ・アクション（積極的格差是正措置）

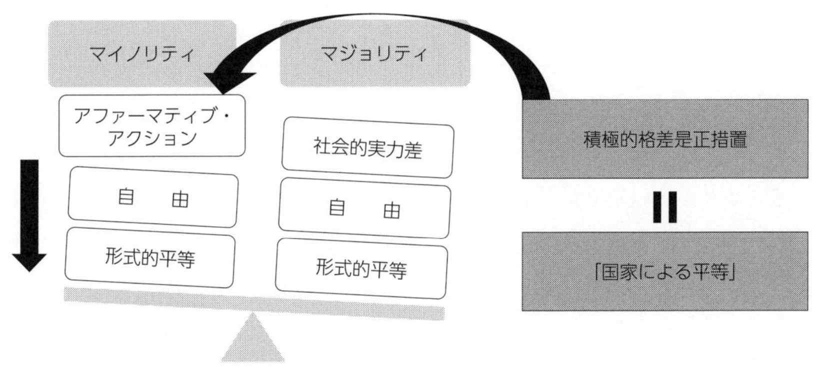

出典：筆者作成

地方公共団体が同和対策関連事業の保育所児童に関する助成金の要綱に，「対象地区に居住する児童であって，市同和促進協議会長および地区協議会長が適当と認め，推薦した者」と，外部の特定団体を経由する手続きのみを定めていた事件があります。この手続きは，同和地区出身者であることを証明する事務を簡単円滑に処理するための手段でした。しかし，この手段は会長等の主観に左右される恐れもあります。この点につき，大阪高裁は，「実質的資格要件の存否を調査する一つの補助手段としては十分合理性があり，……その制度自体を真向から違法・無効と看做(みな)すことは」できないとする一方で，最終支給権者である市の窓口に直接提出された申請にも市は応答する義務があると判示しました（大阪高判1979（昭和54）年7月30日）。

八鹿(ようか)高校事件

では，国に救済を求めるのではなく，自らの力で権利の保全をすることは許されるのでしょうか。同和地区関係者は1922年の水平社の結成以来，被差別部落民の地位向上と人間の尊厳の確立のために団結し，活動してきました。その活動の1つに「糾弾」があります。「糾弾」が問題となった事件に**八鹿高校事件**があります。八鹿高校内で生徒の一部が部落解放研究会を作ろうとしたことに対し，既存の部落問題研究会に加えてそうした研究会を作ることに反対する教師と，設置を支援する運動団体との間で対立が激化していました。そうした対立の中で，集団下校中の教職員約60名を，部落解放同盟の同盟員が学校に連れ戻し，約13時間にわたり，監禁・暴行し，教師48名が負傷，内29名が重症，1名が危篤となった事件です。

大阪高裁は，「糾弾は，もとより実定法上認められた権利ではないが，憲法14条の平等の原理を実質的に実行あらしめる一種の自救行為として是認できる余地があるし，また，それは，差別に対する人間として堪えがたい情念から発するものであるだけに，かなりの厳しさを」帯びることも慮られるとしました。しかし，それにも一定の限界があり動機・目的，手段・方法等の具体的状況，被害法益との比較など諸般の事情を考慮し，「法秩序全体の見地から見て許容されるかどうかを判断すべき」として有罪判決を下しました（大阪高判1988（昭和63）年3月29日）。

なお，これらの事件のほか，人々の誤った意識に乗じて高額な書籍を売りつけるなどの「**えせ同和行為**」が問題にもなりました。

現在も残る問題

同和対策事業が終了し，同和問題はすべて解決したでしょうか。生活環境を中心に把握した格差に対する国のアファーマティブ・アクションの必要性が無くなったにすぎません。インターネット上で差別的な表現や差別を助長する書込みが依然として続いています。そこで，国は，2016年に「部落差別の解消の推進に関する法律」を制定しました。この法律は，部落差別解消のために教育啓発および相談を行うこと，部落差別の実態を把握するための調査を行い差別解消に向けた施策を実施することに関して，国と地方公共団体の責務と役割分担について定めています。これに対し，この法律によって，地方公共団体が格差の実態を把握し地域の必要に応じて積極的に格差是正に取組む制度が創設されたとの評価もある一方で，「私の子を勝手に『同和地区の子』などと認定しないで欲しい」など，プライバシー侵害や差別を助長するのではないかなどの危惧も示されており，慎重な対応が必要です。

また，LGBTQの人々の問題について，2023年に性的志向やジェンダーアイデンティティーの国民の理解を涵養し，寛容な社会の実現を目的としてLGBT理解増進法が制定されました。しかし，当事者などからは差別が禁止されていないなど批判があります

発展学習

● 部落差別解消法による調査結果に基づき格差を解消する施策を実施する場合，その措置がどこまで許されるかについて，判断の基礎と基準を考えてみてください。

第９章　人身の自由と刑事手続き上の諸権利

昨日，自転車で駅まで行っていたら，突然警察官に止められたんだ。

えっ！　何で止められたの？　それでどうしたの。

よくわからないだけど，ぼくの自転車がなんだかんだといって，カバンの中まで見せろといわれたよ！

それでいわれたとおりカバンの中見せたのか？

何も悪いことはしていないから，カバンの中を見せたよ。でも，なんだかいやな気持になったよ。もし素直にカバンの中を見せなかったらどうなったんだろう？？

警察官のいうとおりにしなかったら逮捕されるのかな？

私たちの生命・自由・財産を守ることが国家の役割です。私たちの生命を脅かしたり財産を奪うような犯罪を犯した人に，刑罰を与えるのは国家です。国家は，刑罰権の行使という名目で，私たちの生命・自由・財産を奪うことができます。では，私たちの自由を保障するということの意味について考えてみましょう。

Point

- 私たちの自由を保障するために，憲法が規定している適正な手続きとはどのようなものでしょうか。
- 被疑者や被告人にはどのような権利があるのでしょうか。

●　刑事事件において，国民の基本的人権を保障するためには，どのような制度が必要でしょうか。

1　適正手続

突然自由を制限されたらどうする

モモの自転車が突然止められたこととカバンの中を検査されたことの2つの事実について，考えてみましょう。警察官は，モモに詳しい理由も告げず自転車を止めさせました。警察官が公権力を使って突然自転車を止めることをしてもいいのでしょうか。このような行為は，警察官が権力を用いて人身の自由を侵害したということになります。こうした国民の人権を制限するような人身の自由の制限は，憲法31条で法律の定める手続きによらなければならないと規定されています。この「法律で定める」としているのは，警察という公権力が権力を濫用して国民の人権を侵害することがないように，手続き面から保障するものです。適正な手続きとして求められているのが**告知**と**聴聞**の手続きです。公権力をもって，国民に不利益な処分を課す場合には，まず当事者にあらかじめ処分の理由や内容を伝えて，当事者に弁解や反論など防禦の機会を与えるという手続きです。

では，自転車を止められたときに，警察官に対してどのようなことを確認すればよかったのでしょうか。それは，なぜ止められたのか理由を聞くことです。たとえばモモが乗っていた自転車が，駅前に放置されていた自転車で，モモが勝手に乗っていた場合は，窃盗罪などの疑いで止められます。どのような理由で止められたのかをまず確認することで告知と聴聞の手続につながります。

次に，カバンの中まで見せる必要があったのでしょうか。カバンの中を検査されるということは，自分のプライバシーを検査されるということですね。憲法35条1項は，「何人も，その住居，書類及び所持品について，侵入，捜索及び押収を受けることのない権利は，……正当な理由に基いて発せられ，且つ捜索する場所及び押収する物を明示する令状がなければ，侵されない」と定めています。カバンの中という私生活の部分を捜索する場合には，裁判官が発行する捜索令状が必要になります。このように，刑事捜査において人身の自由を制限する場合には，法律による手続きが必要です。このことを**適正手続の保障**といい憲法31条で定められています。憲法31条は手続きを保障しているだけではなく，罪と罰となる行為が適正かつ明確にあらかじめ法律で示されておかなければならないということを要請しており，このような原則を**罪刑法定主義**（フランス人権宣言８条参照）といいます。

> **資料９－１　告知・弁明の機会**
> 第三者所有物没収事件（最大判1962（昭和37）年11月28日）は，旧関税法118条１項は，密輸犯罪行為に関わった船舶や貨物を没収することを定めていますが，没収した貨物の中に被告人以外の人の物があった場合の合憲性が争われた事件です。この事件において最高裁は，旧関税法118条１項によって第三者の所有物を没収することは，憲法31条，29条に反するとしました。旧関税法118条１項には，第三者に告知や弁明の機会を与える規定がなく，また，そのような手続き運用もされていませんでした。

2　人権保障制度

逮捕されるとどうなる

逮捕とは身柄を拘束され，自由が制限されることです。では警察官はあやしいと思ったらすぐ逮捕できるのでしょうか。犯罪者が凶器を振り回して誰かを傷つける恐れがあるような緊急性がある場合は，すぐ逮捕する必要があります（緊急逮捕）が，憲法33条に「何人も，現行犯として逮捕される場合を除いては，権限を有する司法官憲が発し，且つ理由となつてゐる犯罪を明示する令状によらなければ」ならないと規定しているように，適正な手続きが必要です。現行犯とは，犯行現場ですぐに逮捕される場合のことで令状は必要がありませんが，それ以外は，裁判官が発する，逮捕される罪名と理由が書かれている逮捕状が必要です。このように第三者である裁判所の関与を取り入れた方法を**令状主義**といい，これにより不当な逮捕によって人身の自由が侵害されないことが保障されます。

さて逮捕された後，どのような過程をたどるのでしょうか。まず，警察署にある留置所に入り「被疑者」となって警察官による取調べが始まります。突然逮捕され取調べを受けるとなると，外部と連絡することができなくなります。つまり，家族に相談したくても連絡することができず，また，友達と映画を見る約束をしていて行けなくなっても連絡することはできません。法律のことを何も知らない被疑者は，警察と対等に自分の権利を主張することは困難です。このような時には，被疑者の権利を守るために法律の専門家である弁護士にアドバイスを求めることができる制度が憲法34条で定められており，**弁護人選任権**と呼ばれています。弁護人選任権は，身柄が拘束された被疑者や裁判所に起訴された被告人に保障されている権利です。被告人となって裁判で審理される時に，お金がないなどで弁護人を依頼できない場合には，国が弁護人を選任するという**国選弁護人制度**が憲法37条で定められています。

しかし，被疑者段階では国選弁護人を選任することができないため，違法・不当な取調べが行われるなど問題となっていました。そこで，2018年6月1日刑事訴訟法が改正され，すべての事件において被疑者段階で国選弁護人をつけることができるようになりました。

黙秘権

逮捕後警察で話したことは調書として作成され，その調書は裁判で証拠になります。取調べの時や，裁判が始まる前に「黙秘権がある」ことを告げられますが，これは，憲法や刑事訴訟法で定められているからです。憲法38条1項は「何人も，自己に不利益な供述を強要されない」と，自分に不利なことも含めて話したくないことは話さなくてもよいということを規定しています。何も話さなかったからといって刑罰を科せられたり，罪が重くなったりすることはありません。

たとえば，自動車に乗っていて交通事故を起こした場合のことを考えてみましょう。事故が発生した場合は，すぐに被害に遭った人を救護して，警察に交通事故の報告をしなくてはいけません。これらは道路交通取締法等関連法規に定められています。しかし，交通事故を起こしたということはその人にとって不利益なことなので，自分に不利益な供述は強要されないとして，報告する義務を免れることができるでしょうか。最高裁判所は，報告義務のある「事故の内容」とは，警察官が被害者の救護，道路における危険と被害増大の防止，交通秩序の回復のための処理を行うのに必要な限度であると判示しました（最大判1962（昭和37）年5月2日）。

また，憲法38条2項は，被疑者や被告人が自らの意思ではなく，強制的に**自白**を強要させられた場合の自白に証拠能力は認められないことを規定しています（自白排除の法則）。自分から進んで自白した場合であっても，その自白だけで有罪とすることはできず，必ず自白を補強する客観的な証拠が必要であることを憲法38条3項は要請しています（補強証拠の法則）。このように，人権を制約する刑罰が無罪の人に科せられることを防止する仕組みが用意されています。

憲法36条で捜査における取調べで拷問が禁止されているだけでなく，「**残虐な刑罰**」も禁止されています。刑罰の中には死刑があります。個人の尊重を標榜する日本国憲法のもとで**死刑**が許されているのはなぜでしょうか。また，死刑を廃止した国は，なぜ廃止したのでしょうか。

死刑が残虐な刑罰かが争われた事件で最高裁は次のように述べ死刑を合憲としました。「死刑の威嚇力によつて一般予防をなし，死刑の執行によつて特殊な社会悪の根元を絶ち，これをもつて社会を防衛せんとしたもの」（最大判1948（昭和23）年３月12日）と。皆さんの中には，殺人には死刑をもって報復すると回答する人がいるかもしれませんが，最高裁はそのようなことはいっていません。現に，殺人罪に該当する人すべてに死刑が言い渡されているわけではないでしょう。刑罰の目的は，被害者による報復の代替というより，威嚇力による一般予防であり，特に社会的に邪悪な存在を排除することで社会を防衛するためと述べています。これに対し，死刑を廃止した国は，威嚇力であれば終身刑で十分である，報復として行われる死刑は憎悪と復讐心に満ちた行為である，さらには，えん罪で死刑になったら取り返しがつかない，などの理由で廃止しています。

公開裁判を受ける権利とは

もし逮捕された場合，その後どうなるのでしょうか。検察官は，被疑者が罪を犯したので相応の刑罰を科すように裁判所に審理を求めます。これを「起訴」といいます。起訴できるのは検察官だけです。起訴されると「被疑者」は「被告人」となります。

裁判所で刑罰を科すことは，被告人の自由に大きな制限を加えることになるので，刑罰の内容や手続きが公正に行われなくてはいけません。そこで，憲法は32条で**裁判を受ける権利**を，37条１項で公平な裁判所の**迅速な公開裁判**を受ける権利を，また，再度82条で裁判の公開を規定しています。公開裁判とは，誰でも法廷での審理や判決を見聞きすることができるということです。

第２部第６章で述べたように裁判所は中立・公正でなければなりません。そのために被告人にも一定の権利が与えられます。**公正な裁判**が疑われる場合は，裁判官や裁判所書記官を変える除斥，忌避および回避の制度が定められています（刑事訴訟法20条～26条）。裁判が長引くと被告人の人権が著しく制限され続けることとなるため，迅速な裁判が求められます。15年にわたり審理が中断され著しい遅延があった**高田事件**において，最高裁は，被告人の権利が害されたとして免訴判決によって審理を打ちきり救済を図りました（最大判1972（昭和47）年12月20日）。

刑事裁判は，**無罪推定**が基本原則ですので，裁判所で有罪の判決が出される

資料9-2　逮捕後の手続き

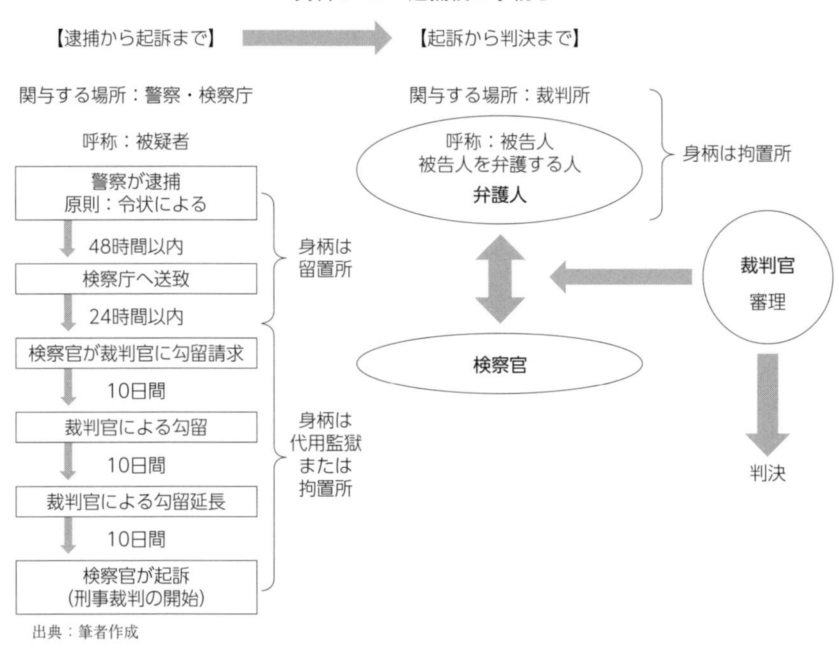

出典：筆者作成

までは無罪として扱われます。国家権力を背景に強大な捜査権限をもった警察や検察官と被告人とでは，大きな力の差があります。そこで，刑事裁判では，検察官に有罪であるという証明責任を負わせています。検察官が有罪であるという「合理的疑いを超えた証明」をしないと有罪にはなりません。

取調べの可視化

被疑者として逮捕され，たった一人で警察官から取調べを受け，外部の人と話をすることもできないことはとても不安なことです。最初は違うと主張して頑張っていても，長時間警察官から威圧的に話をされると，現状から脱したいという思いが強くなり警察官が作ったストーリーを認めてしまう場合があります。こうした心理状態になる要因の1つに，身柄を収容される場所の問題があります。逮捕後被疑者は，警察が管轄する留置場（**代用刑事施設**：以前の呼称を使い**代用監獄**ともいう）に収容され，警察の都合で取調べが行われ，時には長時間過酷な取調べとなることがあります。このような状況下で述べたことが，取調べ調書として作成され，裁判での証拠となります。裁判になって，取調べの時に本当ではないけど警察官にいわれてサインをしたといっても，裁判官はなかなか信用してくれません。代用監獄は，本来は法務省所管の**拘置所**に収容されるべき被疑者や被告人を，警察所管の留置場に収容し続けるという人権侵害の制度です。

2009年当時厚生労働局長だった村木厚子さんが起訴された事件では，村木さんが「あきらめない」という強い信念で取調べに臨んだ結果，無罪判決を手にすることができました。この事件では，大阪地検特捜部が考えたストーリーに合わせた証拠改ざんが判明し，警察・検察の取調べが大きな問題となりました。

こうした，取調べ段階の問題を受け，2019年６月**取調べの可視化**を義務付ける改正刑事訴訟法が施行されました。裁判員裁判対象事件などについて，逮捕・勾留下における被疑者の取調べ開始から終了に至るまでの全過程を録音・録画することを義務付けています。原則として，録音・録画がない供述調書を証拠として提出することができないと定められているので，捜査段階の供述調書に過度に依存する調書に基づく裁判が見直されたといえるでしょう。

資料９－３　供述調書作成

取り調べは，検事に聞かれたことに対して私が答えていきます。…（略）…倉沢元会長のことを聞かれた時，「私は会った記憶がないのですが，仕事では多くの方に会いますので，会っていないとは言いきれません。ただ，怪しい団体だとわかっていて証明書を発行することはありませんし，特定の議員の指示を受けたこともありません」と答えました。すると，出来上がった調書にはこうありました。「私は倉沢元会長に会っていません。凛の会も知りません」そこまで断定してないと何度抗議しても，遠藤検事は「これでいいんです。調書というものはそういうものです」と訂正してくれず，思わずその調書にサインをしてしまいました。…（略）…極めつけは，取調べ11日目に遠藤検事から代わった國井弘樹検事です。…（略）…「上村さんは一生懸命話してくれます。嘘をついているとは思えない。上村さんはまじめな方ですね」というので，私は「そうですね」と答えました。「上司から言われてやったことで，彼が追い詰められたらかわいそうですね」と聞かれたときは，「もしそうだとしたらかわいそうですね」と答えました。すると，彼はこういう調書を読み上げました。「私は今回のことに大変責任を感じています。私の指示がきっかけで，こういうことが起こってしまいました。上村さんはとてもまじめな人で，自分から悪いことをするような人ではありません」と，ビックリしすぎて言葉もありませんでした。（村木厚子『あきらめない』日経ビジネス人文庫，2014年，149頁以下）

しかし，録音・録画が義務付けられているのは，裁判員裁判対象事件および検察の独自捜査事件のみです。前出の村木厚子さんが著書で示しているように，検察官から聞かれたことに対する村木さんの答えがそのまま調書となるのではなく，検察官が思い描いたストーリーで供述調書が作成され，検察官が郵便法違反は「たいした罪」ではないので早く認めるようにというのは，検察官の物差しであって逮捕・勾留された人にとっては，自由の拘束には違いないのです。すべての罪の取調べが録音・録画されることが国民の基本的人権を保障する第一歩ではないでしょうか。

検察審査制度

犯罪の疑いがある場合，捜査機関は自由に捜査を開始します。捜査の端緒には，現行犯や通報，被害届等の種類があります。犯罪の被害者等が犯罪事実を申告して，犯罪者の処罰を求める**告訴**や，犯罪の被害者や犯人でない第三者が，犯罪事実を申告して処罰を求める**告発**なども捜査の端緒の一種です。

捜査が行われても，検察官にしか起訴する権限はありません。もしも，被疑者を検察官が起訴しなかった場合は，誰も何もいうことができないのでしょうか。

そこで，公訴権の行使に民意を反映させ，また不当な不起訴処分を抑制することを目的に**検察審査会制度**が設置されています（昭和23年7月制定）。全国の地方裁判所の所在地と主な地方裁判所支部の所在地の合計165か所に検察審査会が置かれています。検察審査制度の対象となる事件は，検察官が不起訴処分にした刑事事件です。国民の中から選ばれた11人の検察審査員（1審査会につき）が，主に検察官の不起訴処分の当否について審査します。これまで，起訴相当や不起訴不当の議決に基づいて，検察官が再検討した結果起訴した事件は約1600人（被疑者数による延べ人数）になります（2022年12月31日）。なお，議決に法的強制力はありませんでしたが，2009年の改正で，検察が再捜査しても起訴しない場合，再び8人以上で「起訴すべきだ」との議決が行われると強制的に起訴する制度ができました。この場合，裁判官が指定した弁護士が検察官役を務めます。これまで明石花火大会事件，福島原発事故などが強制起訴されています。

発展学習

- 刑事裁判の結果，無罪となったときどのような補償があるか調べてみましょう。
- 憲法は拷問・残虐な刑罰を禁止しています。「死刑」という刑罰が残虐な刑罰にあたるといえるか，考えてみましょう。

コラム⑤

結社の自由について

集団と結社

皆さんは個人として人権を保障されたとしても，社会のなかに様々な小集団（部分社会）を作り，生きていると思います。たとえば，家庭から始まり，学校やサークル，スポーツクラブ，大学や学術団体，町内会，会社，労働組合，政党，宗教団体，さらには日本野球機構やすもう部屋，各種ボランティアまで様々な小集団があります。自分の人権を守り行使するためにも，各人が充実した人生を送ることができるためにも，人々は社会をつくり自治を行っています。

田中耕太郎はこうした小集団にも法がある（社会あるところに法あり）として「法秩序の多元性」を主張しました（『法学概論』學生社，1953年，17頁以下）。これを部分社会論といいます。個人はこの部分社会に属することによって外部社会から守られ，その内部で相互に意見や情報などを伝達・交流し自己のアイデンティティを確立していきます。

しかし，この部分社会すべてが憲法21条のいう結社というわけではありません。まず，その団体への加入・脱退が自由意思による「任意的団体」か，そのことに何らかの制約のある「非任意的団体」かの違いがあります。後者の代表が，家族や地域共同体，国家などです。これら団体は個人のアイデンティティにも大きな影響力をもっていますが，それだけにそこから個人が如何に自律できるかが問題となります。国家と個人との関係はまさに人権問題ですし，家族は憲法24条の問題となります。また，会社などの営利目的の団体は，経済的自由権の問題として扱われます。結社の自由の対象ではありますが，労働組合は憲法28条の労働基本権の特別の保護を受け，政党もその公的性格ゆえに保護と規制を受けます。宗教団体も憲法20条の対象となります。これらについて本書では各々について章立てして解説していますのでそちらをみてください。

では結社とは何か。上記のような限定をつけた上で，複数人が共通の目的で持続的に結合すること，または，結合した団体のことをいいます。結社の目的は，政治的・宗教的・文化的・娯楽的などいかなる目的でも構いません。結社の自由は，第1に，団体を結成すること結成しないこと，団体へ加入すること加入しないこと，団体の成員を継続すること脱退することの自由であり，第2に，団体を通じて活動する自由を意味します。「公権力は，原則として，私人の結社行為または結社された団体の意思形成行為を抑制したりこれに介入したりしてはならない」（東京地判1968（昭和43）年1月31日）とされます。

構成員の差別，結社への抑圧

この結社に誰かを入れないとか，差別があったとしても原則として憲法問題は生じません。誰と結社を作ろうと自由であり，脱退の自由も保障されているからです。ただし，結社の性格や影響力によっては，差別が公序に反するとか，不法行為に当たるとか判断されることもあります。

なお結社を含む，先に述べた部分社会の中で権利侵害の訴えがあっても法律がない場合，司法がどこまで介入すべきかについての最高裁の指針が部分社会論です（第３部第３章資料3-1参照）。しかしこれは一般論で，個別には当該部分社会の憲法上の根拠，侵害されている権利の性質を考慮して具体的に判断すべきだと思われます。

結社のメンバーを秘匿することも結社の自由に含まれます。法律の根拠もなく政府や行政に批判的な団体の内部調査を行うのは，調査権の濫用であり，結社権の侵害となります。なお，無差別大量殺人団体規制法は，一定の要件に該当する場合，公安調査庁長官の観察に付す等のことを規定していますが，結社の自由を不必要に制約しないことが必要です。

集会・結社の意義

集会の意義について，成田新法事件において最高裁大法廷（1992（平成4）年7月1日）は次のように判示しています。

「現代民主主義社会においては，集会は，国民が様々な意見や情報等に接することにより自己の思想や人格を形成，発展させ，また，相互に意見や情報等を伝達，交流する場として必要であり，さらに，対外的に意見を表明するための有効な手段であるから，憲法21条１項の保障する集会の自由は，民主主義社会における重要な基本的人権の一つとして特に尊重されなければならない」，と。

このことは結社についても当てはまると思われます。このように集会・結社は，個人のアイデンティティを確立するうえで不可欠なものですが，できれば複数の結社に所属することが望まれます。１つだとその団体に人格が絡め取られる可能性があるからです。

第10章　家庭と女性・子どもの権利

親が喧嘩してて，最近険悪なムードなんだ。離婚するかも……

何があったの？　確かお母さん県議会議員よね。

お母さん議会で帰りが遅くなって，夕食の準備ができなかったんだ。すると，お父さんが，「女なんだから，家族のために家事をちゃんとしてから仕事をしろ！」といったらしいんだよ。

そんなことか。お母さんが家のことをするのが常識だよ。いやなら離婚して，同じ考えの人と再婚すれば。

キビくんひどい。モモくんのお母さんが怒るの当たり前よ！　家族が協力しないと女性は仕事できないわ！　男性は女性が家族の世話をするのが当たり前だと思っているけど，それは男女平等に反するでしょ！

そうか。でも，結婚や家族とか男女平等ってどういうことだろう？

日本国憲法に家族という概念を取入れ，男女平等を書き入れたのは，1946年２月に作成されたマッカーサー草案で人権条項を担当した，ベアテ・シロタ・ゴードンです。ベアテは，大日本帝国憲法下の「家制度」では，女性の人権が認められていなかったことから，女性にとって一番よいとおもわれることを憲法草案に書き入れたといっていました。70年以上前に提案された草案には，現代社会の女性が望むものが多く提案されていました。「個人」と「家族」について確認してみましょう。

Point

- 平等な社会とはどのような社会でしょうか。家族の平等について考えてみましょう。
- 夫婦の氏のあり方や性別をめぐる区別はどのように考えられるでしょうか。
- 女性の社会進出が世界に比べて低いのはどうしてでしょう。

1　家族について

家族とは

憲法24条は，「婚姻は，両性の合意のみに基いて成立し，夫婦が同等の権利を有すること」，「個人の尊厳と両性の本質的平等」を規定していますが，このように，結婚が両性の合意「のみ」と規定された背景には，戦前の家制度が大きく関与しています。大日本国憲法のもとの旧民法732条は「戸主ノ親族ニシテ其家ニ在ル者及ヒ其配偶者ハ之ヲ家族トス」と**戸主**（家長）を中心とした集団を家族であると規定しています。そして，同749条で「家族ハ戸主ノ意ニ反シテ其居所ヲ定ムルコトヲ得ス」，同750条で「家族カ婚姻又ハ養子縁組ヲ為スニハ戸主ノ同意ヲ得ルコトヲ要ス」と，戸主に家族の住む場所や婚姻の可否などの権限が与えられていました。このように戸主は，戸主権という家族に対する具体的な権利をもち，家族を統率していました。家の資産や戸主権は長男子に家督相続として単独で相続される家制度の下で，氏は家名を意味し，戸籍は家の登録簿としての役割を果たしました。基本的に家のことは「私事」として家の自治に任せられ，「戸主」をトップとした男性支配的な家父長制度がとられていました。このように，大日本帝国憲法の下では，男女平等の観念はもとより「個」という観念はなく，「一家の大黒柱」として家長の男性が家の中のことをすべて決めて，妻はそれに従い家族の世話等家事をするといった社会でした。

憲法24条の制定により，明治時代以来定められていた民法の「家」制度の廃止，三代戸籍を禁止する戸籍法の改正など，個人の尊厳と両性の本質的平等に立脚した法律改正がなされ，夫婦と未婚の子どもで構成される単位を家族（核家族）としました。現在の戸籍には新しく戸籍を作る際に氏を変更しなかった人が「戸籍筆頭者」となり，親と子どもという2世代が同じ戸籍の中に記載され，同じ氏を称する集団が「家族」といわれています。ちなみに，皆さんは自分の戸籍をみたことがありますか。戸籍筆頭者は誰ですか。日本において96%

を超える夫婦が夫の氏を選択していますので，父親が戸籍筆頭者の人が多いのではないでしょうか。男性支配的な家父長制度は廃止されたにもかかわらず，男性を中心とした現代の家族は，高度経済成長期の日本社会に受け入れられ，夫が全力で働き続けられるように妻が家事や子育てをして家庭を守るという性別役割分担が構築され経済発展を支えることとなり，現在に続いています。

資料10－1　総司令部案23条

家族は，人類社会の基礎であり，その伝統は，善きにつけ悪しきにつけ国全体に浸透する。婚姻は，両性が法律的にも社会的にも平等であることはあらそうべからざるものである〔との考え〕に基礎をおき，親の強制ではなく相互の合意に基づき，かつ男性の支配ではなく〔両性の〕協力により，維持されなければならない。これらの原理に反する法律は廃止され，それに代わって配偶者の選択，財産権，相続，本居の選択，離婚並びに婚姻および家族に関するその他の事項を，個人の尊厳と両性の本質的平等の見地に立つて規制する法律が制定されるべきである。

日本国憲法14条，24条が制定された背景には，**ベアテ・シロタ・ゴードン**（1923-2012年）の尽力があります。ベアテは，リストの再来と呼ばれたピアニスト，レオ・シロタの娘として生まれ，父が東京音楽学校（現在の東京藝術大学）教授として招聘されたのに伴い，5歳から15歳まで東京で暮らしていたので，戦前日本の女性や子どもの生活状況をよく知っていました。ベアテは，連合国軍総司令部（GHQ）民生局のメンバーとして，憲法草案の人権に関する条項を担当しました。ヴァイマル憲法など世界各国の憲法を参考にして，「男女平等や結婚・離婚の選択の自由，女性も財産権・相続権がもてること」，「日本の社会制度，公衆衛生，無償の教育制度，医療制度，さらに養子法及び若年労働と搾取の禁止」などを草案として提出していました。後にベアテは，このように具体的に提案した理由を，「どれも不幸な立場の日本の女性と，かわいそうな子どもたちを救いたい気持ち」があったと述べています（ベアテ・シロタ・ゴードン著『1945年のクリスマス』柏書房，1995年）。

2　女性について

平等とは

モモのお母さんが怒ったように，「女性だから」というように性別による差別を受け嫌な思いをした人は多いると思います。憲法14条は，「すべて国民は，法の下に平等」で「差別されない」と規定されていますが，残念ながら，現代社会には様々な差別があります。「平等」とはどのような意味なのでしょうか。たとえば，混雑した市役所の受付に妊婦さんが入ってきて「優先座席」に座ったとき，立っている貴方は，妊婦さんだけ優先して座るなんて不平等だと思いますか。いいえ，不平等ではありません。限られた座席（利益）を本当に必要としている人に分けることは合理的な理由に基づくもので実質的な平等にほかなりません。では，アルバイト先で社長が妊婦さんに「妊娠したから会社を辞めてくれ。これだから女性は使えない」といっているのを聞いて当然と思いますか。「妊娠したから」とか「女性だから」という理由だけで不平等な扱いをすることは，性や身体的理由で差別することであり許されることではありません。

このように，私たちは一人ひとり顔が異なり，性別や年齢，考え方や価値観は異なった多様な存在であるからこそ，お互いに大切な存在として認めあわなくてはいけません。この考え方は，憲法13条の個人の尊重から要請されたもので，だからこそ，それぞれ個人の状況や必要性に応じて異なった扱いも認めるという相対的平等という観念を憲法14条は採用しています。つまり，異なる扱いは，その扱いに合理的な理由があるか，個人の尊厳を傷つけていないかを慎重に検討したうえで，異なる扱いをすることが許されるということです。

日本国憲法14条１項の後段は，差別してはいけない内容として「人種，信条，性別，社会的身分又は門地」を掲げています。これら５つの事柄は，単なる例示である（例示説）というのが通説で，国籍や年齢，障がいなどによって合理的な理由もなく不利益を課すことは許されません。他方，歴史的に差別されてきたことが多いことから特に禁じたもので，これらの事由に基づく区別が問題となったときは，裁判所は差別ではないか疑いをもって，厳しく審査することが求められる（特別意味説），という学説も近年有力です。

違憲審査基準

モモのお父さんのように，女性が家事や育児をするのが当たり前という考えは，戦前からありました。戦前の日本には男尊女卑の思想が根強くあり，女性に財産権などなく家事と子育てをするだけの無能力者という女性差別的考えがありました。ベアテの尽力で日本国憲法に男女平等，婚姻における両性の本質的平等と個人の尊厳が書き込まれ，実現に向けて民法の**家族法**分野も改正されてきましたが，男性と女性を区別する規定は今でも多く残っています。そうした差別の合理性を判断するためには，①「誰と誰」が差別されているか，②「何に基づく」差別か，③差別がどのような権利・利益に関してなされているか，④異なる扱いをする目的が正当で，かつ，手段が目的に適合しているか，を確認して問題となる法律が憲法に反するか否か審査します。

家族をめぐる最高裁判決で，このような審査の枠組みを用いて初めて違憲判断を示したのが**尊属殺重罰規定違憲判決事件**（最判1973（昭和48）年4月4日）です。同事件は，14歳の時に実父に犯され，10年余りにわたり夫婦同然の生活を強いられるという悲惨な状況に追い込まれた末に実父の首を絞めて殺害したというものでした。この事件を判断するにあたって適用する改正前刑法200条は，尊属を殺した場合は「死刑または無期懲役」と定められており，当時の刑法199条の普通殺人罪の「死刑または無期懲役若しくは3年以上の懲役」と比べて非常に重い刑を科すものでした。卑属である被告人と卑属でない人という「社会的身分」で刑の重さを区別することは，法の下の平等に違反するかが争われ，14名の裁判官が違憲判断を示しました。違憲とする理由において8名の裁判官（多数意見）は，刑法200条を設けた立法目的は普遍的倫理の維持尊重で違憲とはいえないが，その目的を達成する手段としての量刑が執行猶予の可能性がなく重すぎる点で不合理な差別であると示しました。しかし，6名の裁判官は（少数意見），尊重報恩という立法目的は封建的な家族制度の維持・強化であり目的自体が憲法14条に反して許されず違憲であるとしました。

少数意見が指摘したように，尊属だけ特別に大切にするという立法目的を合憲とする判断は，個人の尊厳と人格価値の平等から考えたならば疑問が残るといわざるをえません。なお，判決を受け国会で刑法改正が議論されましたが，尊属殺人罪を削除するべきとの意見と，量刑を改正するべきとの意見の対立があり，刑法200条が削除されたのは，1995年の刑法条文の平易化に伴う法改正の時でした。その間は，実務では尊属殺人罪で起訴しないということで対処していました。

再婚禁止期間違憲判決

もしモモのお母さんが離婚したなら，同じ考えの人とすぐ再婚できるのでしょうか。改正前民法733条1項は，「女は，前婚の解消又は取消の日から6箇月を経過した後でなければ，再婚することができない」と女性にだけ6か月の**再婚禁止期間**を規定していました。皆さんの中には，6か月ぐらいなら待てばいいと思う人がいるかもしれませんが，夫のDVが原因で離婚したくても，協議離婚ができず調停離婚など離婚が成立するまでに長い年月を要するなど，なかなか離婚することができな

資料10－2　再婚禁止期間について

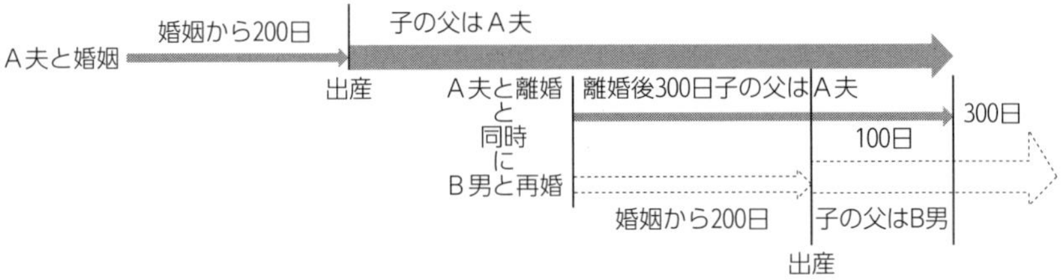

A夫と婚姻
婚姻から200日
子の父はA夫
出産
A夫と離婚と同時にB男と再婚
離婚後300日子の父はA夫
300日
100日
婚姻から200日
子の父はB男
出産

出典：筆者作成

い場合があります。

なぜ，女性にだけ再婚を禁止する期間が設けられていたのでしょうか。再婚禁止期間を設ける目的について従来最高裁は，離婚後すぐに生まれる子どもの父親が，前婚の夫か後婚の夫か不明では子どもが困るという理由から女性にだけ再婚禁止期間を設けることに合理性がある（最判1995（平成7）年12月5日）と示していました。ちなみに，この制度の起源は1874（明治7）年で300日の禁止期間でした。その後，明治23年に6か月と定められて以降合理的な期間とされてきました。では，かりに再婚禁止期間が必要ならば何日でしょうか。民法772条2項は「婚姻の成立の日から200日を経過した後又は婚姻の解消若しくは取消しの日から300日以内に生まれた子は，婚姻中に懐胎したものと推定」すると規定していました。この規定に，離婚後すぐ再婚した場合を想定してあてはめたならば，離婚して300日以内に生まれた子の父親は前夫，再婚して200日以降に生まれた子の父親は後夫となり，離婚後200日から300日の100日間父親が重複することになります。つまり，父親の重複を回避する手段としては，前婚解消後101日あれば足りることになります。この考えがやっと認められたのが2015（平成27）年最高裁判決で，女性にのみに再婚禁止期間を設けることは目的審査では合憲であるが，手段審査で違憲となると示しました（再婚禁止期間違憲判決：最大判2015（平成27）年12月16日）。この判決を受け，女性の再婚禁止期間は100日に短縮されるとともに，再婚禁止期間内でも医師の診断の添付をもって再婚することができる場合について明らかにされました（2016年6月7日公布・施行）。

ところで，改正前の民法では，嫡出子推定制度により，女性が離婚後300日以内に出産した場合，その子が前夫の子になるのを避けるために，出生届を出さず無戸籍者となる問題がありました。法務省によると，全国の法務局から法務省に連絡のあった無戸籍者の数は2019（令和元）年９月10日までに累計2548名，このうち821名はいまだに無戸籍者であると言われています。こうした問題を解消する観点から，嫡出子推定制度に関する規定等の見直しが議論され，2022（令和４）年12月10日，民法の嫡出推定制度の見直し等を内容とする民法等の一部を改正する法律が成立し，同月16日に公布されました。この法律により，嫡出推定の範囲に例外が設けられるとともに，女性の再婚禁止期間は，廃止されることとなりました。

非嫡出子法定相続分差別違憲判決

婚姻や親子関係についてもうひとつ考えるべきことがあります。それは生まれてくる子どもの両親が婚姻中（**嫡出子**）か婚姻外（**非嫡出子**）かの区別についてです。非嫡出子を嫡出子との関係で区別する諸法制が憲法14条や国際人権規約Ｂ規約24条１項，児童の権利条約２条などに反するものとして是正を求める訴訟が数多く提起されました。その中の１つに，非嫡出子の相続分を嫡出子の相続分の２分の１とする**民法900条４号ただし書**が憲法14条１項に違反するのではないかが争われた非嫡出子法定相続分差別規定違憲訴訟があります。1995（平成７）年最高裁決定は，10対５で非嫡出子に対する相続上の差別を合憲とする判断を示しました。合憲とした10人の裁判官は，民法が採用している法律婚を尊重するという基本理念を掲げることは不合理ではなく，それを保護するための手段も保護調整を図っているので著しく不合理とはいえないとしました。しかし，違憲とする５人の裁判官は，子どもが婚姻家族に属するか否かに関わる問題は，単なる合理性の存否によって判断するのではなく，立法目的自体の合理性およびその手段との実質的関連性についてより強い合理性の存否が検討されるべきで，本人に何の責任もなく，自らの意思や努力でその身分を変えることのできないことで相続において差別することは，婚姻の尊重という立法目的との実質的関連性はなく，合理的とはいえず，違憲であるとしました。

その後，同条文は５回最高裁で合憲とされましたが，最高裁大法廷は**非嫡**

資料10－3　非嫡出子法定相続分に関する訴訟

判決日	最高裁	合憲	違憲
2000年１月27日	第１小法廷	4	1
2003年１月27日	第２小法廷	3	2
3月31日	第１小法廷	3	2
2004年10月14日	第１小法廷	3	2
2009年９月30日	第２小法廷	3	1

出典：筆者作成

出子法定相続分差別規定違憲決定事件（最大決2013（平成25）年9月4日）で，法定相続分に関する区別は「合理的な根拠が認められない場合には」当該区別は憲法14条1項に反すると14人全員で違憲判断を示しました。この決定を受け，法定相続分を定めた民法の規定のうち嫡出でない子の相続分を嫡出子の相続分の2分の1と定めた部分（900条4号ただし書前半部分）を削除し，嫡出子と嫡出でない子の相続分が同等になりました（2013年12月11日公布・施行）。

夫婦同氏問題

民法750条は，婚姻する際には「夫婦は，……夫又は妻の氏を称する」と定めています。この規定は，婚姻の際にどちらか一方が現在称している氏の変更を強制するもので，戸籍筆頭者の説明であったように，日本では96％を超える女性が氏を変更しています。みなさんの氏名を考えてみてください。氏は家族みんな同じ呼称で，名は生まれたときに親が付けたものです。氏と名で自分という存在をあらわしています。最高裁は，氏名とは「社会的にみれば，個人を他人から識別し特定する機能を有するものであるが，同時に，その個人からみれば，人が個人として尊重される基礎であり，その個人の人格の象徴であつて，人格権の一内容を構成する」（最判1988（昭和63）年2月16日）ものであると判示しています。

では，人格の象徴である氏名の氏を，婚姻の際に夫婦のどちらかの氏に変更するように強制する民法750条は平等原則に反しないのでしょうか。最高裁は，民法が人の出生からの氏名を定め，個人の呼称は氏＋名として存在していることから，氏と名を切り離し「夫婦及びその間の未婚の子や養親子が同一の氏を称することにより，社会の構成要素である家族の呼称としての意義があるとの理解を示しているもの」で，「家族は社会の自然かつ基礎的な集団単位であるから，このように個人の呼称の一部である氏をその個人の属する集団を想起させるものとして一つに定めることにも合理性」がある（最大判2015（平成27）年12月16日）と判示しました。しかし，岡部喜代子裁判官らは，「夫の氏を称することが妻の意思に基づくものであるとしても，その意思決定の過程に現実の不平等と力関係が作用している」ので，その点を配慮しないで夫婦同氏に例外を設けないことは，「多くの場合妻となった者のみが個人の尊厳の基礎である個人識別機能を損ねられ，また，自己喪失感といった負担を負うこととなり，個人の尊厳と両性の本質的平等に立脚した制度とはいえない」と指摘しています。また，国際連合の女子差別撤廃委員会は，民法の同氏制度は女子差別撤廃条約2条に抵触するとして，2003年，2009年，2016年の3回にわたり勧告しています。氏の変更を望まない人が変更をしないで婚姻できるように，**選択的夫婦別氏制度**の採用など国会でのしっかりとした議論が求められます。

同性婚について

婚姻は男女間のみで成立するもので，同性間では成立しないのでしょうか。「婚姻」，「婚姻制度」について，夫婦同氏の合憲性を争った最高裁の2021（令和3）年6月23日決定で深山裁判官他共同補足意見は，「憲法24条1項は，婚姻をするかどうか，いつ誰と婚姻をするかについては，当事者間の自由かつ平等な意思決定に委ねられるべきで（中略），ここでいう婚姻も法律婚であって，これは，法制度のパッケージとして構築されたもの」として，婚姻の内容を決定する自由は含まないと示しました。しかし，宮崎・宇賀裁判官は，「婚姻自体は，国家が提供するサービスではなく，両当事者の終生的共同生活を目的とする結合として社会で自制的に成立し一定の方式を伴って社会的に認められた人間の営みで」あって，「憲法24条1項の婚姻は，民法によって定められた婚姻制度上の婚姻から，同項を含む憲法適合性を欠く制約を除外した内容でなければならない」と示し，社会的に認知された「婚姻」の自由が憲法上の保護を受けると解しています。

では，同性カップルの婚姻はどのように考えればよいのでしょうか。同性カップルが婚姻できないことは違憲であるとする「結婚の自由をすべての人に」訴訟が，札幌・東京・名古屋・大阪・福岡に提起され審理が継続されています（2023年12月末現在）。2021年3月17日札幌地方裁判所は，法律婚制度の目的を「夫婦の共同生活自体の保護も，本件規定の重要な目的であると解するのが相当」と示したうえで，「異性愛者に対しては，婚姻という制度を利用する機会を提供しているにもかかわらず，同性愛者に対しては，婚姻によって生じる法的効果の一部ですらもこれを享受する法的手段を提供しないとしていることは，（中略）その裁量権の範囲を超えたものであるといわざるを得ず，本件区別取扱いは，その限度で合理的根拠を欠く差別取扱いにあたると解さざるを得ない」と憲法14条1項違反を認めました（札幌地判2021（令和3）年3月17日）。憲法24条1項は，同性カップルの婚姻を禁じるために制定されたものではなく，親密な関係を形成して共同生活を営んでいることは，異性カップルと変わりはないことから，憲法24条1項の「夫婦」・「両性」という文言に同性カップルをも含むと拡張解釈，あるいは，類推適用する方途を今後考察する必要があるのではないでしょうか。

男女共同参画社会

日本国憲法13条，14条，24条に基づいて，明治民法の家制度と家父長制的規定は廃止され，現行民法に改正されました。しかし，その改正にも①個人の尊重の不徹底，②男女平等の不徹底，③戸籍と合体して家族モデルを創出という限界があったといわれています。これまで「個人」と「家族」について様々な違憲判決を確認してきましたが，いわれもない差別によって嫌な思いをする人が一人でも少なくなるように，限界を乗り越えなければなりません。

日本は，1985年6月女性に対するあらゆる形態の差別を撤廃するための必要な措置をとることを求めた女子差別撤廃条約（正式名称：女子に対するあらゆる形態の差別の撤廃に関する条約）を批准し，これを契機として，女性の地位の向上や政策決定への参加，雇用における男女平等，教育の充実，育児に関する環境整備などが検討され，男女雇用機会均等法など法律の制定や改正がなされました。しかし，男性の育児休暇取得の促進など社会の意識変化や，国会における法律改正等の議論がされなければならないものがあり，女性の政治分野への参画がとても重要です。

1999（平成11）年6月に**男女共同参画社会基本法**が制定されましたが，政治分野への女性の参画には家事・育児など，越えなくてはいけない高い壁があり，衆議院における女性議員比率は9.7％で，国際的に見ても非常に低い水準です（男女共同参画白書令和4年版）。男性社会の常識で積み重ねられた壁は，日本国憲法に男女平等が書き込まれて70年経過しても，いまだ乗り越えることができていないといわざるをえません。

発展問題

- 「性同一性障害者の性別の取り扱いの特例に関する法律」に基づき，戸籍上も男性に性別変更した人が婚姻後戸籍上の父となれるでしょうか。
- 同性愛者のカップルに婚姻と同じ保護を与える制度としてどのようなものが必要と思うか考えてみましょう。
- 女性のみの入学を認める国立大学法人は法の下の平等から照らして許されると思うか考えてみましょう。

第 11 章　公務員の権利と義務

公務員には，労働者に保障されている権利が認められない場合があるって聞いたけれど，本当なの？

本当だよ。警察官や自衛官は，団結権・団体交渉権・団体行動権の労働三権すべてが制限されているようだし，その他の公務員も団体行動権は制限されているらしいよ。

しかし公務員といっても，労働者であることに変わりはないよね。それなのにどうして公務員には認められないんだろう？

確かにそうだよね。でも，公務員に基本的人権が認められないケースは労働基本権だけではなくて，政治的な活動も制限されているって聞いたけれど……ビラ配りもダメじゃなかったかな。

えっ，そうなの，どうして？　ビラも配っちゃいけないの？

詳しく知りたいな，一緒に調べようよ！

日本国憲法はすべての国民に対して基本的人権を保障しています。しかし公務員については，法律により政治的な活動が制限されていますし，民間企業と同じ労働者であっても労働基本権が制限されています。公務員に対するこのような制限がなぜ存在するのでしょうか。

Point
- 公務員が政治的活動を制限される理由は何でしょうか。
- 公務員に労働基本権はあるのでしょうか，また，制限はあるのでしょうか。
- 公務員の憲法尊重擁護義務とは何でしょうか。

1　公務員とは何か

私たちの生活を振り返ると，衣料品や食料品の販売，電気・ガスの供給，郵便や通信事業など民間企業による活動のほかに，国や地方公共団体による活動が数多く存在しているのが分かります。たとえば税務署職員やハローワーク職員の活動，公立学校の教職員の活動，警察職員や消防職員の活動など，いずれも日常生活に欠かすことができません。このように，国や地方公共団体の構成員として，その公務（事務）を担当する者を広く公務員と呼んでいます。

日本国憲法では，「公務員」ということばが複数の条文で用いられていますが，その観念はきわめて広いといわれています。憲法15条１項は，「公務員を選定し，及びこれを罷免することは，国民固有の権利である」と定めていますが，この「公務員」については，国会議員に限らず，すべての種類の公の勤務者を包括した意味（広く国民の代表者として，国政の権力を行使する者の意味）で用いられていると理解するのが一般的です。憲法99条も「国務大臣，国会議員，裁判官その他の公務員」とし，公務員の中に国会議員も含まれています。

ところで，日本国憲法は，「すべて公務員は，**全体の奉仕者**であつて，一部の奉仕者ではない」（15条２項）と定めています。公務員は，民間企業とは異なり，国民全体の利益のために活動しなければならず，国民の一部の利益のための活動は許されません。そこで，公務員が全体の奉仕者であるために，つまり特定の政権の政治的任用を避けるために，人事院が存在しています。内閣の下にある行政委員会のうち，人事院には高い独立性が保障されていますが，それは公務員の公正中立性の確保や能力に応じた適正な公務員人事を行うことが，すべての行政の基本であるからです。なお，2014年には，内閣による公務員幹部職の一元管理を目指し，内閣官房に内閣人事局が設置されました。この内閣人事局については，幹部職員の人事に対して大きな影響力をもつことになり，それが内閣の指導力の発揮に貢献している面もあれば，逆に幹部職員の行動様式に悪影響を与えているのではないかとの指摘もあります。

2　公務員の権利と義務

公務員の権利の制限とは

日本では，**公務員の政治的権利や労働基本権**が広範に制限されており，「特別権力関係」の影響が残っているのではないかといわれることがあります。「特別権力関係」とは，公務員，受刑者，国公立大学の学生などについて，国または公共団体の特別な包括的支配権に服するものとされてきた概念です。そこでは「法律の留保」の考えが適用されず，具体的な法律の根拠なしに一方的な権利制限を行うことができ，その権利制限に対する司法審査は及ばないとされました。しかし，日本国憲法の基本原理（たとえば「法律の留保」の考え）が及ばない特別な領域を認めることには批判があり，多くの学説が特別権力関係論の採用に否定的です。ところが実際には，公務員の政治的権利や労働基本権は広く制限されています。一体どのような根拠に基づいて制限されているのでしょうか。

日本国憲法は，内閣の職務として「法律の定める基準に従ひ，官吏に関する事務を掌理すること」（73条4号）を挙げています。ここでいう官吏とは行政事務に従事する公務員のことを指しますが，地方公共団体の公務員，国会議員などの立法権の活動に参与する公務員，裁判官などの司法権の活動に参与する公務員は含まれないと理解されています。

このように，公務員に関する事務は法律の定める基準に従って行う旨が定められていますが，公務員の権利制限については，憲法が公務員関係という特別の法律関係の存在とその自律性を憲法的秩序の構成要素として認めていることに根拠を求める必要があります。したがって，合理的にして必要最小限度の範囲内であれば公務員の基本的人権を制限することが憲法上許されると理解できますが，そうでなければ公務員の基本的人権の制限は憲法上許されないことになります。そこで問題となるのは，国家公務員法および地方公務員法に基づく公務員の権利の制限が，合理的にして必要最小限度の範囲内のものといえるかどうかです。

公務員の政治的権利の制限

公務員自身がある政党に加入したり，その政党に投票したりすることは，「全体の奉仕者」の性格と矛盾しないと考えられます。他方，「全体の奉仕者」である公務員が一部の国民の利益のために行動することは許されません。そこで行政の中立性を確保するために，国家公務員法（国公法）102条（巻末資料，国家公務員法参照）や地方公務員法（地公法）36条などの規定に基づいて，公務員の政治活動に一定の制限が加えられています。しかし，行政の中立性に影響しない事務作業に携わる公務員が，勤務時間外に職場ではない場所で個人的に行う政治活動であっても制限を受けることになるのでしょうか。

猿払事件判決

いわゆる「**猿払事件**」（最大判1974（昭和49）年11月６日）は，北海道猿払村の郵便局勤務の公務員（2007年10月の郵政民営化までは郵便局員は公務員）が，衆議院議員候補者の選挙用ポスターを公営掲示板に掲示したり，他者に掲示を依頼して配布したことが国公法102条１項および人事院規則（巻末資料，人事院規則参照）で禁じられている政治的行為にあたるとして起訴された事件です。

この事件では，国公法が禁止する政治的行為の内容を人事院規則に白紙的に委任したことがまず問題となりました。最高裁は，「憲法の許容する委任の限度を超えることになるものではない」として合憲としましたが，憲法が許す範囲で人事院に託しているとはいえ疑問が残ります。

さらに最高裁は，①「公務員の政治的中立性を損うおそれのある政治的行為を禁止することは，まさしく憲法の要請に応え，公務員を含む国民全体の共同利益を擁護するための措置にほかならないのであつて，その目的は正当なものというべきである」（規制目的の正当性）とし，②「公務員の政治的中立性を損うおそれがあると認められる政治的行為を禁止することは，禁止目的との間に合理的な関連性があるものと認められる」（目的と手段との合理的な関連性）と述べ，③「禁止により得られる利益は，公務員の政治的中立性を維持し，行政の中立的運営とこれに対する国民の信頼を確保するという国民全体の共同利益なのであるから，得られる利益は，失われる利益に比してさらに重要なものというべきであり，その禁止は利益の均衡を失するものではない」こと（禁止により得られる利益と失われる利益の均衡）から，本件公務員の政治的行為の禁止は合憲であると判示しました。公務員の政治的中立性は確かに重要な目的ですが，そのために彼らの市民としての活動まで政治的に中立でなければならないか疑問が残ります。

ところが最近において，この**猿払事件**判決の実質的な見直しともいえる判決が出されました。いわゆる「**国公法２事件判決**」（最判2012（平成24）年12月７日）です。

国公法2事件判決

最高裁は，休日に職場から離れた住宅や事務所の郵便受け等に，公務員とは分からないやり方で政党のビラを配布したことが国公法に違反するとして起訴された2つの事件（堀越事件・世田谷事件）について判決を下しました。最高裁は，国公法が禁じる政治的行為とは，「公務員の職務の遂行の政治的中立性を損なうおそれが，観念的なものにとどまらず，現実的に起こり得るものとして実質的に認められるもの」をいうとして，限定的な解釈を行いました。ここでは，立法目的が，「公務員の政治的中立性」から「公務員の職務の遂行の中立性」へと変化していることが認められます。

そのうえで，堀越事件については，管理職ではなく職務内容や権限に裁量の余地のない公務員が勤務時間外に勤務先から離れた場所で行ったものであり，「公務員の職務遂行の政治的中立性を損なうおそれが実質的に認められるものとはいえない」としました（無罪確定）。他方，世田谷事件については，被告人は「指揮命令や指導監督等を通じて他の多数の職員の職務の遂行に影響を及ぼすことのできる地位にあったといえる」とし，ビラ配布が勤務外のものであったとしても，「当該公務員及びその属する行政組織の職務の遂行の政治的中立性が損なわれるおそれが実質的に生ずるものということができる」としました（有罪確定）。この世田谷事件では，「一般職の国家公務員が勤務外で行った政治的行為は，本法102条1項の政治的行為に該当しないと解する」との須藤正彦裁判官による反対意見が述べられています。なお，国公法は，公務員の政治活動について，懲戒処分にとどまらず刑事罰（3年以下の拘禁刑（2025年6月改正予定）または100万円以下の罰金）で規制しているところに大きな問題があります。他方，地公法では，地方公務員の政治的活動にかかる懲戒処分による規制はありますが，刑事罰についての定めはありません。したがって，国家公務員は，いつでも警察に監視されているかもしれないという懸念をもたざるを得ないのに対し，地方公務員にはその心配がないという点で大きな違いがあります。

公務員の労働基本権の制限

国民主権のもとに全体の奉仕者として働く公務員ですが，民間企業の場合と同じように労働基本権が認められるのでしょうか。公務員も日本国憲法28条の「勤労者」に含まれると理解されていますし，学説でも公務員が労働基本権を享有するとの理解が一般的です。しかし実際のところ，現行法のもとで公務員の労働基本権は広範に制限さ

資料11－1　公務員の労働基本権の制限

	アメリカ	イギリス	ドイツ	フランス
団結権	○ （軍人・FBI×）	○ （軍人×）	官吏○ 非官吏○	○ （軍人×）
交渉権	△ （給与等法定事項×）	○	官吏× 非官吏○	△ （予算枠内で交渉）
争議権	×	○ （軍人・警察官等×）	官吏× 非官吏○	○ （軍人・警察官等×）

出典：人事院「諸外国の国家公務員・地方公務員の労働基本権について」（2007年）および同「諸外国の国家公務員制度の概要」（2019年）

れており，労働基本権の制限内容からみると，①団結権，団体交渉権および団体行動権のすべてが否定される公務員（警察官や自衛官など），②団体交渉権が制約され団体行動権が否定される非現業の公務員，③団体行動権のみが否定される現業の公務員に大別されます。なお，一般職に属する公務員のうち，国や地方公共団体の経営する企業や特定独立行政法人に勤務する者を現業の公務員，それ以外の者を非現業公務員といいます。

それでは，勤労者であり労働基本権を有するはずの公務員がなぜこのような制限を受けるのでしょうか。この点について最高裁の考え方は変遷しました。

全逓東京中郵事件（最大判1966（昭和41）年10月26日）では，公務員も憲法28条にいう勤労者にほかならない以上，原則的に労働基本権の保障を受けるとしたうえで，公務員の労働基本権の制限は合理性の認められる必要最小限度のものにとどめられなければならないとしました。また，都教組事件（最大判1969（昭和44）年４月２日）では，「地方公務員の一切の争議行為を禁止し，これらの争議行為の遂行を共謀し，そそのかし，あおる等の行為」（あおり行為等）のうち，争議行為に通常随伴して行われるような行為は，処罰の対象とするべきではないとしました。なお，最高裁は，「あおり行為等」について，「違法行為を実行させる目的で，文書，図画，言動により，他人に対し，その実行を決意させ，またはすでに生じている決意を助長させるような勢のある刺激を与えることをいう」と述べています。

最高裁はこれら２つの事件で，公務員の労働基本権の制限は必要最小限度にとどめるべきであるとしましたが，全農林警職法事件（最大判1973（昭和48）年４月25日）では異なる判断をしました。すなわち，公務員が争議行為を行うことはその地位の特殊性と職務の公共性に相容れないものであり，多かれ少なかれ公務の停廃によって国民全体の共同利益に重大な影響を及ぼすので，その労働基本権を必要やむをえない限度で制限することは合理的な理由があること，また，公務員の勤務条件は立法府による論議のうえ決定されるものであるから，公務員が政府に対して争議行為を行うことは国会の議決権を侵すおそれがあることを理由に，公務員の争議行為の一律的な制限を合憲としました。

公務員の憲法尊重擁護義務

公務員の憲法尊重擁護の義務とは，一体どのようなものなのでしょうか。日本国憲法は，「天皇又は摂政及び国務大臣，国会議員，裁判官その他の公務員は，この憲法を尊重し擁護する義務を負ふ」（99条）とし，公務員の**憲法尊重擁護義務**を明記しています。この憲法尊重擁護義務については道義的な要請を抽象的に表したものであって，この規定があるからといって直ちに法的義務が生じるわけではなく，たとえば国公法97条の「服務の宣誓」のように，憲法尊重擁護義務を法律が具体的に課すことによってはじめて具体的な法的義務が生じると理解されています。百里基地訴訟東京高裁判決（東京高判1981（昭和56）年7月7日）では，憲法9条の規定に違反する百里基地の設置を目的として行われた国家公務員の行為は憲法99条の規定に違反し無効であるとの主張について，「本条の定める公務員の義務は，いわば，倫理的な性格のものであつて，この義務に違反したからといつて，直ちに本条により法的制裁が加えられたり，当該公務員のした個々の行為が無効になるわけのものではない」と判示しました。ただし，天皇，国会，内閣，裁判所等の国家権力を行使する機関が憲法を遵守しなければならないのは，立憲主義からすれば当然であって（第1部第1章参照），これら機関で意思決定をする構成員は，それぞれの立場で，憲法を遵守する義務があるといえます。これを受け，一般公務員についても，国公法が「職務上の義務」違反を懲戒事由と定め（82条1項2号），これには憲法の侵犯行為や破壊行為が含まれると理解されていることには注意する必要があります。

3　国家賠償

国家賠償請求権とは

もしも公務員の違法な行為によって私たちが損害を被った場合，その損害に対する賠償をしてもらえるのでしょうか。日本国憲法は「何人も，公務員の不法行為により，損害を受けたときは，法律の定めるところにより，国又は公共団体に，その賠償を求めることができる」（17条）と定めています。したがって，公務員の不法行為を原因とする損害については，国または公共団体に対して賠償を請求することができます。この権利を国家賠償請求権といい，その具体的内容は**国家賠償法**（巻末資料，国家賠償法参照）が定めています。

国家賠償法は，国や公共団体が負う賠償責任を大きく２つに分けて定めています。１つは公務員の公権力の行使にかかる責任（１条責任）であり，もう１つは公の営造物の設置管理に関する責任（２条責任）です。

国家賠償法１条は，公務員が不法行為により他人に損害を加えたとき，国または公共団体が賠償すると定めています。どうして公務員が賠償をせずに，国や公共団体が賠償するのでしょうか。これについては，公務員の故意・過失によって損害が生じるので，本来は公務員個人が賠償責任を負うべきだけれど，公務員個人の資力には限度があるため，国家が政策的にその肩代わりをするとの説明があります（代位責任説）。これに対し，国家が自らの加害行為について責任を負うとの構成から，責任の根拠を公務員の故意・過失にではなく，国家組織に内在する危険の中に求める説明もあります（自己責任説）。

また，国家賠償法２条は，道路や河川などの公の営造物の設置または管理に「瑕疵」があったため他人に損害が生じたとき，国または公共団体が賠償すると定めています。ここでは１条責任のように故意・過失を要件としていないので無過失責任を定めたものといわれますが，「瑕疵」を要件としていますので，生じた損害に対して無条件に賠償が認められるわけではありません。

発展学習

- 人事院規則14-７「政治的行為」の規定を確認したうえで，それが国公法102条１項の白紙委任ではないとした猿払事件最高裁判決の妥当性について，考えてみましょう。
- 日本では，団結権，団体交渉権および争議権のすべてが否定される公務員と，その一部のみが否定される公務員に分けられますが，どのような根拠・理由に基づくのでしょうか，調べてみましょう。

第12章　学校における生徒の人権

大学に入学するまでは学校で勉強しているのに，いつも母さんが「勉強しろ」とうるさかったんだよ。

キビのお母さんは，キビに自主的に勉強する習慣を身に付けさせようとしてたんだと思うよ。

どうせ勉強するなら，高校までの学校でもオレの生活や人生にとって意味のある勉強をしたかったなぁ。

それもわかるけれど，学校の教育は家庭の経済状況にかかわらず，子どもが成長するためや，大人になったときに必要な基礎・基本となる教養を教えてくれているので，どれも必要なものだと思うけれど。

そうだとしたら，生徒皆がきちんと身に付けられなきゃいけないね。学校や先生が僕たちそれぞれに合うように工夫して教える必要があるけど，大学以外の先生にも教育の自由はあるのかな？

子どもは，大人と違って未成熟です。そのため，憲法13条で保障される自己実現のために，成長・発達に必要な教育を受ける権利が子どもには特に重要となります。子どもの教育を受ける権利の実現に特に重要な役割を果たしているのは学校です。ここでは，学校における生徒の人権について考えてみましょう。

Point

- 生徒が教育を受ける権利を保障されるためには何が必要でしょうか。
- 自由に教育をする権利が先生に認められるでしょうか。
- 学校の内外で，生徒の権利はどこまで保障されるのでしょうか。

1　教育を受ける権利

学習権

自分の子どもをどのように教育するかは家庭の問題だといって，子どもの教育をすべて各家庭に委ねたらどうでしょう。スセリのいうように，経済的な事情などで十分な教育が受けられない子どもが出てしまいます。教育は，子どもにとって人格完成，自立して生活する権利の基礎の獲得に必要不可欠であるとともに，国や社会にとっても「平和で民主的な国家及び社会の形成者」としての国民の育成（教育基本法1条）に必要不可欠な営みです。特に，自ら学習できない子どもには，自己に必要な教育を施すことを大人に要求できることが必要です。そこで，憲法は，26条1項ですべての国民にひとしく「教育を受ける権利」を保障し，2項で保護者に対し子どもに「普通教育を受けさせる義務」を課しました。普通教育とは，全員が共通に受ける9年間の教育のことです（教育基本法5条，学校教育法16条)。「教育を受ける権利」は，子どもが主体的に学び，学んでいく能力を身に付けることが重要なので，子どもの「**学習権**」を常に中心において考える必要があります（旭川学力テスト事件：最大判1976（昭和51）年5月21日)。

公教育制度

国は，子ども自身の利益擁護および社会公共の利益と関心にこたえ，保護者が子どもの教育を託す場の提供として学校制度を作りました。ここで，国が責任をもつ教育環境の整備に，外的な条件（教育施設・資源等）が含まれるのは当然ですが，教育内容まで含まれるのかが問題となります。この問題は，誰が子どもに教える教育内容を決めるのか（教育権の所在）に関係します。

教育権

それでは，生徒に教える内容を国がすべて決めているのでしょうか。この問題を提起したのが**家永教科書訴訟**です。学校教育法は，国の検定に合格した教科書を使わなければならないと定めています（34条・49条・62条・70条・82条)。訴訟では，執筆内容の当否にわたる検定の合憲性が争われ，それに関連して教育権の所在の考え方が対立しました。第2次家永訴訟杉本判決（東京地判1970（昭和45）年7月17日）は，教科書執筆者としての思想内容（学問的見解）に及ばない限り教科書検定を合憲としました。そして，「国民の教育権」の立場から，国が「教育内容に介入することは基本的には許されない」と述べ，古事記，日本書紀に関する記述など各改訂箇所に対する検定不合格処分は，教科書執筆者としての思想内容（学問的研究の成果または学問的見解）を事前に審査するもので，検閲に当たり憲法21条2項に反するとしました。それに対し，第1次家永訴訟高津判決（東京地判1974（昭和49）年7月16日）は，「国家の教育権」の立場から，国は，国民の負託に基づき「公教育を実施する権限を有するものと解さざるを得ない」とし，「法律に準拠して公教育を運営する責務と権能を有する」限り，教育の内的事項にも権能が及びうるとしました。

この問題について最高裁は，国の行う全国学力テストの実施をめぐって争われた**旭川学力テスト事件**（前掲）で，いずれか1つの見解のみによることを極端として採用せず，教育関係者各自の憲法上の根拠に照らして教育内容決定の権能の範囲を確定すべきであるとして，次のように判示しました。①憲法26条の背後には，「子どもの教育は，教育を施す者の支配的権能ではなく，何よりもまず，子どもの学習をする権利に対応し，その充足をはかりうる立場にある者の責務に属する」。②教育権に関する憲法レベルの解釈として，親の教育の自由は，主として，家庭教育や学校選択の自由にあらわれ，また，私学教育の自由や教師の教育の自由もそれぞれ限定された範囲で肯定される。③それ以外の領域において国は，子ども自身の利益擁護のため，必要かつ相当と認められる範囲において，教育内容についても決定する権能を有する。ただし，教育内容に対する国家的介入はできるだけ抑制的であることが要請され，子どもが自由かつ独立の人格として成長することを妨げるような国家的介入は，憲法26条，13条の規定から許されない。④憲法23条に基づく教師の教育の自由は，普通教育の場においても，公権力から教師が特定の意見のみを教授することを強制されず，教育が教師と子どもとの人格的接触を通じて個性に応じて行われなければならないという本質的要請に照らし，教授の具体的内容および方法につきある程度自由な裁量が認められなければならないという意味において，一定の範囲における教授の自由が保障される。

学習指導要領の法的効力

それでは，旭川学力テスト事件判決（前掲）のいうように教師に一定の範囲で教育の自由が認められるとして，教師が学習指導要領に従わないことや教科書を使わないことも許されるでしょうか。この問題について伝習館高校事件（最判1990（平成2）年1月18日）で最高裁は，高等学校の教育は普通教育ではないけれども，教師が生徒への影響力・支配力をもっていること，また生徒側には十分な批判能力や教師選択の余地がないことから，国が教育内容および方法について守るべき基準を定める必要があると述べました。そして，学習指導要領に「法規としての性質」を認めても憲法23条，26条に違反せず，さらに学校教育法51条（当時）により教科書使用義務があるとしました。

主権者教育と政治的中立性の要請

学習権で触れたように，人格の完成，自立して生活する権利の基礎の獲得を目指し，平和で民主的な国家および社会の形成者として国民を育成することが教育の目的（教育基本法1条）です。選挙権年齢を18歳に引き下げる2015年の公職選挙法改正をきっかけに若者に対する主権者教育への関心が高まり，それを学校でどのように指導するべきか問題となっています。**主権者教育**とは，「社会の構成員としての市民が備えるべき市民性を育成するために行われる教育であり，集団への所属意識，権利の享受や責任・義務の履行，公的な事柄への関心や関与などを開発し，社会参加に必要な知識，技能，価値観を習得させる教育」とされています（総務省常時啓発のあり方等研究会「最終報告書　社会に参加し，自ら考え，自ら判断する主権者を目指して〜新たなステージ『主権者教育』へ〜」2011年。以下，「総務省あり方研究会『最終報告書』」）。

主権者教育は，市民と政治との関わり，「社会参加」と「政治的リテラシー（政治的判断能力や批判力）」が鍵となります。社会の一員としての自覚や社会参加に必要なスキルを体得するには，実際に社会の一員として社会活動に参加，体験し，それを共に振り返ることも必要です。また，「政治的リテラシー」を育てるには，政治的・社会的に対立する問題を使って，政治的判断能力を訓練することが必要です。ところが，学校および教職員は，政治的中立が求められているうえ（教育基本法14条2項，教育公務員特例法18条1項），特定の政党等に加担する目的で教育を行うと罰せられます（義務教育諸学校における教育の政治的中立の確保に関する臨時措置法）。そのため，教育現場は，政治的リテラシーを育てる教育の実施を求められる一方で，政治的な事項の取組が党派的教育と評価された場合には処罰されるという板挟みにあって困惑しています。

政治的中立性と政治的公正

この点，文部科学省は，「教員が政治的教養に関する党派的な主張や政策に触れることはあり得ることであり，各政党の政策等を批評することが直ちに本項（教育基本法14条2項）に抵触するものではない」とし，**政治的中立性**確保のために①他の考えや見方を紹介する，②異なる見解を示した複数の資料を使用する，③教員の個人的な主義主張を避けて中立かつ公正な立場で指導する，ことを求めています（総務省・文部科学省『私たちが拓く日本の未来のための指導資料』2015年）。我が国は「政治的中立性」の要求を「非政治性」の要求と捉えてきたようにみえますが，ドイツでは「政治的公正」の要求と捉え，対立する立場をフェアに紹介してそれぞれの立場について正確な情報を伝えることを重視しています。主権者教育においては，諸外国の事例も参考にしながら「政治的中立性の原則」をしっかり議論し明確にする必要があります（前掲総務省あり方研究会「最終報告書」）。

新聞を補助教材とする際の条件

では，現実の政治課題を扱うために新聞を補助教材として使用する場合，上記の条件を充たすのみで十分といえるでしょうか。政治的「中立」は，時代的傾向の振れに応じて左右の「真ん中」の実態も傾くため，幅があって曖昧な概念です。そこで，欧米のジャーナリズムにおける原則では，「公正」を担保するのは「中立」ではなく党派からの「独立」であるといわれています。参考までに，ドイツでは連邦政治教育センターという公的機関によって教材が提供されます。このセンターは，全政党が参加する「監査委員会」にセンターの活動をチェックさせるシステムを内部にもつことで，各政党に対する「公正」を担保しています。

また，新聞を補助教材として使用する場合，「事実と意見の区別」やマスメディアがもつ情報操作の危険性について学ぶことが極めて重要です。特に，その政治的な操作性を考えれば，批判的な読み方を学ばずにその情報を受入れることは無謀であると，警鐘が鳴らされています。今日，子どもたちが情報を主としてSNSから得ている時代においては，こうした教育は重要性を増しています。それは，主権者としての資質を育成するためにも不可欠だからです。

2　学校と生徒の人権

生徒の人権と校則

生徒は，１人の人間として人権が保障されます。その一方で，生徒が学校で共同生活を送り教育を受けるには，学校の定めたルール（校則）を守らなければなりません。さらに，子どもであるがゆえに大人とは異なる権利の制限もあります。後者は，パターナリスティックな制約と呼ばれ，国家が親代わりとなって子どもを保護し子ども自身の利益を守るために行われます（第３部第10章参照）。

しかし，いくら子どもの保護のためであったとしても，無制約に子どもの権利を規制してよいというものではありません。たとえば，髪型の規制やバイク免許の取得を許可制とする校則について，裁判所はいずれも校長に広範な校則制定の権限を認め，教育目的という建前のもとに生徒の権利の制約を認めています（髪型規制につき熊本地判1985（昭和60）年11月13日，バイク規制につき最判1991（平成３）年９月３日）。両者とも人権といえるか議論がありますが，前者はパターナリズムによる制約，後者は共同生活を送ることに伴う規制といえます。前者のパターナリズムによる制約には批判が多くあり，また後者にも学校と無関係なところにまでバイク規制を及ぼすことに疑問が投げかけられています。

生徒の人権と懲戒・学校環境

生徒の人権の行使が学校内の秩序維持の利益と衝突した場合，生徒はどこまで人権が保障されるのでしょうか。ベトナム反戦等の意思を表明するために黒い腕章をして登校した生徒を校則違反による停学としたことの合憲性が争われた**ティンカー対デモイン独立学区事件**でアメリカ連邦最高裁は，「学校の運営を物理的かつ実質的に混乱させ，または他人の権利を侵害する可能性を」学校が証明しない限り生徒の表現の自由を制限できないとして，懲戒を違憲だとしました（アメリカ連邦最高裁・1969年）。他方，学校は，一般社会と異なる学校環境の特性を根拠として生徒の人権の制限が認められます。生徒は「**囚**（とら）**われの聴衆**」として内心の自由が侵されやすい環境に置かれるので，不適切な生徒表現に対する学校の規制を認めました（ベセル学区対フレイザー事件：アメリカ連邦最高裁・1986年）。

校則に限らず，体罰やハラスメントのように教師の誤った働きかけによっても生徒の人権が侵害されることがあります。学校教育法11条は，本文で校長や教師に教育目的による生徒の懲戒を認めていますが，ただし書きで体罰を禁止しています。**体罰**には，殴打や長時間正座させるなど肉体的苦痛を与えるもののほか，生徒から授業を受ける権利を実質的に奪うような決定を行うことも含まれます（静岡地判1988（昭和63）年２月４日）。

また，スクール・セクハラや**スクール・パワハラ**は，教師が成績評価や部活動の指導において生徒に対する優越的地位を利用して，性的あるいは権力的に嫌がらせをすることです。セクハラは，教育職員等による児童生徒性暴力等の防止等に関する法律により禁止されています。では，行き過ぎた指導はどうでしょうか。たとえ教師の善意から指導が行われたとしても，「指導をされる側の人格権を不当に侵害することがないよう，社会通念上相当な方法がとられなければな」りません（東京地判2007（平成19）年5月30日）。

生徒の思想・信条の自由

教師は生徒を評価する権利をもっていますが，他方で生徒は思想・信条（第3部第3章参照）の自由が尊重されて公正かつ平等に扱われる権利を有しています。では，教師が生徒を評価するときは，思想・信条の自由により評価権が制限を受けるでしょうか。この点につき，機関紙の発行，ビラまきおよび学生運動の集会への参加など生徒の学校内外での政治的活動を内申書に記載したことの合憲性が争われた**麹町中学校内申書事件**があります。第1審は，内申書の記載が生徒の「学習権を不当に侵害しないように，客観的に公正かつ平等にされるべきである」とし，教育評価権の裁量の範囲を逸脱し違法だとしました（東京地判1979（昭和54）年3月28日）。しかし，最高裁は，この問題に触れることなく，思想信条を内申書に記載したものではなく高校選抜の資料としたわけでもないので違法ではないとしました（最判1988（昭和63）年7月15日）。しかし，この判決に対して，「思想・信条」を限定的に解釈して記載事項が許容限度を超えていないとした事案の処理に釈然としないものが残る，また学校外の政治集会への参加まで記載するのはプライバシーの侵害とすべきという批判があります。

いじめの定義

生徒間のいじめも生徒にとっては大きな問題です。いじめが社会問題化して以来，様々な立場の人がそれぞれの捉え方で議論していますが，学校で教師がやめさせるべきいじめとは何でしょうか。2013年に制定された**いじめ防止対策推進法**2条は，「いじめ」を児童等と一定の関係にある児童等が「心理的又は物理的な影響を与える行為（インターネットを通じて行われるものを含む。）であって，当該行為の対象となった児童等が心身の苦痛を感じているもの」と定義しました。しかし，この定義は学校の教育活動などを通じていじめの防止対策を推進する目的のために対象を広げた結果，学校で教師がやめさせるべきいじめとしては広すぎます。他方，法的責任を問う裁判では，「ある生徒（達）の行動により他の生徒の生命は勿論（もちろん），身体，精神，財産等に重大な危害が及ぶことが現実に予想されるようなとき」の生徒（達）の行動（いわき市いじめ自殺事件，福島地裁いわき支部判1990（平成2）年12月26日）と定義されています。しかし重大な結果が出たら学校の責任を問

> **資料12－1　いわき市いじめ自殺事件**
>
> いわき市立中学校の自殺した生徒の遺族が，自殺は同級生の「いじめ」が原因であると主張して，学校設置者であるいわき市に損害賠償を求めて提訴しました。なお，いじめをした同級生の両親とは和解が成立したようです。裁判所は，義務教育における生徒は教師らの指導下で他の生徒とともに共同生活しなければならないので，生徒が学校内およびこれと密接に関連する生活関係下にある間は，「教師らに生徒を指導監督するべき義務及び生徒の安全を保持（配慮）すべき義務」があるとしました。そして，学校側の安全保持義務違反の有無は，「未熟な子供達」による「集団心理が働く」という「いじめの特質」に留意しつつ学校が把握した事実から「重大かつ深刻ないじめの存在」を予見する義務，そのほか生徒や家族から具体的な事実に基づく真摯（しんし）な訴えがあった時には，適切な対処を講じて結果の発生を未然に防ぐ努力をしなければならないという義務の違反により判断すると判示しました（福島地裁いわき支部判1990（平成2）年12月26日）。

うぞといっているだけで，具体的に教師がいつ何をすべきかが分かりにくい弱点がありました。そこで，教師が指導すべきいじめとは，特定の者が，集中的かつ継続的に，悪戯（いたずら）または人権侵害（生命，身体，自由，財産，名誉，プライバシー等への攻撃）を受け，あるいは，悪意ある仲間はずれにより所属する集団からコミュニケーションの相手として真面目に扱われる権利をはく奪され，その人格を否定される行為であると提言されています（中富公一『自信をもっていじめにNOと言うための本』日本評論社，2015年参照）。注目すべき定義かと思われます。

いじめと学校の責任

いじめは，生徒間のトラブルなので，原則，関係の修復は生徒たちに任されます。では，なぜ学校がいじめに関わらなければならないのでしょうか。それは，学校は教育のために児童生徒を保護者の監護，監督下から引き離して学校の指導管理下におくので，校長および教師らが児童生徒に対する指導監督義務および安全な教育環境を保持（配慮）する義務を負うからです。もし，その義務を守れなかった場合，学校の設置者は憲法17条を具体化した国家賠償法1条に基づく損害賠償責任を問われることとなります（いわき市いじめ自殺事件・資料12-1参照。なお，私立学校の場合は在学契約違反または不法行為の責任が問われます）。

発展学習

- 特定宗教で教義上禁じられている格闘技を体育科で履修することを必修と定めることが，憲法上認められるか考えましょう（第3部第3章参照）。

コラム⑥

教育委員会ってどんな組織？

教育委員会制度は，戦前の地方教育行政における中央集権的・政治的性格を取り除くために，第１次アメリカ教育使節団報告書の「地方分権化」,「住民の参画」,「公選制の教育行政機関の創設」の提言を受けて，1948年に設けられました。

教育委員会にはどのような意義があるのでしょうか。教育委員会制度の在り方は,「公教育を誰がどのように管理，支配するかを問う，すぐれて国民主権と教育人権に関わる問題」といえます（坪井由実「教育委員会制度の実態と問題点」日本教育法学会編『教育法の現代的争点』法律文化社，2014年)。その意義には，第１に中央政府に対する地方自治，第２に教育における住民自治，第３に地方公共団体内における一般行政に対する地域教育行政の文化的独立性が挙げられます。旭川学テ事件で最高裁は，国に「子ども自身の利益の擁護」などのために「必要かつ相当と認められる範囲内」で教育内容の決定を認めましたが，教育は「本来人間の内面的価値に関する文化的な営みとして，党派的な政治的観念や利害によつて支配されるべきではない」ので，教育内容に対する「国家的介入についてはできるだけ抑制的であることが要請される」と述べています（最大判1976（昭和51）年5月21日)。

日本に定着しているようにみえる教育委員会制度も，形骸化しているとか責任体制が不明確などの理由で何度か存続の危機に直面してきました。なぜ，教育委員会制度が，形骸化し不要とまでいわれるようになったのでしょうか。その点，臨時教育審議会第２次答申（昭和61年4月23日）は，①戦前の国から与えられた教育という教育関係者間の根強い意識と，自治意識の未成熟さとにより制度が十分に生かされていないこと，②教育界，学校関係者の間に，閉鎖的な体質と画一主義的な体質が働きがちであること，③改革に対して消極的な面がみられたことが原因であると分析しています。さらに教育委員会制度の歴史を踏まえると，1956年の教育委員会法の廃止および地方教育行政の組織及び運営に関する法律（以下,「地教行法」）の制定に根本的な原因があったと考えられます。なぜなら，その法改正で教育委員公選制が廃止され，教育長を文部大臣による事前承認制とし，文部大臣に教育委員会への「措置要求」「調査」権限を付与するなど,「官僚的，上位下達的な教育行政の強行」が行われているからです（三上昭彦『教育委員会制度論―歴史的動態と〈再生〉

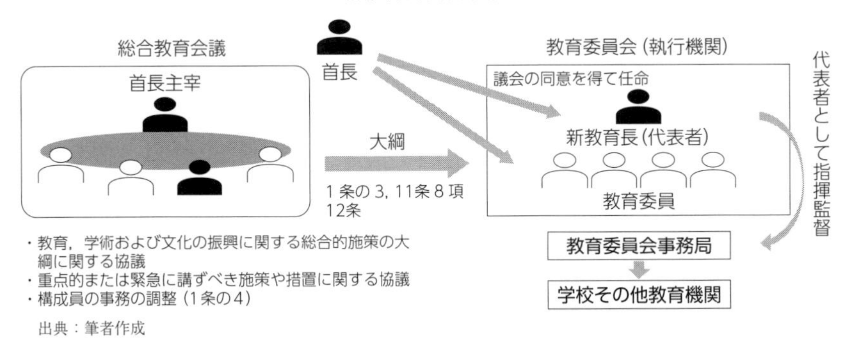

出典：筆者作成

の展望―』エイデル研究所，2013年）。なお，その後の地方分権改革を受け，先の文部大臣の権限などが廃止され，中央集権的制度はある程度修正されました。

直近では，2013年の中央教育審議会の答申を受けて，地教行法が次のように改正されました。①地方公共団体の首長に「教育，学術及び文化の振興に関する総合的な施策の大綱」（以下，「大綱」）策定の権限を付与する（1条の3），②大綱の策定に関する協議および重点的に講ずべき施策や緊急の場合に講ずべき措置についての協議ならびに事務の調整を行うため，首長が主宰する「総合教育会議」を設置する（1条の4），③新「教育長」を首長が議会の同意を得て任命し，新「教育長」は教育委員会から指揮監督（旧17条1項削除）を受けず，教育委員会の会務を総理し，教育委員会を代表する（13条）という改正で，新「教育長」の権限を拡大し責任を重くしました。

改正後の教育委員会制度は，教育委員会の「独立性」を維持しつつ，首長主宰の総合教育会議で決定される「大綱」などに即して，教育行政を教育長が執行するという体制です（1条の3，11条8項）。本来，教育委員会には「教育現場からの要求にきめこまかに応えていく教育条件整備行政」と「真に教育専門的な指導助言行政」とを成しうるような文化的体質を備えることが求められます（兼子仁『教育法〔新版〕』有斐閣，1978年）。子どもの学習権保障における教育専門職の観点と住民の多元的な意見を踏まえた執行のためには，総合教育会議における教育委員会と一般行政との協議・調整が有効に機能することが必要かつ重要な課題です。また，教育が文化的価値に属する営みであることを考えると，教育委員会において住民の多面的な意見が正確に反映されることが必要です。この点，各学校レベルで保護者・住民，校長・教職員，生徒が協議する学校運営協議会（地教行法47条の5）を有効に活用することが考えられます。

第13章　学問の自由と大学の自治

東大や筑波大学で2020年に総長や学長が選ばれたけど，教授たちが怒っているという記事をみたよ。

以前は，学長は教授たちの投票で決まっていたらしいわ。

学長の決め方も2004年の国立大学法人化の時に変わったのかな。

そういえば教授たちは日本学術会議の会員任命のことでも怒っていたね。

学問の自由を守れっていってたけど，私たちにも関係あるのかな。

諸外国の憲法と比べたとき，学問の自由を独自に保障する規定をもった憲法は多くはありません。通常は，精神的内面の自由としての「思想・良心の自由」(19条)，精神的外面の自由としての「表現の自由」(21条) で，学問の自由はフォローできると考えられています。では，19条，21条とは別個に，23条で，あえて学問の自由を保障する理由は何でしょうか。どう違うのでしょうか。

Point

- ポポロ事件最高裁判決は，学問の自由をどのように定義しましたか。それは，憲法19条や21条ではフォローできないのでしょうか。学問の自由はなぜ保護される必要があるのでしょうか。
- なぜ大学の教師に特権が与えられるのでしょうか。学生に学問の自由が保障されますか。
- 大学の自主自律と大学の自治はどのように使い分けられていますか。

1　大学の自治の歴史と構造

ポポロ事件最高裁判決　東京大学の学内劇団ポポロ座の劇を観劇中の警察官が学生にみつかり，その際，学生たちが押収した警察手帳から，彼らが連日のように同大学構内に潜行し学生・教職員・学内団体等の調査・情報活動をしていたことが判明しました。この学生らは暴力行為等で起訴され，1審，2審は，大学の自治を守るための正当行為として無罪にしましたが，しかし最高裁は原判決を破棄し差戻し，憲法23条の趣旨について次のように説示しました（最大判1963（昭和38）年5月22日）。

それは，Ⅰ.「学問的**研究の自由**とその**研究結果の発表の自由**とを含むものであつて，……特に大学におけるそれらの自由を保障することを趣旨としたものである。教育ないし教授の自由は，学問の自由と密接な関係を有するけれども，必ずしもこれに含まれるものではない。しかし，大学については，憲法の右の趣旨と，……学校教育法〔現83条〕に基づいて，大学において教授その他の研究者がその専門の研究の結果を**教授する自由**は，これを保障されると解するのを相当とする。……大学における自由は，……大学の本質に基づいて，一般の場合よりもある程度で広く認められると解される」。

Ⅱ. 上記自由の保障のため，「伝統的に**大学の自治**が認められている。この自治は，とくに大学の教授その他の研究者の**人事に関して**認められ，大学の学長，教授その他の研究者が大学の自主的判断に基づいて選任される。また，大学の**施設と学生の管理**についてもある程度で認められ，これらについてある程度で大学に自主的な秩序維持の権能が認められている。」

つまり，学問の自由はもちろん一般人にも保障されるけれど，大学の教授らには，「特別な学問の自由と自治」が保障され，それには研究の自由，その結果発表の自由のほか，教授の自由，そして大学の自治が認められると述べたのです。大学の自治が保障する学問の自由は，19条，21条と何が違うのでしょうか。またなぜ，大学の先生らにはそのような特権が認められるのでしょう。

学問の自由の独自性　学問の自由が独自に保障される理由として次のような理由が挙げられています。

①学問研究は，広く人類の文化に貢献することができる。②学問活動は既成の学問的成果を伝承し，後進の研究者を養成し，さらに新しい価値を創造して

いくが，これらの働きは自由な状況のもとでなければ十分に行いえない。③学問が真理を追求することは，しばしば既存の価値に疑問をもつことを導き，現存の体制への批判を生むから，それだけに政治権力の不介入を保障する必要が高い。④現代の学問研究は，国その他と雇用関係に立つ研究者によって行われることが多く，このような従属関係からくる制約を招きやすい。⑤単なる学問活動の自由のみでなく，大学研究機関の自治の保障が必要であり，それには憲法上の特別の規定をおくことが望ましい。

しかし①，②，③は，思想・良心の自由，表現の自由などの市民的自由についても当てはまります。⑤は大学の自治を要請しているといっていますが，それがなぜかが問題です。それに対して④は，確かに市民的自由と論理構造が違っています。この違いについて法哲学者**ロナルド・ドゥオーキン**（1931-2013年）は次のように説明しています。表現の自由は，自分の語る内容を誤りだとか望ましくないとか思っている人から，それを語っている間，支援や援助を受け続けるという権利ではないが，学問の自由は，人々が何を書き，述べ，あるいは教えようと，大学等が彼らに支援や援助を与えるよう要求している，と。では，なぜ大学人にはこのような特権が認められているのでしょうか。歴史を振り返りましょう。

大学と国家

世界最古の大学は，ボローニャ大学あるいはパリ大学といわれています。**ボローニャ大学**は，中世のギルド的伝統のなかで，学生の組織が大学団に統合され教師たちと教育契約を結び，教師たちは雇用者である学生たちに対抗するために団体（教授会）を結成することにより誕生しました。**パリ大学**は，世俗（皇帝，市民等）と教会（教皇，司教等）と学校（学生と教師）の三すくみの議論の末自治を認められ，教皇の勅書によって保障されました。両大学とも国家から自律した特権的団体としての地位を獲得しました。その後設立された大学も両大学と同様の特権を領主に求めました。

その後，各国で発展形態は異なります。ドイツでは領邦国家時代，各君主は大学を設立し大学は国家機関となります。それにより教師の生活は安定しますが，君主と君主の信ずる宗教への従属を求められました。対ナポレオン戦争の敗戦はドイツに衝撃を与えます。民族の真の力は精神と文化にあるとの考えのもと哲学と教育に期待が寄せられ，1810年フンボルト大学が創設されます。

学問の自由が尊重され，成果を挙げた**フンボルト大学**は，世界の大学のモデルとしての地位を確立します。その特徴の1つは，哲学の自由を保障することにより学問を**宗教的くびき**から解放したこと。もう1つは，**研究と教授の統一**という理念です。フンボルト構想とは「学ぶ者と教える者との協同体」を目指すものであり，「大学では，教師は学生のためにいるのではなく，教師も学生もともに学問のためにいる」とするものでした。当時スペインからフンボルト大学に留学した**ホセ・オルテガ**（1883-1955年）は，それを，教師による教育の軽視であり，そこに生じているものは大学生活の偽造であると評しました。さらに，大学教授の特権と自由も国家が与えた枠内のものであって，学内では自由，学外では不自由というものでした。

つまりドイツにおいて，公的地位を獲得した大学は，国家に組み入れられ，知の共同体として特権が与えられることにより，宗教から独立し真理を探究することができ，学問は発展しました。しかし，市民的自由が存在しない国において，学問の自由は，国家の庇護のもと学者に与えられた特権であり，学生の学習権はなおざりにされ，社会からは閉ざされたままでした。

大学と社会

ハーバード大学を最古とするアメリカの大学は，宗教者を養成する私立大学として発足します。先にみたように中世の大学は教会の機関あるいはギルドとして発足し，外部の世俗権力の介入からの自由を原則としました。これを大いに非難したのはピューリタンです。彼らの特徴は，信徒が地域の教会の管理に，大きな役割を果たすようになったことです。ちょうどギルドや教会の自治が中世の大学組織のモデルとなったように，非国教会派のプロテスタントの教会管理様式〔**俗人の理事会**が教会を管理する様式〕がアメリカのカレッジに，従来とは異なったモデルを提供しました。アメリカのプロテスタントは，高等教育のいかにも尊大な点，すなわち聖職者たちが主張する自律に基づく自治を解体させ，共同社会に管理させたことを，文明に対する自分たちの貢献の1つと考えていました。こうして理事者たちによる**素人支配**が樹立されます。

南北戦争（1861-1865年）の後，急速な工業化（世俗化）が進み，勃興しつつある**産業資本家**が自己の利害との関連において大学の研究教育の価値を明確に意識し始めます。巨額の資金が大学に提供されるとともに，彼等による学問内容への介入がみられるようになります。それに対して，大学，特に学長が盾となり教授たちの研究を守りました。**ダーウィニズム**は宗教的ドグマへの挑戦を意味しました。1870年代，アメリカで進化論を講義する教員研究者は，これを禁圧しようとする理事会と対立します。彼等は，同じ専門の研究者集団の判断に依拠し戦う勇気を得ました。ここにおいて**学問共同体**の価値が認識されます。第二次大戦後の冷戦のなかで**マッカーシズム**が吹き荒れます。それは民主主義国家による魔女狩りでした。これに対し，連邦最高裁判所は，**学問の自由**（academic freedom）を認め，人権として確立しました。

つまり，アメリカの大学は社会に開かれ，社会の代表者によって運営されました。市民には自由が保障され，学問の自由は特別視されていませんでした。その結果，学問の自由は，経済権力，宗教的権威，政治権力によって脅かされました。それに対する知の共同体による戦いと国家（＝裁判所）の助けをえて学問の自由は人権として確立されたのです。

まとめれば，学問の自由が大学人の特別な権利として保障されたのは，ドイツにおいては一般人には市民的自由が保障されていなかったからであり，アメリカでは，社会的圧力から，被雇用者である大学人の研究，教育の自由を守るためであったといえます。その意義は先に述べた通りですが，先に述べた③の意義につきドゥオーキンは，大学が全体主義に対する防波堤となるモデルを提供できるからだと述べています。大学の自治が保障されたのは，研究の質の担保は大学人同士に任せることが望ましいと考えられたからです。

なお，アメリカでは**学習の自由**と教授の自由が切り離されました。学生を「確信」させ，教授の個人的な学問体系や哲学的思想に彼らを引き入れるといったドイツの理念は，アメリカの学界では容認されませんでした。

2　今日の大学改革

大学と新自由主義

戦後オーストラリアの高等教育改革をみてみましょう。

1950年代から60年代は「教育爆発の時代」であり，教育投資と経済成長の因果関係に対する信頼のある「幸福な時代」であったとされます。70年代に，ニュー・ライトへの政策転換が行われます。教育分野に市場原理が導入され，他方で，教育内容やその質に対する国家からの中央統制が進められます。80年代は，大学システムの「効率的で社会適合的なもの」への再編が行われます。

国際社会において激しさを増す経済競争あるいは技術競争を勝ち抜く上で必要となる知や技能を効率的に提供することが求められるようになりました。

「教育」に対する社会的要請が何であり，それに応える能力がどのように形成されるのかを明確に定義できない時代において，「市場」は「社会的に望ましい形態」が長期的に選択されるためのメカニズムとみなされたのです。他方で，政府による中央からのコントロールが，質の統制，業績評価，教育・研究内容に対する国家優先事項の設定，予算削減といった諸政策を通して強化されました。こうして，高等教育をコントロールする主体が大学人から国家・市場へ移行したといわれます。日本でも21世紀になってこうした新自由主義政策への後追いが始まり，大学改革が実施されました。

日本の大学改革

日本の大学改革において「大学の公共性」は，大学が社会（＝**ステークホルダー**）に対して責任をとることとされ，それは**大学の自主・自律**に委ねられ，その最終責任は学長に託されました。それに対し，「大学の自治」は学問の自由を保障する制度であり，その主たる主体は教授会となります。そして個々の教員には学問の自由が保障されます。

この構想が成果を上げるには，それぞれ達成すべき課題に適合した形でそれに適した主体に権限を分配し，チェックアンドバランスを機能させることが肝要です。しかし，安倍政権以来，運営費交付金が恒常的に減額されるなか，「イノベーション」に資することこそ学問の社会性であるとされ，それに重点を置いた予算配分がなされることで，大学自体それにすり寄らざるをえない状況が作られています。政府，大学，教授会，教員の適切な**役割分担**とは何なのか，模索が続きます。

国の政策と大学の自主・自律

さらに，次のような問題も想定されます。安倍政権の軍事政策を受け，2015年度に防衛装備庁による安全保障技術研究推進制度がスタートしました。純粋な学術研究は対象外とされ，防衛装備庁との間で委託契約を結ぶ制度です。この制度は，年々増額され2017年度政府案では総額110億円が計上されています。これまで**日本学術会議**は戦争を目的とする科学研究を行わないことを表明していましたが，これを受け会長が，防衛のためならそしてデュアルユースであれば研究が許されるかどうかの検討を要請し，見直し作業が始まりました。その中間まとめは，「大学等の各研究機関は，……軍事的安全保障研究と見なされる可能性のある研究については，その適切性について，目的・方法・応用の妥当性の観点から，技術的・倫理的に審査する制度を設けることが望まれる」と答申しました。

大学教員によるこの制度への申請には大学の許可が必要です。大学がこの答申に従い基準を設けこの審査制度に基づき申請を拒否した場合，申請した教員は，学問の自由侵害で大学を訴え，勝訴できるでしょうか。

軍事研究は，兵器等に係わるので危険性が危惧され，秘密性が要請されます。また多額の資金が必要となり，それをコントロールする防衛省，財務省の監督が研究細部にまで及ぶ可能性もあります。このような軍事研究を大学に導入するとすれば，大学構成員の安全，研究の自由，研究成果発表の自由，軍事研究に係わる学生・院生の思想の自由，表現の自由，就職の自由等の問題が起こることが想定されます。その研究室に留学生がいたらどうするのでしょうか。またその研究が倫理的にも社会の理解を得られないとすれば，大学の名声は地に落ちます。そうしたことを考えれば，中間報告が大学に軍事研究の「目的・方法・応用の妥当性の観点から，技術的・倫理的に審査」すべきと勧告しているのは至極尤もだと思われます。そうした基準に適合しない研究に申請を認めないとしても，大学が裁判で負けるとは一般的には考えられません。

ところで菅首相（当時）は2020年，学術会議が推薦した会員のうち 6 名の任命を拒否しました。その理由としてこの声明があったといわれています。もしこの声明に問題があると考えるなら，首相は自らその考えを国会で述べ議論に付すべきだと思われます。

発展学習

- 最高裁ポポロ事件判決は，「学生の集会が……実社会の政治的社会的活動に当る行為をする場合には，大学の有する特別の学問の自由と自治は享有しない」と述べています。では，警察は大学内で自由に学生の活動を監視してよいのでしょうか。学生に集会結社の自由は保障されないのでしょうか。

おわりに

世界をみるとロシアはウクライナへ軍事侵攻を開始し，隣国中国は軍事強国化を進めるなど，近年地政学的リスクが高まっています。国内をみれば少子高齢化，下がり続ける実質賃金，増え続ける企業の内部留保金，結婚しない，できない若者など内憂外患ともいえる状況です。こうした時こそ民意を結集して困難に立ち向かうべきように思われますが国民の政治への関心は高くはありません。日本の民主主義の課題を憲法からみてみます。

立憲主義と政治責任

第１部第４章でみたように岸田首相は安保三文書を閣議決定し，敵地反撃能力の保有，長射程ミサイルの導入，軍事費倍増を進めています。しかしなぜそうするのか，財源をどうするのか，憲法との関係がどうなっているのか明確な理念が語られることはありません。政治が現状に過剰に反応しているだけのように見えます。すでに集団的自衛権が認められたかのような報道をするマス・メディアがそうしたなし崩し的変更を助長しています。

安倍政権による安保改定の時も，自衛権の解釈運用を閣議決定で済ませました。たとえ国会で過半数を有しているとはいえ，政府は法律の根拠なく行政を執行することは許されません。

国会さらには憲法・法律を軽視した政治が続くのは何故でしょうか。それには彼らの憲法観をみる必要があります。安倍元首相は国会で「憲法について……いわば国家権力を縛るものだという考え方はありますが，しかし，それはかつて王権が絶対権力を持っていた時代の主流的な考え方」(2014年２月３日衆議院予算委員会）だと発言しています。彼らには選挙で勝利さえすれば，民主主義社会においては憲法や国会を軽視してもいいという信念があるようです。しかし民主主義は国会での討論の上に築かれるのです。どうせ与党が過半数を占めているのだから可決されるだろうという問題ではありません。国会軽視は国民の軽視に繋がります。国民は国会での討論をみて判断する権利を有しているからです。

国民が主権者であるとはどういう意味でしょうか。選挙権があればそれでいいのでしょうか。まず国民には政治家に説明を求める権利があります。政治家からすれば説明責任があります。権利とは正当な要求のことです。責任 responsibility とは，他人に応答する責めを負うことを原義とします。政治家は自己の理念を語り，それをどのように具体化するのかを国民に説明する責任があり，国民の代表として官僚などに説明させる権利があります。政治家に求められる能力とは，説明させる能力，説明する能力です。それは国会で発揮されます。そして国民はその説明に納得できないとき選挙でその政治家を辞めさせることができます。これを政治責任といいます。そのためには立候補の自由，複数政党制が必要です。そのことが保障されて初めての主権者です。他方，国民には政治家の言葉が信頼に足りるかどうか見抜く能力が必要です。マス・メディアはそれを助けるべきでしょう。その車の両輪があって初めて民主主義が活きてくるのです。

行政改革と政治改革――残された課題

本書第2部第4章内閣でも検討したように，官邸主導体制が整備されました。省益の寄せ集め的政治を止め政治主導を創出し国民主権を現実化するためと説明されています。その積極的側面は否定できませんが，官邸主導体制のもと国民の目の届かないところで政策決定が行われています。また各省の大臣や官僚が官邸に抑え込まれ現場の声や専門知識が軽視されるという問題が生じています。そもそも憲法が行政権の主体に内閣を据えるのは，行政「各」部が国民の権利の多様性を反映するからです。それら権利相互の間にある対立・緊張関係の調整は，最終的には内閣で行われます。政治主導とのバランスが重要なところ，その形骸化が懸念されます。文書が適切に管理されておらず，国民がそれにアクセスできる体制が不十分なことも問題です。

パーティー券裏金問題が明らかになり，再び政治と金の問題が浮上しています。様々な汚職事件で国民の政治不信が高まり，1994年政治改革法が成立しました。国民1人あたり250円の税金で政党助成金を給付すること，その代わり企業・団体献金に上限を設けることが決まりました。にもかかわらず，派閥がパーティー券という裏金で企業献金を受け取り，それを各議員が私物化していたことが明らかになりました。お金の流れを透明化すること，実質的に企業献金の補完となっているパーティー券は企業献金とみなすべきでしょう。また助成金目当てに小政党が乱立するようになっています。政党助成金を廃止するか，助成金の使途を選挙活動ではなく，政策立案活動や政治教育などに限定するなどの改革が必要です。

政治改革で導入された小選挙区比例代表並立制は，多様な政治的意見を反映しつつ政権交替可能な二大政党制を導入するため（第2部第2章参照）とされましたが，その機能を果たさず一強多弱をもたらしています。選挙制度の見直しが必要です。

改憲と憲法制定権力

地政学リスクの高まりのなかで憲法改正が検討されようとしています。それを決めるのも民意ですが，その際何に注意すべきでしょうか。

本書第1部第1章でカール・シュミットの憲法制定権力論を紹介しました。シュミットのいう意味での憲法制定権力に当たるのは日本国憲法の場合，SCAP マッカーサーおよび合衆国政府でしょう。日本国民は国民の代表を通してその制定にコミットし，日本国憲法を受け入れそれを自らのものとしようと今も努力を続けています。というのも，自分の人生は自分で選択する自由があるというのをこの憲法が教えてくれたからです。憲法制定権力は日本国政府が戦前復古的な政治に後戻りするのを押し留めてきました。日本国民が日本国憲法を自らのものとしたとき，憲法制定権力は日本国憲法に吸収され，事実上の問題となることが期待されます。

ところがこの憲法制定権力は，人権・民主主義のモデルだったと同時に米国の利益のためにも作動しています。そしてそれを制度的に担保しているのが日米安保条約です（第1部第4章平和主義参照）。改憲はこの制定権力からの要請という意味も持っています。現行憲法のもとでも専守防衛は可能です。改憲が本当に日本国民のためになるのか，自主独立と国際協調の精神のもと，戦争しない・させないための慎重な議論が必要です。

2024年初春

中富公一

巻末資料（抜粋）

人および市民の権利宣言（フランス人権宣言，1789年）

（前文略）

第1条（自由および権利の平等） 人は，自由，かつ，権利において平等なものとして生まれ，生存する。社会的差別は，共同の利益に基づくものでなければ，設けられない。

第2条（政治的結合の目的と権利の種類） あらゆる政治的結合の目的は，人の，時効によって消滅することのない自然的な諸権利の保全にある。これらの諸権利とは，自由，所有，安全および圧政への抵抗である。

第3条（国民主権） あらゆる主権の淵源（えんげん）は，本来的に国民にある。いかなる団体も，いかなる個人も，国民から明示的に発しない権威を行使することはできない。

第4条（自由の定義・権利行使の限界） 自由とは，他人を害しないすべてのことをなしうることにある。したがって，各人の自然的諸権利の行使は，社会の他の構成員にこれらと同一の権利の享受を確保すること以外の限界をもたない。これらの限界は，法律によらなければ定められない。

第5条（法律による禁止） 法律は，社会に有害な行為しか禁止する権利をもたない。法律によって禁止されていないすべての行為は妨げられず，また，何人も，法律が命じていないことを行うように強制されない。

第6条（一般意思の表明としての法律，市民の立法参加権） 法律は，一般意思の表明である。すべての市民は，みずから，またはその代表者によって，その形成に参与する権利をもつ。法律は，保護を与える場合にも，処罰を加える場合にも，すべての者に対して同一でなければならない。すべての市民は，法律の前に平等であるから，その能力にしたがって，かつ，その徳行と才能以外の差別なしに，等しく，すべての位階，地位および公職に就くことができる。

第7条（適法手続きと身体の安全） 何人も，法律が定めた場合で，かつ，法律が定めた形式によらなければ，訴追され，逮捕され，または拘禁されない。恣意的（しいてき）な命令を要請し，発令し，執行し，または執行させた者は，処罰されなければならない。ただし，法律によって召喚され，または逮捕されたすべての市民は，直ちに服従しなければならない。その者は，抵抗によって有罪となる。

第8条（罪刑法定主義） 法律は，厳格かつ明白に必要な刑罰でなければ定めてはならない。何人も，犯行に先立って設定され，公布され，かつ，適法に適用された法律によらなければ処罰されない。

第9条（無罪の推定） 何人も，有罪と宣告されるまでは無罪と推定される。ゆえに，逮捕が不可欠と判断された場合でも，その身柄の確保にとって不必要に厳しい強制は，すべて，法律によって厳重に抑止されなければならない。

第10条（意見の自由） 何人も，その意見の表明が法律によって定められた公の秩序を乱さない限り，たとえ宗教上のものであっても，その意見について不安を持たされることがあってはならない。

第11条（表現の自由） 思想および意見の自由な伝達は，人の最も貴重な権利の一つである。したがって，すべての市民は，法律によって定められた場合にその自由の濫用について責任を負うほかは，自由に，話し，書き，印刷することができる。

第12条（公の武力） 人および市民の権利の保障は，公の武力を必要とする。したがって，この武力は，すべての者の利益のために設けられるのであり，それが委託される者の特定の利益のためではない。

第13条（租税の分担） 公の武力の維持および行政の支出のために，共同の租税が不可欠である。共同の租税は，すべての市民の間で，その能力に応じて，平等に分担されなければならない。

第14条（租税に関与する市民の権利） すべての市民は，みずから，またはその代表者によって，公の租税の必要性を確認し，それを自由に承認し，その使途を追跡し，かつその数額，基礎，取立て，および期間を決定する権利をもつ。

第15条（行政の報告を求める権利） 社会は，すべての官吏に対して，その行政について報告を求める権利をもつ。

第16条（権利の保障と権力分立） 権利の保障が確保されず，権力の分立が定められていないすべての社会は，憲法をもたない。

第17条（所有の不可侵，正当かつ事前の補償）
所有は，神聖かつ不可侵の権利であり，何人も，適法に確認された公の必要が明白にそれを要求する場合で，かつ，正当かつ事前の補償のもとでなければ，それを奪われない。

（条文は，初宿正典・辻村みよ子編『新　解説世界憲法集〔第2版〕』三省堂，2010年，268頁以下，辻村訳による。一部用語を変更した）

ヴァイマル憲法（1919年）

第109条（平等原則，男女同権，称号の授与，勲章）①　すべてドイツ人は，法律の前に平等である。
②　男性と女性は，原則として同一の公民的権利及び義務を有する。
③　以下略

第119条（婚姻・家族・母性の保護）①　婚姻は，家庭生活及び民族の維持・増殖の基礎として，憲法の特別の保護を受ける。婚姻は，両性の同権を基礎とする。
②　家族の清潔を保持し，これを健全にし，これを社会的に助成することは，国及び市町村の任務である。子どもの多い家庭は，それにふさわしい扶助を請求する権利を有する。
③　母性は，国の保護と配慮とを求める権利を有する。

第120条（子どもの教育）　子を肉体的，精神的及び社会的に有能な者になるように教育することは，両親の最高の義務であり，かつ自然の権利であって，この権利・義務の実行については，国家共同社会がこれを監督する。

第121条（非嫡出子）　嫡出でない子に対しては，法律制定によって，肉体的，精神的及び社会的成長について，嫡出子に対すると同様の条件がつくられなければならない。

第151条（経済生活の秩序，経済的自由）①経済生活の秩序は，すべての人に，人たるに値する生存を保障することを目指す正義の諸原則に適合するものでなければならない。各人の経済的自由は，この限界内においてこれを確保するものとする。（以下略）

第152条（契約の自由）①　経済取引においては，法律の定める基準に従って契約の自由〔の原則〕が妥当する。
②　高利は，禁止されている。善良な風俗に反する法律行為は，無効である。

第153条（所有権，公用収用）①　所有権は，憲法によって保障される。その内容及び限界は，諸法律に基づいてこれを明らかにする。
②　公用収用は，公共の利益のために，かつ，法律上の根拠に基づいてのみ，これを行うことができる。公用収用は，ライヒ法律に別段の定めのない限り，正当な補償の下に，これを行う。（略）
③　所有権は，義務を伴う。その行使は，同時に公共の善に役立つものであるべきである。

第157条（労働力）①　労働力は，ライヒの特別の保護を受ける。（略）

第159条（団結の自由）①　労働条件及び経済的条件を維持し促進するための団結の自由は，何人にも，そしてすべての職業に対して，保障されている。この自由を制限し，又は妨害することを企図するすべての合意及び措置は，違法である。

第163条（労働の義務及び権利）①（略）
②　各ドイツ人には，経済的労働によってその生活の糧を得る可能性が与えられなければならない。適当な労働の機会〔が与えられていたのに労働しなかったのだということをライヒ〕が証明しえない者に対しては，その限度において，その者に必要な生計のための配慮がなされる。詳細は，特別のライヒ法律によってこれを定める。

第165条（共同決定権，労働者評議会，経済評議会）①　労働者及び被用者は，企業者と共同して，対等に，賃金及び労働条件の規律，並びに生産力の全体的・経済的発展に参与する資格を有する。双方の組織及びその協定は，これを承認する。
②（略）

（条文は，高田敏・初宿正典訳『ドイツ憲法集〔第8版〕』信山社，2020年，113頁以下，初宿訳による）

カイロ宣言（1943年）

……右同盟国の目的は日本国より1914年の第一次世界戦争の開始以後に於て日本国が奪取し又は占領したる太平洋に於ける一切の島嶼を剥奪すること並に満洲，台湾及澎湖島の如き日本国が清国人より盗取したる一切の地域を中華民国に返還することに在り日本国は又暴力及貪欲に依り日本国の略取したる他の一切の地域より駆逐せらるべし……

ポツダム宣言（1945年7月26日）

6　吾等は，無責任なる軍国主義が世界より駆逐せらるるに至る迄は，平和，安全及正義の新秩序が生じ得ざることを主張するものなるを以て日本国国民を欺瞞し之をして世界征服の挙に出づるの過誤を犯さしめたる者の権力及勢力は，永久に除去せられざるべからず。

8 「カイロ」宣言の条項は，履行せらるべく，又日本国の主権は，本州，北海道，九州及四国並に吾等の決定する諸小島に局限せらるべし。

9 日本国軍隊は，完全に武装を解除せられたる後各自の家庭に復帰し，平和的且生産的の生活を営むの機会を得しめらるべし。

10 吾等は，日本人を民族として奴隷化せんとし又は国民として滅亡せしめんとするの意図を有するものに非ざるも，吾等の俘虜を虐待せる者を含む一切の戦争犯罪人に対しては厳重なる処罰加へらるべし。日本国政府は，日本国国民の間に於ける民主主義的傾向の復活強化に対する一切の障礙を除去すべし。言論，宗教及思想の自由並に基本的人権の尊重は確立せらるべし。

12 前記諸目的が達成せられ且日本国国民の自由に表明せる意思に従ひ平和的傾向を有し且責任ある政府が樹立せらるるに於ては，聯合国の占領軍は，直に日本国より撤収せらるべし。

13 吾等は，日本国政府が直に全日本国軍隊の無条件降伏を宣言し，且右行動に於ける同政府の誠意に付適当且充分なる保障を提供せんことを同政府に対し要求す。右以外の日本国の選択は迅速且完全なる壊滅あるのみとす。

日本国との平和条約（サンフランシスコ平和条約，1952年4月28日条約5号）

第3条 日本国は，北緯29度以南の南西諸島（琉球諸島及び大東諸島を含む。），孀婦岩の南の南方諸島（小笠原群島，西之島及び火山列島を含む。）並びに沖の鳥島及び南鳥島を合衆国を唯一の施政権者とする信託統治制度の下におくこととする国際連合に対する合衆国のいかなる提案にも同意する。このような提案が行われ且つ可決されるまで，合衆国は，領水を含むこれらの諸島の領域及び住民に対して，行政，立法及び司法上の権力の全部及び一部を行使する権利を有するものとする。

第5条 (c) 連合国としては，日本国が主権国として国際連合憲章第51条に掲げる個別的又は集団的自衛の固有の権利を有すること及び日本国が集団的安全保障取極を自発的に締結することができることを承認する。

第6条 (a) 連合国のすべての占領軍は，この条約の効力発生の後なるべくすみやかに，且つ，いかなる場合にもその後90日以内に，日本国から撤退しなければならない。但し，この規定は，一又は二以上の連合国を一方とし，日本国を他方として双方の間に締結された若しくは締結される二国間若しくは多数国間の協定に基く，又はその結果としての外国軍隊の日本国の領域における駐とん又は駐留を妨げるものではない。

裁判所法

第2条（下級裁判所）**第1項** 下級裁判所は，高等裁判所，地方裁判所，家庭裁判所及び簡易裁判所とする。（略）

第3条（裁判所の権限）**第1項** 裁判所は，日本国憲法に特別の定のある場合を除いて一切の法律上の争訟を裁判し，その他法律において特に定める権限を有する。（略）

刑事訴訟法

第21条 裁判官が職務の執行から除斥されるべきとき，又は不公平な裁判をする虞があるときは，検察官又は被告人は，これを忌避することができる。

刑　法

第199条（殺人） 人を殺した者は，死刑又は無期若しくは5年以上の懲役に処する。

第204条（傷害） 人の身体を傷害した者は，15年以下の懲役又は50万円以下の罰金に処する。

第208条（暴行） 暴行を加えた者が人を傷害するに至らなかったときは，2年以下の懲役若しくは30万円以下の罰金又は拘留若しくは科料に処する。

第222条（脅迫）**第1項** 生命，身体，自由，名誉又は財産に対し害を加える旨を告知して人を脅迫した者は，2年以下の懲役又は30万円以下の罰金に処する。（略）

第223条（強要）**第1項** 生命，身体，自由，名誉若しくは財産に対し害を加える旨を告知して脅迫し，又は暴行を用いて，人に義務のないことを行わせ，又は権利の行使を妨害した者は，3年以下の懲役に処する。（略）

第230条（名誉毀損）**第1項** 公然と事実を摘示し，人の名誉を毀損した者は，その事実の有無にかかわらず，3年以下の懲役若しくは禁錮又は50万円以下の罰金に処する。（略）

第230条の2（公共の利害に関する場合の特例）

第1項 前条第1項の行為（注…公然と事実を摘示し，人の名誉を毀損した行為）が公共の利害に関する事実に係り，かつ，その目的が専ら公益を図ることにあったと認める場合には，事実の真否を判断し，真実であることの証明があったときは，これを罰しない。
第２項　前項の規定の適用については，公訴が提起されるに至っていない人の犯罪行為に関する事実は，公共の利害に関する事実とみなす。
第３項　前条第１項の行為が公務員又は公選による公務員の候補者に関する事実に係る場合には，事実の真否を判断し，真実であることの証明があったときは，これを罰しない。

第231条（侮辱）事実を摘示しなくても，公然と人を侮辱した者は，１年以下の懲役若しくは禁錮若しくは30万円以下の罰金又は拘留若しくは科料に処する。

第233条（信用毀損及び業務妨害）虚偽の風説を流布し，又は偽計を用いて，人の信用を毀損し，又はその業務を妨害した者は，３年以下の懲役又は50万円以下の罰金に処する。

第235条（窃盗）他人の財物を窃取した者は，窃盗の罪とし，10年以下の懲役又は50万円以下の罰金に処する。

第236条（強盗）第１項　暴行又は脅迫を用いて他人の財物を強取した者は，強盗の罪とし，５年以上の有期懲役に処する。（略）

第249条（恐喝）第１項　人を恐喝して財物を交付させた者は，10年以下の懲役に処する。
第２項　前項の方法により，財産上不法の利益を得，又は他人にこれを得させた者も，同項と同様とする。

第261条（器物損壊等）前３条に規定するもののほか，他人の物を損壊し，又は傷害した者は，３年以下の懲役又は30万円以下の罰金若しくは科料に処する。

※　2025年６月１日より刑法が改正され，懲役と禁錮は一本化され拘禁刑となる予定。

民　法

第２条（解釈の基準）この法律は，個人の尊厳と両性の本質的平等を旨として，解釈しなければならない。

第90条（公序良俗）公の秩序又は善良の風俗に反する法律行為は，無効とする。

第709条（不法行為による損害賠償）故意又は過失によって他人の権利又は法律上保護される利益を侵害した者は，これによって生じた損害を賠償する責任を負う。

第710条（財産以外の損害賠償）他人の身体，自由若しくは名誉を侵害した場合又は他人の財産権を侵害した場合のいずれであるかを問わず，前条の規定により損害賠償の責任を負う者は，財産以外の損害に対しても，その賠償をしなければならない。

第750条（夫婦の氏）夫婦は，婚姻の際に定めるところに従い，夫又は妻の氏を称する。

第772条（摘出の推定）
第１項　妻が婚姻中に懐胎した子は，当該婚姻における夫の子と推定する。女が婚姻前に懐胎した子であって，婚姻が成立した後に生まれたものも，同様とする。
第２項　前項の場合において，婚姻の成立の日から200日以内に生まれた子は，婚姻前に懐胎したものと推定し，婚姻の成立の日から200日を経過した後又は婚姻の解消若しくは取消しの日から300日以内に生まれた子は，婚姻中に懐胎したものと推定する。

第900条（法定相続分）（第１号～第３号省略）
第４号　子，直系尊属又は兄弟姉妹が数人あるときは，各自の相続分は，相等しいものとする。ただし，父母の一方のみを同じくする兄弟姉妹の相続分は，父母の双方を同じくする兄弟姉妹の相続分の２分の１とする。

国家賠償法

第１条（公権力の行使に基づく損害の賠償責任，求償権）第１項　国又は公共団体の公権力の行使に当る公務員が，その職務を行うについて，故意又は過失によつて違法に他人に損害を加えたときは，国又は公共団体が，これを賠償する責に任ずる。
第２項　前項の場合において，公務員に故意又は重大な過失があつたときは，国又は公共団体は，その公務員に対して求償権を有する。

第２条（公の営造物の設置管理の瑕疵に基づく損害の賠償責任，求償権）第１項　道路，河川その他の公の営造物の設置又は管理に瑕疵があつたために他人に損害を生じたときは，国又は公共団体は，これを賠償する責に任ずる。（略）

国家公務員法

第102条（政治的行為の制限）第１項　職員は，政党又は政治的目的のために，寄附金その他の利益を求め，若しくは受領し，又は何らの方法を以てするを問わず，これらの行為に関与し，あるいは選挙権の行使を除く外，人事院規則で定める政治的行為をしてはならない。（略）

人事院規則14－７（政治的行為）

第５項　法（注…国家公務員法）及び規則中政

治的目的とは，次に掲げるものをいう。政治的目的をもつてなされる行為であつても，第6項に定める政治的行為に含まれない限り，法第102条第1項の規定に違反するものではない。（略）

第3号　特定の政党その他の政治的団体を支持し又はこれに反対すること。（略）

第6項　法第102条第1項の規定する政治的行為とは，次に掲げるものをいう。（略）

第13号　政治的目的を有する署名又は無署名の文書，図画，音盤又は形象を発行し，回覧に供し，掲示し若しくは配布し又は多数の人に対して朗読し若しくは聴取させ，あるいはこれらの用に供するために著作し又は編集すること。（略）

労働基準法

第1条（労働条件の原則）**第1項**　労働条件は，労働者が人たるに値する生活を営むための必要を充たすべきものでなければならない。

第2項　この法律で定める労働条件の基準は最低のものであるから，労働関係の当事者は，この基準を理由として労働条件を低下させてはならないことはもとより，その向上を図るように努めなければならない。

第2条（労働条件の決定）**第1項**　労働条件は，労働者と使用者が，対等の立場において決定すべきものである。（略）

第3条（均等待遇）　使用者は，労働者の国籍，信条又は社会的身分を理由として，賃金，労働時間その他の労働条件について，差別的取扱をしてはならない。

第4条（男女同一賃金の原則）　使用者は，労働者が女性であることを理由として，賃金について，男性と差別的取扱いをしてはならない。

消費者基本法

第2条（基本理念）**第1項**　消費者の利益の擁護及び増進に関する総合的な施策（以下「消費者政策」という。）の推進は，国民の消費生活における基本的な需要が満たされ，その健全な生活環境が確保される中で，消費者の安全が確保され，商品及び役務について消費者の自主的かつ合理的な選択の機会が確保され，消費者に対し必要な情報及び教育の機会が提供され，消費者の意見が消費者政策に反映され，並びに消費者に被害が生じた場合には適切かつ迅速に救済されることが消費者の権利であることを尊重するとともに，消費者が自らの利益の擁護及び増進のため自主的かつ合理的に行動することができるよう消費者の自立を支援することを基本として行われなければならない。（略）

消費者教育の推進に関する法律

第2条（定義）**第1項**　この法律において「消費者教育」とは，消費者の自立を支援するために行われる消費生活に関する教育（消費者が主体的に消費者市民社会の形成に参画することの重要性について理解及び関心を深めるための教育を含む。）及びこれに準ずる啓発活動をいう。（略）

国際人権規約B規約

第24条（児童の権利）**第1項**　すべての児童は，人種，皮膚の色，性，言語，宗教，国民的若しくは社会的出身，財産又は出生によるいかなる差別もなしに，未成年者としての地位に必要とされる保護の措置であって家族，社会及び国による措置について権利を有する。（略）

女子差別撤廃条約

第2条（締約国の差別撤廃義務）　締約国は，女子に対するあらゆる形態の差別を非難し，女子に対する差別を撤廃する政策をすべての適当な手段により，かつ，遅滞なく追求することに合意し，及びこのため次のことを約束する。

(a)〜(d)　（略）

(e)　個人，団体又は企業による女子に対する差別を撤廃するためのすべての適当な措置をとること。

(f)　女子に対する差別となる既存の法律，規則，慣習及び慣行を修正し又は廃止するためのすべての適当な措置（立法を含む。）をとること。（略）

事項索引

あ　行

か　行

さ　行

た　行

な　行

は　行

ま　行

や　行

ら　行

わ　行

執筆者紹介（執筆順／＊は編著者）

＊中富公一（なかとみ・こういち）
岡山大学名誉教授
［業　績］『自信をもっていじめにNOと言うための本――憲法から考える』（日本評論社，2015年），ほか共著，論文多数
担当：はじめに，第1部第1～4章，第3部第3・4・13章，コラム①・⑤，おわりに，巻末資料

宍戸圭介（ししど・けいすけ）
岡山大学ヘルスシステム統合科学研究科教授（博士（法学））
［業　績］「第8章　医療における人権を知ろう」古橋エツ子監修，和田幸司編著『人権論の教科書』（ミネルヴァ書房，2021年）146頁以下／分担執筆
担当：第2部第1・2章，第3部1・2章，コラム④

萩原聡央（はぎはら・あきひさ）
名古屋経済大学法学部教授
［業　績］「第15章　警察と地域の安全」白藤博行・榊原秀訓・徳田博人・本多滝夫編著『地方自治法と住民――判例と政策』（法律文化社，2020年）204頁以下／分担執筆
担当：第2部第3～5章，第3部第11章，コラム②

矢吹香月（やぶき・かつき）
岡山県消費生活センター消費者教育コーディネーター・消費生活専門相談員
岡山大学，倉敷市立短期大学，倉敷芸術科学大学非常勤講師（博士（法学））
［業　績］「消費者の権利の憲法による定礎を目指して」『岡山大学法学会雑誌』68巻3・4号（2019年）598頁以下
担当：第2部第6章，第3部第6・9・10章，コラム③

俣野英二（またの・えいじ）
岡山大学大学院社会文化研究科客員研究員（博士（法学））
岡山大学，就実大学，ノートルダム清心女子大学，くらしき作陽大学，美作大学，山陽学園大学，中国学園大学非常勤講師
［業　績］「学校による指導監督の憲法的裁量統制の法理――インターネットいじめに関するアメリカ判例の分析から」岡山大学博士（法学）学位論文（2018年3月）
担当：第3部5・7・8・12章，コラム⑥

憲法のちから〔第2版〕
──身近な問題から憲法の役割を考える

2021年4月20日　初　版第1刷発行
2024年8月20日　第2版第1刷発行

編著者　中富公一

発行者　畑　　光

発行所　株式会社 法律文化社

〒603-8053
京都市北区上賀茂岩ヶ垣内町71
電話 075(791)7131　FAX 075(721)8400
https://www.hou-bun.com/

印刷：共同印刷工業㈱／製本：㈱吉田三誠堂製本所
装幀：白沢　正

ISBN978-4-589-04343-6